La duda inquietante

Colección Autores Españoles
e Hispanoamericanos

José María Gironella

La duda inquietante

Premio Ateneo de Sevilla
1988

Planeta

COLECCIÓN AUTORES ESPAÑOLES
E HISPANOAMERICANOS
Dirección: Rafael Borràs Betriu
Consejo de Redacción: María Teresa Arbó, Marcel Plans, Carlos Pujol y Xavier Vilaró

Editorial Planeta, S. A., Córcega, 273-277, 08008 Barcelona (España)

Diseño colección, sobrecubierta y foto de Hans Romberg (realización de Jordi Royo)

Primera edición: setiembre de 1988
Segunda edición: octubre de 1988

Depósito legal: B. 36.854-1988

ISBN 84-320-6800-4

Printed in Spain - Impreso en España

Talleres Gráficos «Duplex, S. A.», Ciudad de Asunción, 26-D, 08030 Barcelona

CAPÍTULO I

Barcelona, Navidad de 1980

ME LLAMO ANSELMO ROMEU FIGUERAS. Empiezo a escribir estas memorias en plena lucidez, a los cincuenta y cinco años de edad, en el despacho de nuestro piso de la Rambla de Cataluña, 74, principal. Mi mujer, Victoria, se ha ido al cine con una amiga, Rosa María, que es dueña de una tienda de antigüedades en el barrio gótico. Han ido a ver la película *Galileo Galilei*. No me gusta demasiado Rosa María, porque es muy cotilla. Pero tiene encanto personal. Cuando está de mal humor parece un objeto antiguo; cuando se ríe, y lo hace a menudo, todo canta a su alrededor. En cualquier caso, Victoria se siente bien a su lado. «Yo también soy cotilla, ya lo sabes. Pero, en tu honor, me las compongo para disimular.» Mi mujer miente. Sólo le interesan su profesión —filóloga, profesora del Liceo Francés—, la familia, la música y los escarceos de mi conciencia. Seguro que esta tarde le habrá interesado también *Galileo Galilei*.

Rosa María es una mujer de bandera, alta, rubia, pícaro parpadeo; pero su marido, corredor de fincas, no le hace ningún caso. Le gustaría ser turco o árabe por aquello de las cuatro esposas y del harén. Mi mujer suele advertirle:

—Eres un guarro, Jorge. No te mereces el bombón que tienes. Algún día te la pegará.

—¿Rosa María pegármela? ¡Anda ya! Soy un *sex-symbol* y le gusta arrastrarse a mis pies.

Jorge Saumells, corredor de fincas, se las da de guapetón. Canta al afeitarse, y bajo la ducha se refocila de gusto. A lo largo del día se mira en los cristales de los escaparates, contento de sí mismo, pese a su pronunciado barrigón. «Podría vivir sin Rosa María, pero no sin los cigarros habanos y sin el Barça.» También se pirra por las revistas del Paralelo, especialmente por el Molino, donde corea a los reclutas que pretenden subirse al escenario. Anduvo enamoriscado de Nicole Blanchery, *vedette* del Apolo, escultural, casada (o algo así) con un ruso coleccionista de iconos. Pero fracasó. Supo retirarse a tiempo. Nicole Blanchery le doblaba en estatura y tenía una gran experiencia de la vida.

—Victoria, tienes suerte. Tu marido no te la pegará jamás. Es un santo. ¡Y hay tan pocos santos en el barrio!

Mi mujer sonríe. Al igual que Rosa María, es un tipazo, con mucha fibra interior. Nació en Barcelona, en el paseo de San Juan, y pronto perdió a su madre; después pasó varios años en Francia al término de nuestra guerra civil. En Francia, concretamente en Perpiñán, estudió el bachillerato y al regresar a España primero dio clases de acordeón y luego clases de francés en el Liceo Francés. Y más tarde estudió filología —sabe el latín y el griego—. Debido a mi temperamento y a mis circunstancias personales, poco corrientes a decir verdad, no lleva lo que podría llamarse una vida horizontal.

—Sí, es cierto, eres un santo. ¡Pero menudos sobresaltos! ¿Cuándo lograrás aceptar tu condición, como yo he aceptado la mía?

—No es lo mismo, mujer. Bien sabes que no es lo mismo.

—Claro que no, cariño. Te comprendo muy bien.

Tenemos dos hijos: Eduardo, diez años, actualmente en la escuela primaria, flautista por afición y por culpa de Mozart, y Laura, ocho años, que se pirra por descuartizar bichitos y se interesa por los tebeos y los cuentos infantiles. Uno y otra están embobados con la tele. Curiosamente, les gustan los mismos programas: documentales de divulgación cultural y películas del Oeste. Los *westerns* los hacen brincar en el sofá. ¿Quién lo diría? Ninguno de los dos es capaz de matar una mosca. A Victoria y a mí, que detestamos la pequeña pantalla obnubilante, nos gusta verlos a los dos muy juntos, prietos los dientes y los puños, pegándose de vez en cuando palmetazos en las rodillas. Y soltando carcajadas cuando el jefe indio dice *haw* y se lleva la mano al corazón. Con frecuencia la mascota de la casa, un gato, *Gorki* de nombre, se sube encima del televisor y allí se sienta, relajado. Parecería de porcelana a no ser que de repente menea la cola, molestando al jefe indio que ha secuestrado a una mujer rostro pálido.

También vive con nosotros mi madre, Concepción Figueras, algo pachucha debido a sus setenta y cinco años cumplidos. Lleva unas gafas con cristales negros —la operaron de cataratas— y exhibe una perfecta dentadura postiza, con la que simula masticar el mundo. A lo largo de cincuenta años ejerció de maestra en la academia Ausiàs March, de la calle Muntaner. Yo la recuerdo infatigable, procurando enseñar y formar a los alumnos de manera acorde con sus principios. Más bien agnóstica —al revés de mi padre, un beatón de tomo y lomo—, cada vez que topaba con la palabra Dios esquivaba el bulto. «Si al misterio le quieres llamar Dios, pues adelante. No vamos a reñir por eso.» Le gustaba —le gusta todavía— tergiversar el refranero y los lugares comunes, y más aún impugnar los axiomas. La cabeza clara, alerta el espíritu, se pasa las horas leyendo, escuchando la radio y dándole vueltas a los mismos pensamientos. Se lleva la palma mi padre, que murió hace quince años de una manera absurda: un ataque cardiaco en la Gran Noria del Tibidabo. «No sufrió —se consuela mi madre—, pero su ausencia es irreparable.» Luego piensa en mí y en Victoria. Después, en Eduardo y Laura. También se acuerda de un cuñado suyo, Dionisio, al que los anarquistas fusilaron durante la guerra civil. Y, por supuesto, se acuerda de nuestro médico de cabecera, el doctor Camprubí, quien todos los días, a las seis de la tarde, sube a tomarse con ella un tazón de chocolate. Ambos, aficionados a la ópera, según el estado de ánimo ponen en el estéreo a Verdi o a Wagner. También les gusta jugar al ajedrez, aunque el rey de mi madre fallece inexorablemente. El doctor Camprubí le recuerda siempre que deberíamos instalar un acuario en el comedor. «No puede usted imaginar, doña Conchi, hasta qué punto la casa les parecería más alegre. Los peces de colores fueron inventados precisamente para que todos los agnósticos crean en Dios.»

Por descontado, la familia, compuesta por cinco miembros y el gato llamado *Gorki*, se siente incompleta, debido a la ausencia de aquel varón excepcional que murió en la Gran Noria del Tibidabo: mi padre. Se llamaba Rosendo Romeu. En su día fue un hombre de empuje, sentimental pero de sano juicio, que detestaba las bagatelas. También maestro de escuela, todos sus alumnos le recuerdan con cariño, y el día del entierro inundaron de flores su féretro. Mi madre guarda con sumo cuidado sus gafas de montura de plata y la pluma estilográfica Parker, obsequio de fin de curso, con la que se cansó de firmar «aprobados» y algún que otro «suspenso». «Querida Conchi. Por la presente te entrego mi corazón...» Así empieza la primera de las postales que a lo largo del noviazgo le escribió a mi madre, postales cursis, con marinero y doncella, cuya colección completa mi madre guarda todavía en una caja de cartón que dice: «Zapatería Dalmau.» ¡Cuántas veces las he leído! Victoria opina que son ingenuas. ¿Hay algún amor que no sea ingenuo? ¿Hay alguna postal de amor que no lo sea? Es preciso meterse en el pellejo del ser humano para formular ese tipo de sentencia.

En cualquier caso, mi madre tiene el convencimiento de que si de verdad el cielo existe, su Rosendo ocupa en él un lugar de privilegio. En todos los años de convivencia no se perdieron el respeto jamás. «Tomad nota, hijos míos —nos dice a Victoria y a mí—. Soy una vieja, pero todavía puedo daros algún consejo de utilidad.» Eduardo y Laura adoran a la «abuela», posiblemente porque sólo los riñe lo necesario y los colma de regalos. Por descontado, le juegan malas pasadas, como, por ejemplo, esconderle algunas de las cartas de la baraja con la que hace solitarios o poniéndole en el halda, mientras duerme la siesta, a *Gorki*, lo que la despierta bruscamente, con el consabido sobresalto. Pero ambos tienen para con ella infinidad de detalles cariñosos, como anudarle la servilleta al cuello a la hora de las comidas o dejarle un papelito en la cama que dice: «Te queremos, abuela»; o bien: «¿Qué quieres que te traigan los Reyes Magos?»

Victoria y mi madre se llevan bien. Siempre se llevaron bien. Mi mujer se las ingenia para que mi madre tenga la impresión de que todavía es ella, doña Conchi, quien administra la casa, con un innato sentido del ahorro. La llama Conchi, sin más, porque a Victoria le gusta tutear a la gente. Ningún desfase entre ellas, ni intelectual ni de educación, pese a que la infancia de las dos fue muy distinta. Mi madre nació en un hogar de clase media —sus padres eran también maestros—, mientras que los padres de Victoria regentaban un puesto de verduras en el mercado de la Boquería.

De hecho, y sin que ello signifique asignarme la menor condecoración, yo soy el centro de esa comunidad que reside en la Rambla de Cataluña, 74, principal. Cuando cerramos las puertas y ventanas, la intimidad de nuestro hogar es casi absoluta. Intimidad sagrada, exclusivamente nuestra, pese al ruido intestinal de las tuberías de los pisos de arriba y a alguna que otra radio puesta a un volumen excesivo. Hay amor entre nosotros, lo cual no impide alguna que otra embestida colérica. Laura es la más rechistona, como si descuartizar bichitos le hubiera enseñado que los entresijos de todo cuanto vive son complejos. Si la cosa está en un tris de pasar a mayores, surge la flauta mágica de Eduardo y las piezas del rompecabezas se colocan en su lugar.

Soy director del Instituto Verdaguer, a diez minutos escasos de nuestra vivienda. Hago lo que puedo para que mis alumnos me quieran, pero lo consigo sólo a medias. Mis circunstancias personales dan pábulo a toda suerte de comentarios. Mantengo la disciplina, eso sí, y a fin de curso son muchos los padres que acuden a darme la enhorabuena. Me conservo bien, apenas si asoma en mi cara alguna arruga y en mi calvicie alguna mancha hepática. Y es que nunca he dejado de hacer gimnasia al levantarme y de zamparme mis buenos kilómetros en la bicicleta Cyclostatic. Eso sí, tengo tres manías muy concretas, sin las cuales me pregunto si podría vivir: tocar el piano, coleccionar cajas de cerillas —las guardamos en unas vitrinas en la habitación de la abuela— e ir al callista. Me gusta que me corten y pulan las uñas de los pies. «Sin los pies cuidados y unos buenos zapatos soy hombre perdido.» «Zapatos Dalmau», sonríe mi madre, aludiendo a la caja de cartón en la que guarda sus postales de noviazgo. Victoria me hace la manicura y todos contentos.

De todo ello, y de mucho más que no cabe en este papel, no puede deducirse que soy un hombre feliz. No, no lo soy. Ni puedo serlo. Ni lo seré nunca. Soy un cura secularizado, que obtuvo la *dispensa* necesaria y se casó por la Iglesia, pero que no puede administrar los sacramentos. La Iglesia no ha comprendido todavía que ambas cosas podrían ser compatibles. Mosén Martí, párroco de San Gregorio —mi párroco por espacio de doce años—, da la razón al Santo Padre. Es partidario del celibato. «Hazte protestante y asunto arreglado.» Ya no me confieso con él porque me denegaría la absolución.

CAPÍTULO II

NO SÉ EXACTAMENTE EN QUÉ AÑO NACÍ. Los papeles dicen que fue el 3l de diciembre de 1925 —San Silvestre—, a las doce en punto de la noche. Pero lo cierto es que nadie en aquellos momentos miró el reloj, puesto que el protagonista era yo. Si ya habían dado las doce, nací en el año 1926. Mi padre solía bromear diciendo que un hombre que no sabe con precisión en qué año nació está condenado a vivir en las tinieblas, inmerso en la duda. ¿La duda? No creo que haya sido ésta mi constante vital. Hasta que pasó lo que pasó, anduve de fijo con la soberbia de quien sabe lo que quiere y está seguro de unas cuantas reglas fundamentales, a tenor de las cuales va consumiendo su existencia.

Vivíamos en la Rambla de Cataluña, 74, principal, frente por frente de la estatua de Clavé. A mi madre le gustaba sacarme a pasear para que respirara aire puro, y solía llevarme, en tranvía, al parque de la Ciudadela, donde gozábamos de la variada vegetación, del Zoo —la chiquillería gritando—, toboganes y pelotas que iban de un lado a otro. Limpia gravilla crujía bajo nuestros pies. Al niño que yo era le impresionaba mucho la importancia que la pelota tenía en el mundo. Éste fue el enlace natural con los niños de mi edad. Mi padre aparecía de pronto en el parque —a la salida de dar sus clases— y me retaba: «¡A ver si me metes un gol!» Yo colocaba el balón en el suelo y le daba un puntapié con la poca furia de que era capaz. Mi madre, expectante, aplaudía si por casualidad lograba batir a mi padre, quien simulaba tambalearse y hacía un gesto declarándose derrotado.

Mi padre era por entonces un guapo mocetón y mi madre una guapa moza, de suerte que yo nunca pude imaginar que un día los vería encorvarse y perder su prestancia. Don Rosendo Romeu, como le llamaban sus alumnos, ejercía en el colegio Viladomat, regentado por hermanos de la Salle; doña Concepción Figueras trabajaba, también de maestra, en la academia Ausiàs March, de la calle Muntaner. La pedagogía era para ambos tan importante como para mí la pelota. El general Primo de Rivera, a quien la portera de mi casa llamaba dictador, quería imponer a las nuevas generaciones una educación patriótica. Mis padres estaban de acuerdo con él sobre este particular. No habían viajado, no habían salido nunca de la cáscara, carecían de los necesarios elementos de comparación, al revés de tío Dionisio, quien había hecho ya cinco viajes a América en busca de fortuna y quien aseguraba que nuevos vientos izquierdistas asomaban en el horizonte «allende las fronteras».

Tío Dionisio parecía tener razón, aunque por entonces yo, simple manojo de carne reciente, tambaleándome aún al andar, no tenía la menor obligación de percatarme de ello. Pero la verdad era que las fachadas de las casas aparecían con pintadas de «Viva la República» y «Muera el rey», y que por la noche se oían algunos petardos que semejaban gritos de protesta brotando en las esquinas.

¿Por qué aquellas pintadas de «Muera el rey»? A mí el rey —los reyes— me gustaban porque eran tres, Gaspar, Melchor y Baltasar, y porque iba todos los años a esperarlos con un farolillo que confería a mis padres y a la Rambla de Cataluña un aspecto fantasmal. Al día siguiente de la cabalgata llegaban a mi casa los regalos, que consistían en un nuevo caballo de cartón, una o varias peonzas, un pequeño altar donde celebrar misa, flamante indumentaria para estrenar, etc. Especialmente me gustaban los casquetes rojos o azules con una borla colgando —más tarde me enteré de que eran obra de la portera, la fiel Mercedes—, que me vacunaban contra el frío del invierno y quién sabe si contra los malos pensamientos.

En el año 1931, con la llegada de la República, el ambiente se enrareció todavía más, aunque yo, por supuesto, hecho un renacuajo, aún no me había dado cuenta. Se quemaron algunas iglesias, Dios sabría por qué. Debido a mi corta edad —seis años— me resultaba imposible calibrar por mi cuenta el alcance de los acontecimientos. Sólo advertía que mi padre andaba mohíno y que mi madre, más serena, le regañaba gritando: «¡No exageres! ¡No exageres!» Ella creía firmemente que aquellos desmanes en España no podían durar, «por razones históricas». Pero mi padre se mordía los puños y, para relajarse, o bien salía al balcón a ver pasar los tranvías o bien daba una vuelta por toda la casa, poniendo en hora todos los relojes.

La República... Yo era feliz, aunque hubiera preferido que los reyes, además del casquete rojo o azul, me trajeran una hermanita. En el altarcillo que tenía siempre en mi cuarto yo simulaba bautizarla, siguiendo las indicaciones, radicalmente ortodoxas, que me facilitaba mi padre. Una muñequita con rodetes en las sienes me servía para ese menester. Sal en los oídos y en la lengua, agua en la cabeza, que mentalmente me hacía tiritar. Mi madre sostenía un cirio, aunque no parecía que la ceremonia fuese de su agrado. En ausencia de mi padre dicha ceremonia duraba poco, porque mi madre —doña Concepción Figueras para los alumnos de la calle Muntaner— era más bien agnóstica, palabra cuyo significado por entonces yo desconocía. Un aire desangelado se apoderaba del ambiente. En cambio, en presencia de don Rosendo Romeu, mi progenitor, el bautizo se eternizaba y yo creía firmemente que de un momento a otro la muñeca de los rodetes se transformaría en una niña de carne y hueso con la que podría jugar y, en el parque de la Ciudadela, meterle cuantos goles me apeteciera.

Sí, era feliz. ¿Qué más podía desear? Amor en casa, leña seca en invierno, ventilador en verano, periódicas visitas de tío Dionisio —más regalos—, y la guardia permanente, para que no me ocurriera nada malo, de la fiel portera, Mercedes. Ésta era una mujer ajamonada, viuda, que por no haber tenido descendencia había depositado en mí su capacidad de cariño. Me sostenía en brazos, hacía sonar campanillas, profetizaba que yo sería un gran pintor, ¡o un gran músico! Analfabeta de primer grado, paradójicamente siempre tenía a mano una pizarra y tiza para que yo pudiera trazar allí mis garabatos, mis conceptos geométricos particulares. El día que, por consejo de mi padre, escribí en la pizarra «Mercedes», la mujer rompió a llorar. Su único inconveniente es que era sucia. Lo llevaba en la sangre. Mi madre, debido a ello, no la podía soportar. «¿Habéis visto en el comedor? ¡Un papel matamoscas colgado del techo!» Mercedes hubiera querido ayudar a mi madre —también la llamaba doña Concepción— a lavar la ropa, a plancharla, a colocarla en los armarios y a fregar el enlosado del piso, que era de color verdoso y resbalaba. Pero mi madre decía que nones. Se las ingeniaba para dar abasto, y yo la recuerdo en el pequeño lavadero a la intemperie, en la terraza de la parte trasera del piso, dale que dale con sus manos repletas de sabañones. ¡De vez en cuando trepaba del jardín trasero de Mercedes alguna rata! Algunos vecinos afirmaban que Mercedes se las comía y que le gustaba aplastar —craccrac— las cucarachas con el pie. El gran misterio de nuestro piso en la Rambla era que mi padre adoraba a Mercedes. En broma ironizaba que le gustaría tener piojos para que Mercedes se los quitara uno por uno y le rascara la cabeza. «¡Guarro, más que guarro!» La voz de mi madre era grave; la de mi padre, algo nasal, lo que, dada su profesión, le restaba autoridad. De vez en cuando, a medianoche, se oía abajo, en el comedor de la portería, algún ruido fuerte, como si alguien cambiara los muebles de sitio o roncara a pleno pulmón. «¡Esa Mercedes! Ya tiene aquí a su mequetrefe, a su chisgarabís...» «Cuida tu vocabulario, querida esposa. El infierno está lleno de calumniadores.»

Pronto oí decir que habían vuelto a ganar las derechas —Gil Robles, año 1933—, y mis padres lo festejaron con champaña que tío Dionisio trajo en abundancia. Tío Dionisio se presentó con una camisa azul, gafas oscuras y un escudo con flechas, sin dar ninguna explicación. Junto con el champaña había traído un escudo idéntico para mí, pero mi padre le cerró el paso. «Hasta aquí podíamos llegar. Mi hijo no se vestirá nunca de soldado romano.» Entonces tío Dionisio hizo otro viaje a América —a Cuba y a Venezuela— y se trajo un loro que mi madre, en uno de sus raptos varoniles, estranguló.

Julio de 1936. Poco antes de cumplir los once años, había pegado un estirón. Me sentía fuerte y mi nota característica era la alegría. Ojos azules, un tanto rasgados, como mi padre, cabello negro, rizado, como mi madre, acaso fuera un compendio de los dos, si bien mis inclinaciones se dirigían mayormente hacia don Rosendo, quien además de ser mi padre era mi profesor en casa y en la escuela de los hermanos de la Salle, de Viladomat. De su mano vi cómo el colegio era incendiado por jóvenes anarquistas que exhibían banderas con las insignias de la FAI. Me enteré de mucha cosas. Supe que había estallado una guerra entre los «militares fascistas» y el pueblo. De que dicha guerra iba a ganarla el pueblo, que contaba primero con la razón, luego con dos tercios del mapa de España y después con la simpatía del mundo entero, a excepción de Italia, Alemania y Portugal. También me enteré de que mi tío Dionisio había sido fusilado en el Campo de la Bota y de que mi padre estaba en peligro. Entonces surgió la fiel Mercedes y nos allanó el camino. Su hermana y su cuñado poseían una humilde masía en la montaña, entre Arenys de Munt y Mataró y allá podríamos cobijarnos. Así fue. En un camión lechero hicimos el trayecto, llevándonos lo más indispensable. Yo seguía siendo feliz porque las contrariedades, a semejanza de los granos en la piel, no podían con mi júbilo interior. Todo lo convertía en paisaje del alma. Me gustaban los árboles, me gustaban los caminos de carro, y estaba seguro que me gustarían las gallinas y los patos que íbamos a encontrar en la masía, Mas Carbó, que iba a ser nuestra residencia hasta Dios sabía cuándo.

Mi padre, muerto de miedo en el camión lechero, musitaba en latín plegarias que yo no podía identificar. Mi madre pensaba en el loro estrangulado y miraba por todas partes como si estuviera dispuesta a repetir la jugada. Mercedes repetía: «¡Sí, Mas Carbó te va a gustar, Anselmo, te lo digo yo! Mi cuñado Fermín y mi hermana Dolores te recibirán como si fueras de la familia.» «¿Cuántas ratas habrá en Mas Carbó? —me preguntaba para mi capote—. ¿Y cuántas cucarachas?» Era la incógnita de mi madre, saber si Dolores sería tan puerca como Mercedes, lo cual, en una casa de campo, resultaría insoportable.

La masía no era tan humilde como Mercedes pretendía. De arquitectura catalana clásica, con el tejado en forma de V invertida, una ventana en el frontis y un reloj de sol al lado, gracias a Fermín se mantenía en buen estado. Había un molino de viento que desde el primer instante hizo mis delicias. Y un pajar con un palo atravesándole el centro y un orinal en lo más alto, presidiendo. ¿Animales? Para dar y vender. Un caballo, una yegua y un mulo —los tres reyes magos—, patos y gallinas; en efecto, una pareja de cerdos y un mastín que al vernos se puso a brincar. Si no era de raza, lo parecía. Empezó a olfatearnos y al llegar a las perneras de mi padre sacó la lengua, una lengua enorme y rojiza, jadeó como un endemoniado y no paró hasta que su amo, Fermín, lanzó un silbido. Entonces *Tritón* —así se llamaba el perro— retrocedió y se fue a orinar junto a un algarrobo gigante que sombreaba la era, lugar que, por lo visto, era su preferido. «Vas a hacer buenas migas con *Tritón*», me dijo Mercedes. «Eso espero», le contesté, aunque por lo pronto el animal que más me atrajo fue el caballo, estrambóticamente llamado *Vesubio*. ¡*Vesubio*! La primera noche soñé que llameaba, que orinaba un chorro de lava y que ésta nos arrastraba a todos, empezando por mi padre, que moría, después de muchos aspavientos, a los pies del algarrobo.

Al despertar —dormimos en la buhardilla— oí el canto de un gallo y los ladridos de *Tritón*. Miré a mi alrededor y a la luz crepuscular que entraba oblicua por el ventanuco pude ver a mis padres dormidos sobre un jergón de lana pegado al mío. Muchos aperos colgaban de las sólidas vigas que sostenían la techumbre. Una lámpara de aceite. Una rueda de carro. Un par de viejas escopetas camufladas en un rincón. ¿Escopetas? ¿No era temerario guardarlas? ¡Oh, sí, un par de ratas observándome a una distancia no superior a medio metro! Me aturullé. Pensé en el patio trasero de la Rambla, en el patio de Mercedes. Tal vez Dolores, su hermana, la dueña y señora de Mas Carbó, fuera, como ella, sucia de nacimiento.

Sentado en mi jergón me restregué los ojos. Poco a

poco Mas Carbó iba renaciendo a la vida. El molino de viento estaba en calma, pero oí la voz de Fermín que le hablaba a *Vesubio*, el caballo de mis amores. A lo mejor podría aprender a montarlo. Me levanté y asomé la cabeza por la ventana. No se veía a nadie, únicamente el sol de agosto calentando el paisaje en torno y quién sabe si las cabezas de los habitantes de la comarca. Comarca de vegetación espléndida, prietos pinares y simétricos viñedos extendiéndose por el Maresme hasta el confín. Mas Carbó estaba situado en lo alto de la carretera Arenys de Munt-Mataró y dominaba montículos y hondonadas. Muchos gallos, coqueteando con el nuestro, se pusieron también a cantar. Y ladraron otros muchos perros además de *Tritón*. Eché de menos a algún gato —pronto aparecerían media docena— y un pavo real. Con un pavo real bastaría para iluminar nuestro apasionante refugio. Los pavos reales eran la mitología del Zoo de Barcelona, y para demostrar que tenían conciencia de ello a veces se desplegaban, majestuosos, como una baraja de naipes entre los dedos de un mago experto.

Me vestí en un santiamén, me lavé la cara y las manos en una jofaina puesta a propósito y me dirigí al jergón que ocupaban mis padres dispuesto a despertarlos. Pero dormían tan plácidamente que no me atreví. Nunca había visto a mis padres dormidos tan confiadamente uno al lado del otro. Su acompasada respiración convertía el zaquizamí, la buhardilla, en alcoba conyugal. Mi madre era realmente hermosa. Los dientes apretados daban fe de su energía y hasta yo diría que de su agnosticismo. Para dormir se había recogido los cabellos en un moño que brillaba negro sobre la blanca almohada. ¡Ah, sí, mi madre se las había compuesto para que Dolores pusiera a su disposición almohadas y sábanas blancas, que olían a lejía y almidón! Mi padre, acurrucado, era la viva estampa de un hombre indefenso y cansado. Tenía abierta la boca, en la que destacaban un par de dientes de oro. ¿Cómo sería la dentadura de Fermín? ¿Y la de *Vesubio*, y la de *Tritón*? Mi padre tenía la manía —yo la heredé— de coleccionar cajas de cerillas; yo tenía la manía de las dentaduras. Se me antojaba que por la dentadura podía adivinarse el carácter de las personas. En la escuela, en el aula de anatomía, había un par de calaveras. En una de ellas la dentadura estaba al completo, limpia y sonriente; en la otra, faltaban varias piezas y el efecto era macabro. Cuando subió Dolores, tía Dolores, a decirnos que era hora de bajar a desayunarse advertí que a su dentadura le faltaban varias piezas.

A lo largo de la jornada tuve ocasión de cerciorarme de que Mas Carbó era una pocilga como la vivienda de Mercedes, pese a los esfuerzos del cuñado de ésta, el forzudo campesino Fermín, dueño y señor de la masía, quien sudaba a mares para que aquello no trascendiese o se achacase a la presencia de la pareja de cerdos. «¡Casi once años! —me dijo el hombre mientras rebanaba el pan—. La edad del pavo.» En cualquier caso, no sería del pavo real... Las gallinas y los patos campaban por sus respetos, los patos nadaban, cuello enhiesto, en una balsa próxima al algarrobo. «La ventaja que tenemos aquí es que no nos falta el agua. Todo el subsuelo de la comarca es un mar.» Un mar... Desde Mas Carbó se divisaba allá en lontananza un pedazo de azul y tal vez el paso de algún barco. Yo nunca había visto la mar grande; a lo sumo, el puerto de Barcelona, donde se decía que «los militares fascistas» sublevados se disponían a desembarcar. Mi padre estaba muerto de miedo, preocupado. Confiaba en Fermín y en Mas Carbó. Y en la Providencia, claro; pero, de poder elegir, en el desván habría un crucifijo en vez de un par de escopetas. Fermín, muy brutote, le espetó a bocajarro:

—Pues si vienen los milicianos oliéndote los pantalones como te los olió *Tritón*, mejor las escopetas que un crucifijo.

Mi madre se asustó.

—¿Crees que van a venir?

—No lo creo. Hasta ahora han pasado de largo. Saben que soy de los suyos y no me van a molestar, como no sea para pedirme que forme parte del comité.

Mis padres palidecieron, y Dolores no pudo ocultar una sonrisita.

—¿De los suyos? ¿Qué quieres decir?

—Eso. Que los militares no me la dan con queso y que hay que acabar con ellos y con toda la mandanga.

—¿Qué entiendes por mandanga? —balbuceó mi padre, cuya calvicie enrojecía cada dos por tres.

—¡Hum! Los terratenientes, los curas, esos que chupan de la patria; y los demás a criar cerdos.

Por fortuna los alumnos de mi padre, don Rosendo, no estaban allí y no pudieron ver con qué prisa el hombre se fue a la parte trasera de la masía, donde empezaban la huerta y los viñedos, y junto a una roca se puso a llorar.

De mediana estatura, ojos enrojecidos, una verruga en la nariz, así era Fermín. Y patizambo. Amante del vino y de las cartas. Estuvo años desplazándose con el carro al Café Español, de Arenys de Mar, a echarse su partidita hasta las tantas. Tenía suerte. Era un ganador. De modo que Dolores se lo consentía, a cambio de que en la cama —cama de verdad, en la planta baja, con colchón también de lana— satisficiera su hambre de hombre.

—¡Eres una cachonda!

—Y tú un aprendiz.

—¿Aprendiz? Ahora verás...

Y Fermín la revolcaba hasta dejarla exhausta, sin apenas poder respirar. Poco después la pareja se daba sus buenos lotes de tocino, regados con vino tinto. Vino de cosecha propia, del lagar que se alzaba a poca distancia, a pie de carretera. Mercedes se llevaba bien con ellos. A Fermín no lo consideraba su cuñado, sino su hermano. Y en cuanto a Dolores, ¿qué podía decirse? La misma educación, en Mas Carbó, hasta que sus padres faltaron y Dolores y Fermín se quedaron con la masía, mientras Mercedes se casaba también y tomaba posesión de la portería de la Rambla de Cataluña.

Mercedes no había parido —enviudó a los dos años de la boda—, y Dolores tampoco, pese a los revolcones. El doctor Quintana, de Mataró, le ordenó que se abriera de piernas, investigó en aquel misterio y diagnosticó:

—Todo normal.

Luego exploró a Fermín y le preguntó:

—¿Se resfría usted a menudo?

—Nunca —respondió Fermín, enfático y desconcertado.

El doctor Quintana sonrió.

—He bromeado, tengo esa costumbre. Hablando en serio, el culpable de la esterilidad es usted.

Los ojos de Fermín enrojecieron más de lo acostumbrado.

—¿Y eso... tiene remedio?

—A mi entender, no. Si quieren consultar con otro especialista, pueden hacerlo...

Lo hicieron, en efecto, y el sonsonete fue el mismo. Fermín era el culpable y los animales de Mas Carbó se beneficiaron de ello, pues su amo les dedicó su vida entera.

Tal hecho explicaba que Fermín me tomara tanto apego. Yo era el chaval que él hubiese deseado tener. Un poco menos finolis, desde luego. Mis padres y yo, en la masía, seríamos siempre forasteros llegados de la ciudad.

—¡También Mercedes ha llegado de la ciudad!

—No es lo mismo, pequeñajo. Mercedes se crió aquí como mi mujer, entre bestias y pisando uva.

Pronto me di cuenta de que mi padre —en Mas Carbó era Rosendo a secas— envidiaba la fuerza bruta de Fermín. Cuando, asomado al ventanuco de la buhardilla, donde permaneció cuatro meses oculto, sin tener permiso, ni atreverse, a bajar, veía a Fermín con el torso desnudo cortar leña, martillear piedra o salir galopando con *Vesubio* por el camino, se acariciaba la barba recién afeitada y musitaba: «¡Vaya por Dios!... Me equivoqué. El mundo es suyo.» Mercedes se encontraba en su elemento, al igual que Dolores y no tenía necesidad de aplastar cucarachas —crac-crac— con la puntera del pie. Mi madre tampoco se acostumbró al modo de existencia de la masía. Maestra de escuela, ¿a quién enseñar el abecedario? Fermín y Dolores le dijeron que nones. «Sabemos de cuentas, ¿qué más quieres?» Mi madre —ella sí que tenía permiso para bajar de la buhardilla y trajinar por Mas Carbó— a veces se imaginaba que las gallinas, los cerdos y, sobre todo, *Tritón* y *Vesubio* eran alumnos suyos y farfullaba las primeras letras y les daba su palabra de que 2 y 2 sumaban 4. Mi madre tenía tanto empuje que hizo frente a la situación con mayor éxito que mi padre. Cuando pasaba algún camión o llegaba a casa alguien de fuera, de Arenys, de Mataró o de alguna masía cercana, se sobresaltaba. Pero

Fermín le hacía un guiño y mi madre recobraba el ánimo.

Mi alegría, mi júbilo, les hizo más llevadero el encierro. El contacto con la naturaleza me enseñó mucho más de cuanto pude imaginar. Sobre todo desde que Fermín adquirió —o requisó, nunca lo supe— un par de vacas, alegando que se acercaban malos tiempos, que la comida escasearía hasta un límite impensable y que, por tanto, era preciso anticiparse. Ordeñar las vacas me supo a gloria. Tomar la leche espumeante me daba asco; pero llenar los recipientes y entregárselos a Fermín y a Dolores me hinchaba de orgullo. Me empeñaba en ser útil, aunque apenas si lo conseguía. Leía el periódico y todos escuchábamos la radio, que no cesaba de manar noticias adversas para quienes, como mi padre, por el hecho de ser creyente y de enseñar en un colegio de la Salle vivía condenado a muerte. Por lo demás, el pueblo ganaba en todos los frentes, excepto en el que ascendía desde Extremadura hasta Madrid, y los «cochinos militares» tendrían que hacerse el harakiri. Cabe decir que a los cuatro meses de haberse iniciado la contienda los ánimos de los milicianos se habían calmado y el peligro era menor. Fermín fue el primero en gritar, en Arenys de Munt, que a base de fusilar a la gente por tener en casa una imagen de la Virgen no iban a ganar la guerra. La guerra se ganaba con disciplina, con orden y sin crearse más enemigos. En resumidas cuentas, mi padre obtuvo ya el necesario permiso para bajar de la buhardilla a la planta baja, y un poco más adelante, allá por la Navidad, pudo incluso salir a la era a tomar el sol, a palpar el tronco del algarrobo y a mezclarse, torpemente y con extrema timidez, con los animales. Pronto advertimos que sus amigos naturales eran los patos. Encargado de darles de comer, no admitía que nadie le precediera. «Son mis alumnos. Al que se les acerque sin mi permiso le descerrajo un cargador.»

Claro está que mi deslumbrante alegría no se debía exclusivamente a la adquisición de las dos vacas, que nosotros bautizamos con los nombres de *Julieta* y *Cleopatra*, mientras que para Fermín y Dolores fueron *La Gorda* y *La Flaca*, lo que me llevó a pensar que, según el talante y la educación, las cosas tienen nombres diferentes. No, mi alegría provenía del cielo. Influido por mi padre, quien veía por todas partes —en especial en las aspas del molino girando al viento— la rueda eterna de Dios, lloré por los muchos sacerdotes de cuyo asesinato tenía noticia —el párroco de Arenys de Munt fue el primero—, pero me reía a carcajadas leyendo, en un pequeño Evangelio que me llevé de matute, que «las fuerzas del infierno no prevalecerán».

Esta frase, que hasta entonces había pronunciado de corrido y sin prestarle mayor atención, se convirtió en mi lema para considerar que «Fermín y los suyos» perderían la contienda. Esta deducción sirvió fehacientemente para que considerase liquidado el asunto, durara lo que durase y para dedicarme a estudiar. Me desplacé a Mataró y adquirí un montón de libros, entre los que se contaban las novelas de Julio Verne, de Zane Grey y una gramática latina. Con la ayuda de mis padres le hinqué el diente al latín, el cual me abrió un mundo tan vasto y desconocido como el de las vacas. Comprendí el significado original de muchas de las palabras que usábamos a diario. «Cuidado con este libraco encuadernado en pergamino, que huele a sacristía. Por tu culpa nos van a fusilar a todos.» Fermín me hablaba de ese modo en tono cariñoso, pero yo no dejaba de advertir que, en su mente campesina, se había hecho la misma composición de lugar que yo: la guerra la iban a ganar los «cochinos militares». Dolores estaba en desacuerdo. Cuando pasaban aviones miraba hacia arriba y gritaba sistemáticamente:

—¡Son nuestros!

Fermín se enfurecía.

—Pero ¿qué entiendes tú de eso? ¿Acaso distingues los ruidos? Escucha mañana la radio y te enterarás de que los aviones son alemanes.

El bueno de Fermín... Un día fue a Mataró y regresó con un camión de segunda o tercera mano, descacharrado, pero cuyo motor estaba en condiciones de llegar hasta el frente y regresar. ¡Menudo regalo! Algún rey mago —tal vez, el rubio— se encargaría de ese menester. La adquisición del camión de marras cambió el aire y las costumbres de la masía. No sólo sirvió para el transporte y las labores del campo, sino para ir con frecuencia a Barcelona, a la Rambla, a comprobar si el letrero «Piso requisado por el Comité de la FAI» había surtido efecto y nuestra vivienda estaba intacta, así como la portería de Mercedes. Hubo suerte. Todo continuaba en su lugar. La única sorpresa que se llevaron Fermín y Mercedes fue que dentro de nuestro piso había, efectivamente, tres miembros de la FAI, ¡que ocultaban a un jesuita! No supieron si echarse a reír o a llorar. El jesuita, un gigantón que se pasaba las horas haciendo punto de cruz, al principio palideció, pero luego se echó también a reír. Por lo visto la familia de uno de los milicianos le debía a aquel hombre muchos favores y quisieron responder a ellos salvándole la vida.

El camión de Fermín sirvió asimismo para que éste me llevara con frecuencia a Arenys de Mar, a conocer el puerto y el mar grande. Uno de sus amigos pescadores —compañero suyo de las timbas que se organizaban en el Café Español— tenía una barcaza que en las noches de bonanza salía muy lejos, a muchas millas de la costa, en busca de inocentes peces que se dejaran capturar. Por dos veces el patrón amigo de Fermín me permitió salir con ellos. Dos noches de luna llena. Nunca lo olvidaré. Los rayos de la luna reverberaban sobre el mar en calma, al igual que sobre los peces, cuyas escamas parecían de plata. Fueron momentos —horas— majestuosos, de encantamiento. Dios era inmenso y en alta mar debería ser obligatorio hablarle en latín. El patrón de la barcaza se pasó todo el tiempo blasfemando. La tripulación le hacía coro, por lo que temí que de un momento a otro naufragaríamos.

La experiencia fue válida. Todo cuanto acontecía era válido. A caballo del año 1938 —ya llevábamos casi dos años en guerra—, el signo de ésta se había inclinado definitivamente a favor de los sublevados y Fermín era el primero en reconocerlo. «Cuando esto termine, os instaláis vosotros en Mas Carbó y Dolores y yo nos ocultamos arriba, en la buhardilla, y sólo bajaremos cuando estéis seguros de que nadie va a pasarnos la factura.»

¿Qué factura ni qué ocho cuartos? Nos habían salvado la vida y los bienes. ¿Qué más se podía pedir? Claro que Mas Carbó, bajo nuestro padronazgo o dirección, no saldría adelante ni a la de tres. Nosotros no podríamos cortar leña con el torso desnudo ni cuidar de la huerta ni de los viñedos. De modo que conseguiríamos en favor de nuestros anfitriones el permiso necesario para seguir existiendo y cuidando de su propiedad, de *Tritón* y de *Vesubio*, de las vacas, las gallinas y las ranas. Y por si algo faltara, les regalaríamos un pavo real.

CAPÍTULO III

EL 1 DE ABRIL DE 1939 terminó la guerra, con la prevista victoria de los militares sublevados. Acabó oficialmente, claro, pues para la mitad de España la tragedia no hizo más que empezar. Para los que se exiliaron; para los prisioneros; para los que a última hora murieron de un disparo al corazón; para los que se escondieron, como Fermín y Dolores, en una buhardilla, aquello era el comienzo de una derrota que los llevaría quién sabe a qué rincón del mundo, de la cárcel o del cementerio.

Yo me encontré de pronto en el Seminario de Barcelona. Mucho tuvo ello que ver con el contagioso entusiasmo de los vencedores, con la presión que ejerció mi padre sobre mi mente o mi conciencia —mi madre se hartó de llorar, pero no consiguió que yo rectificara mi decisión—, y con la noticia de que faltaban curas para rehacer el patrimonio humano eclesiástico que los «rojos» habían decapitado. Se hablaba de trece obispos y unos ocho mil sacerdotes y religiosos fusilados en todo el territorio «rojo». Entre los muertos seglares debía contabilizarse mi tío Dionisio, cuya sepultura en el Campo de la Bota no pudimos localizar. Aquellas cifras clamaban al cielo, donde las lunas llenas irían sucediéndose reverberando sobre los peces y sobre el mar. Don Eulogio León, flamante director del colegio de la Salle, al que mi padre se reincorporó, me escuchó atentamente, me mantuvo a prueba todo el verano en el convento milagrosamente intacto, y a primeros de septiembre me dio su bendición. «Anda, hijo, al seminario, que falta nos hacen las almas como la tuya, destinadas a Dios.»

El piso de la Rambla, en efecto, se partió en dos. Mi padre, que volvió a ser don Rosendo Romeu, y mi madre, que volvió a ser, en la academia Ausiàs March, doña Concepción Figueras, anduvieron a la greña, ante la divertida sonrisa de Mercedes, quien también se había incorporado a su trabajo en la portería del inmueble, con la ayuda, en esta ocasión, de una chica huérfana llegada de Andalucía y a la que conoció en los comedores de Auxilio Social. La chica se llamaba Rocío y el nombre le venía como anillo al dedo. Era alegre como un cascabel. La guerra y la orfandad habían resbalado por su piel morena, dejándole intactos el temple, los brazos y los pies para bailar. Bailar como los ángeles, como nunca se había visto bailar y zapatear en la Rambla de Cataluña. Yo me encandilé de tal modo con los redondos pechos de la mozuela que fue éste uno de los pocos obstáculos con que tropecé una vez se puso en marcha lo que don Eulogio León denominó desde el primer momento «mi destino».

Mi madre no se hacía a la idea de que aquélla pudiera ser mi vocación. «¿Qué me importan a mí el número de obispos y curas que hayan muerto? Tú eres mío. Y yo soñé siempre con que fueras abogado, arquitecto o lo que se te antojara, además de formar un hogar y traerme al mundo unos cuantos nietos.» Mi padre se llevaba las manos a la cabeza. Había perdido mucho pelo y se le declaró una incipiente miopía que le obligó a estrenar gafas. Para apaciguar a mi madre tenía una fórmula infalible: el flanco del humor. «La vocación es la vocación, querida, y no hay que darle vueltas. La culpa es de Fermín. Tu hijo oyó en su boca tantas blasfemias que el muchacho se dijo: ¡a compensar! ¡No, no me culpes a mí! ¡Yo no he influido para nada! Anselmo ya es mayorcito y a los cinco años los reyes le trajeron ya un altar, y tú no te opusiste. Para mí que el culpable real es la gramática latina que se trajo de Mataró. La jerga religiosa, en latín, adquiere una resonancia especial, como *La Marsellesa*, en los oídos de los obreros revolucionarios.» Mi madre estornudaba —sufría de rinitis crónica, por lo que en su presencia no era recomendable fumar—, y dando un portazo se encerraba en su alcoba, donde preparaba a fondo, responsablemente, las clases que al día siguiente tenía que dar en la escuela Ausiàs March.

Todo en orden. Fermín y Dolores continuaban en Mas Carbó. El aval de mi padre bastó para tener la certeza de que nadie los molestaría. Mi padre estuvo tentado de abandonar el colegio y dedicarse a la compra-venta de terrenos y a la construcción; pero mi madre le desanimó. «¡Quítate esa idea de la cabeza! Perderíamos gallinas y huevos. Perderíamos incluso el pequeño fortunón que el pobre Dionisio nos legó.» Este «pequeño» fortunón dio asimismo lugar a varias disputas conyugales, dado que mi padre se empeñó —y logró salirse con la suya— en que yo llevara conmigo al seminario, además de mi petate, un donativo que ayudara un tanto a adecentar la capilla, que durante la guerra fue almacén de cereales.

El edificio del seminario, en la calle Diputación, cerca de la de Balmes, era inmenso y después de muchas vicisitudes fue construido en el siglo pasado por el arquitecto Elías Rogent. Claustros, patios de recreo, aulas, museo de ciencias naturales, laboratorio de física y química, biblioteca, salón de actos, dormitorios, etc., formaban todo un mundo. Arriba, debajo del torreón, unas habitaciones misteriosas, cerradas con llave, que nadie sabía lo que contenían y que disparaban nuestra imaginación, al igual que los sótanos, donde durante la guerra fue instalada una checa.

El número total de alumnos cobijados bajo aquel grandioso edificio en forma de cruz se acercaba a los trescientos. Los «novatos» —así nos llamaban a los que iniciábamos la carrera— éramos cincuenta y dos, provenientes de toda la diócesis barcelonesa; el resto lo componían los repescados de antes de la guerra, que estudiaban cursos superiores. Sin darnos cuenta, pronto se produjeron compartimientos estancos. Trescientos alumnos eran muchos alumnos, un universo que era preciso alimentar y someter a dura disciplina. De ahí que la organización interna fuera piramidal, empezando por el muy ilustre rector —don Vicente Gual—, los vicerrectores, los profesores «operarios diocesanos» o *josepets*, y terminando por los ayos, que parecían tener cien ojos y cuya vigilancia era muy difícil eludir. Existía también el cargo de director espiritual, que recibía a los alumnos en su despacho. Se llamaba Mario Lozano, oriundo de Burgos y no era obligatorio vaciar en él los escrúpulos de conciencia. En su despacho, lleno de libros de ascética y de mística, llamaba la atención una espléndida colección de iconos rusos que nadie sabía cómo habían llegado a sus manos. Por lo visto al rector no le gustaban excesivamente tales obras de arte, porque procedían de la iglesia ortodoxa oriental, no sometida a la autoridad de Roma.

Pronto nos dimos cuenta de que don Vicente Gual, el mandamás del seminario, en contacto directo con el Palacio Episcopal —éste en manos del doctor Modrego—, era hombre de anverso y reverso. En el anverso, carácter inflexible, casi dictatorial, acaso necesario para que las ovejas no nos descarriásemos; en el reverso, castigos desmesurados, casi tiránicos, que nos ponían a prueba y nos hacían rechinar los dientes. Tenía unos cincuenta años, al igual que mi padre, era gigantón, ancho de espaldas, facciones correctas pero bizqueando un poquitín, por lo que tuvo que luchar —pedir *dispensa*— para poder recibir las órdenes sagradas. Los ayos le apodaban *el Bizco*, mote que cuajó entre nosotros, los catecúmenos. Su autoridad moral era indiscutible y se decía de él que el día menos pensado el Vaticano colocaría sobre su cabeza, no un solideo negro, sino una mitra, y que pondría en sus manos un «báculo de oro». Era germanófilo y diabético.

Entre los vicerrectores destacaba don Claudio Colomer, quien pronto se mereció el mote de *Bon Vivant*. En efecto, los libros de ascética y mística no rezaban para él. Pronto se supo que guardaba en su despensa particular toda clase de manjares, en un momento en que en las calles, en las cárceles, en los campos de concentración y en los comedores de Auxilio Social la gente pasaba negra hambre. Tenía los labios muy rojos, sensuales y una tripa de muy notable volumen. Había nacido muy cerca del puerto y siempre decía: «O el mar o el Seminario.» Se decidió por el seminario, tal vez porque el olor a pescado le sacaba de quicio. Era carnívoro y muy aprensivo. Al mínimo desarreglo se dirigía a la enfermería —al cuidado de monjas josefinas— y ordenaba que se llamara al médico, quien tenía su consulta muy cerca. El doctor le tomaba la tensión —*el Bon Vivant* era hipertenso— y le ponía a dieta. Entonces el vicerrector protestaba y no le hacía el menor caso. También era germanófilo y su santo predilecto era san Isidro, por aquello de que del trabajo se cuidaran los ángeles del cielo. Pronto, y sin que yo pudiera adivinar el motivo, me di cuenta de que el vicerrector la tenía tomada conmigo. En definitiva, era hombre de filias y fobias, lo que le hacía poco grato, incluso frente al muy ilustre señor rector.

El prefecto era persona docta y ecuánime, al que le gustaba pasar inadvertido. Por ello mi mejor contacto entre las jerarquías fue el profesor de Historia, don Salvador Cebriá, de origen gerundense. Me las arreglé para confesarme con él y para que fuera mi director espiritual. Impecable en el vestir, rico vocabulario, flaco como una cerilla, con un sentido irónico de los hombres y de la vida, desde el primer momento procuró vacunarme contra los excesivos escrúpulos de conciencia, mal endémico en el seminario, sobre todo a partir del quinto curso —filosofía— y del noveno —teología—. En el aula de ciencias naturales había un diplodocus, milagrosamente salvado de la guerra; don Salvador Cebriá se entretenía pasando por debajo de él, entre sus cuatro patas, y solía decir: «El hombre que no se asusta ante un diplodocus, aunque el animal esté muerto, tiene garantizada la vida eterna.»

Mundo abigarrado, en fin, con cierto distanciamiento entre los veteranos y los novatos, como suele ocurrir en los cuarteles. Podíamos recibir visitas de los familiares los jueves y los domingos. Mis padres se acostumbraron a hacer acto de presencia los domingos, trayéndome de paso ropa limpia y planchada y un buen acopio de alimentos procedentes de Mas Carbó. Mi madre, que me conocía bien, me advertía siempre: «Ahora no te dediques a regalar este lote a tus compañeros de clase, y mucho menos al vicerrector de que tanto nos hablas.» La verdad es que yo echaba en saco roto el consejo de mi madre. Imposible repartir el lote entre mis cincuenta y dos compañeros de curso; pero sí podía hacerlo entre «mis dos amigos», con los que al mes escaso me unieron eso que los pedantes llamaban las afinidades electivas.

El primero de ellos se llamaba Héctor Quesada y era hijo nada menos que de un coronel. Bajito, escuchimizado, pelirrojo, con vocación de chocolatero. Tanto le gustaba el chocolate, que era lo único que escondía debajo del colchón. Friolero, obtuvo el correspondiente permiso para llevar bufanda a lo largo de los pasillos del seminario, pronunciaba la palabra «rojos» con absoluto desdén, pese a que su madre murió en uno de los bombardeos con que los «nacionales» obsequiaron a la ciudad y al puerto de Barcelona. Germanófilo como *el Bizco*, es decir, como don Vicente, el rector, el día que los alemanes entraron en París metió, él solito, seis goles en el partido de fútbol que jugamos en el patio. Enamorado de san Juan de la Cruz componía sonetos que guardaba para sí. En la iglesia no se le oía respirar siquiera. Miraba fijamente al Sagrado Corazón que presidía el altar mayor, «emborrachándose» de la imagen e iniciando con este verbo —emborrachar— un argot que pronto se popularizó en el seminario y que fue aceptado por todos.

Mi otro amigo se llamaba Eugenio Sala y era hijo de un zapatero remendón. Cuando nos pusieron en fila para recortarnos el cabello —por fortuna, la época del pelado al rape había sido superada—, él fue de los primeros en acceder. Bonachón, mofletudo, labios carnosos y siempre prestos a sonreír, era el «tontorrón» de la clase, aunque querido unánimemente. Dispuesto a hacer favores. «A vuestro servicio, *monsieur*», era su santo y seña. *Monsieur* era la única palabra francesa que conocía. Le costaría mucho aprobar, pese a su tenacidad. Conmigo hizo buenas migas porque, en horas extra, me las ingeniaba para darle clases de latín, reservándome la mayor parte de las horas de recreo para estudiar solfeo y piano. Mi latín lo había yo largamente mamado de la gramática que me agencié en Mataró. Como fuera, Eugenio Sala, alias *el Tontorrón*, era la cara opuesta de Héctor, el hijo del coronel. Su padre había residido varios años en Francia, por lo que él se consideraba aliadófilo. El día en que Hitler entró en París se sintió mareado y tuvimos que llevarlo a la enfermería. Se curó con agua del Carmen y con unos cuantos cachetes que le propinó el prefecto. *El Tontorrón* era más devoto de la Virgen que del Sagrado Corazón. «Con ella me entiendo mejor. Al *otro* ni siquiera me atrevo a mirarle.» Toda la clase pronosticaba que a lo máximo que llegaría sería a sacristán; en cambio, a mí, no sé por qué, me veían ya con la púrpura y la birreta. Alguien intentó colgarme el sambenito del *Cardenal*, pero la malévola idea no prosperó. Yo sería, para siempre, Anselmo Romeu, o Anselmo a secas. *El Tontorrón* tenía una hermana muy hermosa, llamada Teresa, que era, cada domingo, el enlace entre él y su hogar.

Y es que en el seminario el manjar terrenal era escasísimo —motivo por el cual había varios alumnos externos—, contrariamente a lo que ocurría con el alimento espiritual. No sólo el rector imponía, además de la disciplina, triduos, novenarios, primeros viernes de mes y toda la gama correspondiente de «actos oficiales de piedad», sino que en sus sermones y pláticas tenía siempre presentes los diez mandamientos. Cuando peroraba, nadie se acordaba de que era bizco. Un tanto histriónico, pero con voz grave, de chantre, convincente. Intercalaba anécdotas divertidas, modelos de amenidad, aprendidas, según él, en el frente «nacional», en su calidad de capellán castrense del Tercio de Nuestra Señora de Montserrat. Era inevitable que nos hablase de la guerra y sus horrores, mientras bamboleaba la cabeza de un lado a otro y se acariciaba el pecho como si en él llevase el pectoral. Un tanto vanidosillo, por supuesto. Héctor, el chocolatero e hijo de coronel, preguntaba: «¿Cómo se puede ser, a la vez, pedante y diabético?» Don Vicente echaba de menos el púlpito de la capilla o la iglesia, puesto que desde allá arriba la autoridad era mayor y las palabras caían derramadas como salpicaduras de gracia. Sin embargo, y dada su enorme estatura, le bastaba, para hacernos estremecer, con hablar desde el presbiterio. Solía decirnos que los diez mandamientos eran el mejor compendio moral con que contaban los hombres. «Quienquiera que cumpla con los diez mandamientos, ése alcanzará la gloria.» A veces se establecía un diálogo pedagógico entre él y el vicerrector *Bon Vivant*. «¿Todos los mandamientos?», preguntaba éste. «Todos —contestaba don Vicente. Y a renglón seguido añadía—: Naturalmente, el principal, el más difícil, es el primero: amarás a Dios sobre todas las cosas.»

¡Albricias! Don Vicente estaba de acuerdo conmigo. En mis cuatro primeros cursos de seminario lo que más me costó fue amar a Dios sobre todas las cosas. Me daba cuenta de que amaba más a mis padres, a la vida en sí, a los espesos pinares de Mas Carbó, al mismísimo seminario, que a Dios, que a menudo se me convertía en abstracción. Por fortuna, el rector, don Vicente, hablaba también del cuarto mandamiento, que no era un problema para mí; del sexto, que era un problema serio para Héctor y para *el Tontorrón*, y del quinto: «No matarás.» ¿Cómo podía hablarse de no matar y ser partidario de Hitler y haber sido capellán castrense en un tercio de infantería, por más que sus componentes llevasen boina roja y un crucifijo? Misterios de la naturaleza, que creaba insectos machos que se morían después de aparearse o insectos hembras que, después del contacto sexual, mataban con su aguijón al macho. Misterios de la existencia, que por un lado creaba nobles caballos y por otro ridículos patos y lentas y fecundas tortugas de mar. Por lo visto en la naturaleza la línea recta no existía. Por algo se hablaba de la «bóveda» celeste y de que la Tierra era redonda, o un poco achatada, vaya usted a saber.

Menos mal que el rector nos hablaba también del ancla salvadora: la devoción, la oración, la piedad. Era cierto. Yo lo había experimentado en mi propia carne. A fuerza de concentrarse, de orar desde el fondo del alma, los obstáculos desaparecían y se conseguía una paz interior que probablemente era más difícil para los coroneles que para los zapateros remendones. Por supuesto, orar, rezar, no consistía exclusivamente en musitar plegarias. Cuando Héctor se abstenía durante un mes de comer chocolate o cuando escribía un soneto dedicado a san Juan de la Cruz, rezaba. Cuando *el Tontorrón* prestaba servicio a un compañero y lo hacía como quien respira, sin darse cuenta, estaba rezando. Yo recé en alta mar, aquellas noches de pesca en los mayestáticos trances de la noche. Y Mercedes rezaba cuando fregoteaba el enlosado de nuestro piso de la Rambla. Y Rocío rezaba al bailar. Y mis padres rezaban cuando se quedaban dormidos muy juntos, manos enlazadas, formando entre ambos un solo espíritu.

«¡Cuidado con el panteísmo!», me advertía mi confesor, mi director espiritual, don Salvador Cebriá. Dios no era ninguna abstracción. La abstracción, en todo caso, era el universo creado, lo mismo la parcela conocida que la que estaba por conocer. Cristo había ordenado a sus discípulos que fueran a evangelizar la Tierra, pero también les había ordenado rezar. No querría ser yo más sutil que el Evangelio y dedicarme a sobrevalorar la abstinencia de chocolate. «No olvides que el demonio está cerca y que ataca en el momento más impensado.»

De pronto, en el verano de 1943, yo pequé contra la castidad, en tanto que Héctor y *el Tontorrón* probablemente habían conseguido embridar las tentaciones. El escenario fue nuestro piso de la Rambla. Tiempo de vacaciones, yo me encontraba sentado en el diván del comedor leyendo *La Atlántida*, de Jacinto Verdaguer. Inesperadamente la puerta se abrió: era Rocío, la semigitanilla ayudante de Mercedes. Yo acababa de cumplir por entonces los quince años y ella tenía catorce. El calor en la habitación era sofocante, de sauna escandinava. Mis padres se habían ido a Mas Carbó a preparar nuestra estancia allí hasta septiembre —rememorando viejos tiempos—, de suerte que la soledad era completa. Movido por un instinto desconocido, entorné los postigos y acallé el ventilador, que se me antojó tan intruso como las moscas.

—¿Necesitas algo, Rocío?

—Nada. He subido por la basura.

—¡Ah, la basura! Está allí...

—Sí, ya lo sé. En la cocina.

Rocío no se movió. Iba descalza y vestía un batín del que destacaba el escote con una medalla colgando. ¡Los pechos redondos! Los había olvidado. ¿Qué ocurría? Centenares de veces había visto a la muchacha con aquel batín u otros similares, y descalza, porque decía que a eso, a andar descalza, se había acostumbrado en su Andalucía natal.

Me levanté, dejando en el diván a mosén Jacinto Verdaguer. Rocío me miró con ojos expectantes y de pronto dio media vuelta y echó a correr hacia la cocina en busca de la basura.

Yo la seguí, sin estar muy seguro de mis intenciones, sofocado, muerto de miedo y notando en el pecho algo anormal. Rocío, en la cocina, sostenía ya en la mano derecha el cubo maloliente. Había, además, olor a fritura y a platos sin lavar. El olor a fritura me excitó más aún. Al tiempo que me secaba el sudor de la frente con el dorso de la mano iba acercándome a la mozuela. Ésta dejó caer el cubo y se tapó la boca con la diestra, sin duda dispuesta a gritar. Me dio tiempo a ver una pequeña lagartija inmóvil junto al cristal de la ventana. La capilla del seminario cruzó por mi mente como un chispazo burlador. Y sin saber cómo, me sorprendí besándole los labios a Rocío con una fuerza desconocida que a ella la hizo ceder y casi desfallecer.

Demasiadas manos para un solo escote. Rocío me ayudó. Se desabrochó los botones del batín, el cual cayó inerte a sus pies. Quedóse desnuda ante mí, con los pechos erectos, jadeante la respiración. Mi inexperiencia era total y mi instinto fue guiándome sin bloqueo ninguno, ni siquiera el que hubiera podido suponer la medallita que Rocío llevaba en el cuello. Le mordí los pezones, luego bajé al vientre y, enloquecido, me detuve en el pubis. Rocío entonces estrechó su cuerpo contra el mío, convencida, a buen seguro, de que ambos formaríamos una unidad. Pero no dio tiempo. Eyaculé precozmente, con una sensación de dulzura jamás experimentada. Rocío, al notar aquella humedad, se excitó más aún y continuó abrazándome y besándome. También yo, entonces, me sentí desfallecer. Estaba agotado y con una súbita necesidad de abrocharme el pantalón. El resto fue liturgia conocida. Rocío, infinitamente satisfecha —¡ahí era nada, un seminarista!—, se abrochó a su vez, recogió el cubo de la basura y se dirigió a la puerta, desde donde me envió el último beso, mua, que hacía prever nuevos y volcánicos encuentros. A la postre yo me tumbé en el diván a horcajadas y cerré los ojos. Sudaba a mares y puse en marcha el ventilador, ante la mirada atenta de mosén Jacinto Verdaguer.

Al cabo de cinco minutos estaba horrorizado. Precisamente había presumido ante Héctor y *el Tontorrón* de que no me costaba ningún esfuerzo ser casto. Me vino a la memoria el comentario de mi director espiritual, mosén Salvador Cebriá. «No olvides que el demonio está cerca y que ataca en el momento más impensado.» Ahí tenía la prueba. Me vinieron a la mente las peroratas del rector, don Vicente, hablándonos del infierno que esperaba a los lujuriosos. Y los consejos de algunas lecturas denominadas «santas», en las que se decía, refiriéndose a los seminaristas, que debían rechazar con voluntad todo pensamiento, toda mirada, todo afecto, toda acción, opuestos a la castidad. «Virtud preciosa, delicada, sacerdotal por excelencia, clave del edificio de la santidad del sacerdote.» «Hay que conseguirla a punta de lanza. ¿Tienes en mucha estima esa virtud? ¿La amas sinceramente? ¿Tienes cuidado con la vista? Mala cosa es albergar alimañas en la imaginación. La mayor parte de las caídas contra esta virtud tienen su punto de arranque en el desenfreno de la vista. Es totalmente necesaria la mortificación. Desde Adán nos viene el desorden en nuestra naturaleza.» Etcétera.

Me fui a mi cuarto y contemplé el crucifijo que tenía en la pared, en la cabecera de la cama. Era un crucifijo de calidad, antiguo, que había comprado en los Encantes. Me hinqué de rodillas y rompí en sollozos. Estaba en pecado mortal. Era el segundo pecado mortal que cometía en mi vida: el primero fue en Mas Carbó, durante la guerra. Después de ver copular a dos animales me masturbé, sin saber a ciencia cierta lo que hacía. Esta vez el pecado era peor, más consciente. Desde el primer día el cuerpo de Rocío me había atraído y no había hecho lo preciso para *no mirarla*. «La vista, punto de arranque del desenfreno.» Mi llantera se secó pronto, al igual que mi sudor y me dije que lo único, lo urgente, lo indemorable era coger el tranvía de Muntaner, plantarme en el seminario y confesarme con mosén Salvador Cebriá. Antes, empero, me lavé los genitales en el lavabo —en los calzoncillos no vi ninguna mancha—, y me sequé con un trapo limpio de la cocina, pues no quería mancillar la toalla. Me pregunté si Rocío habría hecho lo mismo y supuse que no, dado que aquella «humedad» la había excitado más aún. Me peiné como era debido, me puse chaqueta y corbata y salí de la casa con la agilidad de un ladronzuelo.

En el tranvía, camino del seminario, sin querer me distraje con el letrero «Prohibido hablar con el conductor». Prohibido... Cuántas cosas había prohibidas. Otro letrero anunciaba un producto contra los piojos. ¿Y los piojos del alma? Llegué a la puerta del seminario, mole inmensa, y subí con lentitud los peldaños de la escalera de entrada. En la portería pregunté por mosén Salvador. Afortunadamente estaba allí y me recibió en el acto en su celda, situada en el primer piso.

—¿Qué te pasa, Anselmo? Tienes mala cara...

—Necesito confesarme, padre.

—¿Por qué me llamas padre? Llámame como siempre, mosén Salvador.

—Necesito confesarme...

—Bien, bien... Siéntate ahí, como siempre.

—Preferiría arrodillarme.

—Como quieras.

Me arrodillé y agaché la cabeza. ¿Por qué había elegido como director espiritual a mosén Cebriá? Porque hablaba en catalán, y yo en este asunto era militante. Conté de pe a pa lo sucedido con Rocío, tartamudeando un poco, a medio camino de volver a sollozar. Estaba hundido, me dolían las rodillas. Mosén Salvador me dio una palmada en el hombro... Le miré. Me hizo un guiño de disgusto. Era mi director espiritual, es decir, algo más que mi confesor. Sabía que me mortificaba a menudo —obsesión del rector— pegándome leves latigazos en la espalda. Por ello me sorprendió que no se tomara más a pechos mi pecado. Por lo visto no quería de ningún modo que yo cayera en el masoquismo.

—Está bien, está bien... —repitió—. Todos hemos conocido alguna Rocío alguna vez.

¿Cómo? ¿Qué es lo que había oído? ¿Mosén Salvador había conocido alguna Rocío? ¿Y estaba allí, tan campante, dirigiendo las almas de los demás?

Adivinó mi pensamiento y procuró consolarme. Además de las poesías de mosén Jacinto Verdaguer y las de Héctor, yo debía leer más a menudo a san Agustín, que hablaba de la lujuria en tonos moderados, admitiendo incluso que la presencia de las prostitutas era necesaria a la sociedad.

—Tú, querido Anselmo, nunca pecarás de avaricia, ni de envidia, ni de gula... Pero la lujuria te perseguirá. Tu condición física, exuberante, fuerte, será causa de tentación. ¡No, no te alarmes por eso! Tienes muchos medios para salir con bien de la prueba. ¿Para qué te sirven las uñas? Para clavártelas en la piel. Aumenta la calidad, el dolor físico de tus mortificaciones, sin lesionarte ni hacerte daño, por supuesto, y elude en lo posible la tentación. Apártate de esa muchacha llegada de Andalucía... Las andaluzas están acostumbradas a la precocidad y a tener muchos hijos. Imita al *Tontorrón*, que está enamorado de la Virgen, pero si vuelves a caer, no desesperes. Eres muy sensible y podría quebrarse... incluso tu vocación. Yo veo en ti un sacerdote en ciernes, que puede llegar a ser ejemplar. No me gustaría que el seminario tuviera que borrar de la lista a mi querido Anselmo Romeu...

—¿Nada más, padre?

—Nada más... ¡Ah, y procura hacer mucho ejercicio físico! Este verano, si vas a Mas Carbó, arréglatelas para hacer mucho ejercicio físico. Y nada de jugar a las cartas, siempre excitantes, ni a los juegos de azar. Sigue el ejemplo de tu padre y comulga cuantas más veces mejor. La comunión es el ancla salvadora, ya lo sabes.

—Sí, padre...

Mosén Cebriá me dio la absolución y yo me levanté. Estaba tranquilo, como si una lluvia de rosas hubiera caído sobre mi piel. El sacerdote me dio un abrazo, apretando cuanto pudo y yo le correspondí con creces.

—¿Y la penitencia? —le pregunté súbitamente preocupado.

—Nada. Un avemaría. Nada más.

Quedé estupefacto. Yo creí que debería hacer los siete primeros viernes de mes o subir de una tirada a los Tres Turons, las tres jorobas gemelas que presidían la comarca del Maresme y Mas Carbó. Mosén Salvador hizo un expresivo gesto con la cabeza.

—He dicho que un avemaría y nada más...

—¿Puedo ir un momento a la capilla?

—¡Pues claro que sí, hombre! Puedes quedarte en ella todo el verano...

Me despedí de mi director espiritual y me fui a la capilla. Me arrodillé en el primer banco, cerca del presbiterio. ¡Lástima que el Santísimo no estuviera expuesto! En su lugar disponía de la imagen del Sagrado Corazón —el confidente de Héctor—, y en un altar a la derecha, la Virgen de Montserrat. Por turno me dirigí al uno y a la otra pidiéndoles perdón. El avemaría, por supuesto, me salió de la entraña y tuve la impresión de que con aquel acto cancelaba mi culpa. Por si algo faltara, a los diez minutos sonó el órgano. Música de Bach. ¡Hum, mosén Salvador era un diablillo! El organista del seminario era él. Seguro que había subido adrede al coro y les había dado en mi honor a las teclas y a los pedales. Bach me proporcionó todo el sosiego del que él era capaz. Noté una alegría íntima, respiraba con un ritmo suave y agradable, estaba lleno de «propósitos de enmienda» y hasta encendí una vela en el altar lateral izquierdo, donde se erguía, tiesa como un alfil, con la capucha puesta, el hábito y las sandalias, una imagen de san Francisco de Asís.

—Virgen de Montserrat, ayúdame...

Salí del seminario, también como un ladronzuelo, bajé de prisa la escalinata y me dirigí al paseo de Gracia para mezclarme con la multitud.

CAPÍTULO IV

En aquellos cinco años transcurridos Mas Carbó había cambiado por completo. Fermín y Dolores, al igual que otros muchos campesinos dueños de tierras de labranza, habían amasado, como antes lo hiciera tío Dionisio, un «fortunón». Especulando con el hambre que padecían los habitantes de Mataró, capital del Maresme, vendieron los alimentos a precio de oro. La gente sólo disponía de cartillas de racionamiento y éste era muy escaso. Los mataronenses parecían esqueletos, en tanto que Fermín y Dolores habían engordado. Varias enfermedades, empezando por la difteria, el paludismo, la fiebre tifoidea y, sobre todo, la tuberculosis pulmonar diezmaban a la población.

Fermín, campesino vigoroso y astuto, ¡empedernido jugador de cartas y de toda clase de juegos de azar!, había ampliado considerablemente lo que él llamaba sus «poderes». Compró tierras adyacentes, contrató jornaleros, mejoró la masía —nosotros ya no tendríamos necesidad de dormir en la buhardilla, sino que lo haríamos en un par de confortables habitaciones del primer piso—, adquirió un tractor, quintuplicó el número de animales de carga, presididos, ¡cómo no!, por el caballo *Vesubio* y por el perro *Tritón*, éste ya un tanto envejecido. Además, había reparado el molino de viento, que ahora silbaba como debía ser y el reloj de sol de la fachada era más exacto que el de pulsera que mi padre me regaló por mi aniversario. El algarrobo seguía en su lugar —¿cuántos años tendría?— y la balsa próxima ofrecía, pese a la sequía reinante, causa de restricciones eléctricas en la comarca, el aspecto de un brillante espejo. Fermín se bañaba en ella, nadando sin parar en sentido rotativo.

Dolores no se bañaba jamás. Dolores continuaba siendo la mujer más sucia del entorno. Su abundante carne olía a cebolla y a ajo, y sus axilas a grasa y sudor. Fea con ganas, con su moño de siempre, con su negra pelusilla en el bigote —hubiera sido inútil aconsejarle la depilación—, se mostraba, por contraste, coquetona en cuanto a su aderezo. Se había comprado joyas, sobre todo pendientes y collares, y festejaba el final feliz de cualquier transacción yéndose a Arenys de Munt, que quedaba muy cerca, y comprándose un broche o un brazalete. Fermín la consideraba un animal de carga más y siempre soñaba con cogerla un día y enroscarle una hilera de campanillas en los tobillos.

Pero había más novedades en Mas Carbó. Un viejecito solitario en una casucha en los lindes de la propiedad, donde se cultivaban los tomates, viejecito al que todo el mundo llamaba Tomeu y que en otros tiempos fue zahorí y prestidigitador en las ferias. Los buscadores de agua sólo atendían a las indicaciones de Tomeu para perforar la tierra —pozos de hasta veinte y treinta metros— y rara vez fallaban. En cuanto a su *hobby*, la prestidigitación, había recorrido durante años las ferias con un par de números: el de la chistera y el conejo y el de sacar lenguas de fuego por la boca. Sus compañías eran la radio, por la que se enteró de que Italia había capitulado, las ratas y el estiércol. Ahora su cuerpo, que acababa de cumplir los ochenta, había dicho «basta» y se limitaba a cultivar un poco de tabaco para Fermín, que fumaba cada día más, lo que significaba una grave amenaza para los estornudos y la rinitis crónica de mi madre.

La última novedad era Victoria Sureda Piquer. Había llegado a Mas Carbó porque su padre, Casimiro, exiliado en Francia en 1939, últimamente se había incorporado al maquis —en dirección a los montes de Teruel, puesto que en el valle de Arán habían fracasado— y le pidió a Fermín, amigo suyo de la infancia, que acogiera a su hija, huérfana de madre, que la protegiera hasta que las tropas aliadas hubieran llegado a Berlín. «Entonces Roosevelt y Churchill echarán del mapa a Franco con una patada en el trasero y yo llegaré a rescatar a Victoria con un Rolls Royce.»

Como fuere, Victoria estaba ahí, con sus dieciocho años recién cumplidos, hecha un bombón. Un bombón procedente de Banyuls-sur-Mer, con el cabello siempre alborotado, cuello de cisne, exhibiendo blusas floreadas y andando a pasitos cortos y acelerados, como las japonesas. Ojos grandes, color cadmio, pronta la sonrisa, que mostraba lo que más podía atraerme: una dentadura perfecta. Yo continuaba creyendo que por medio de la dentadura podía adivinarse el carácter de las personas, y al llegar a Mas Carbó, donde mis padres se habían instalado ya, musité que Victoria debía de ser una mujer difícil, complicada, culta y de una sensibilidad a flor de piel. No me equivoqué. Había estudiado el bachillerato en Francia, en Perpiñán, odiaba las guerras, odiaba la mentira, odiaba a su padre, que la había abandonado y se había ido de maquis a los montes de Teruel. Tocaba el acordeón. Ésta fue la gran sorpresa de Mas Carbó: un injerto de música apache entre tomateras, guisanteras y el tabaco que cultivaba el abuelo Tomeu. Victoria fumaba como una condenada y se llevaba bien con el viejo, al que visitaba todos los días al atardecer, pese a que Tomeu era más sucio aún que Dolores, hasta el punto de convivir muy a gusto, en su chabola, con las ratas, de gustarle el olor o hedor del estiércol y de haberse opuesto rotundamente a que le instalaran un water. Era el hombre sin camisa, con la chistera de antaño colgada de un clavo al lado del jergón de paja, chistera que desentonaba en aquel lugar como encima de Dolores desentonaban las joyas.

Mas Carbó... Me instalé en él en julio, el día 15. Fermín y Dolores me recibieron cariñosamente, pero con cierta curiosidad, que al principio no acerté a explicarme. Pronto se desveló el enigma. No se hacían a la idea de que yo siguiera en el seminario. Para ellos la idea de Dios era una entelequia, una trampa, una ilusión que idiotizaba a muchos hombres, los cuales se exaltaban con ello, sobre todo con la llegada de algunas fiestas como la Navidad o el Corpus Christi. Se enteraron de que en la última procesión del Viernes Santo, y para cumplir una promesa, yo anduve un par de kilómetros cerca de la catedral arrastrando una cadena en los pies e izando un cirio en la mano derecha, y se quedaron estupefactos.

—Pero, vamos a ver —embistió Fermín—. ¿Qué os enseñan en el seminario para que os coman el coco de esa manera?

—Pues nos enseñan latín, historia, gramática y muchas cosas más. En septiembre empezaré el quinto curso y me enseñarán retórica y filosofía.

—¡Retórica, retórica! ¡Para retórica, la del abuelo Tomeu! En cuanto a lo otro que has dicho, la filo no sé qué, ya me explicarás para qué sirve. ¿Es más útil que un tractor...?

—Depende.

—Depende. ¿Depende de qué?

—De lo que uno se proponga en la vida.

—¿Sabes lo que te digo? Que todo termina aquí abajo y que ese orinal que es como la chistera del pajar durará más que todos nosotros.

Aquello era un frontón. Frontón al que se agregaban, cada una siguiendo su propio estilo, mi madre y Victoria. Mi madre continuaba cultivando su agnosticismo como Fermín sus melones.

—¡Ejem, ejem! —carraspeaba cada dos por tres—. Fermín tiene razón, hijo, ya lo sabes. Pero ¿qué puedo decirte? Que si la infalibilidad papal, tiene gracia la cosa, que si el infierno, que si los coros de querubines y serafines. ¡Que tu padre me perdone! Prefiero las novelas sentimentales de la radio y el acordeón de Victoria.

Victoria... Sus dieciocho años recién cumplidos me trataban de un modo especial. Había nacido en el paseo de San Juan, y su paréntesis en Francia la había marcado de tal modo que vivir significaba para ella mantener un catálogo de dudas en la cabeza. «A veces no sé adónde mirar, si al norte o al sur.» De modo que su cabello, normalmente alborotado, se alborotaba todavía más hablando de religión. Ella respetaba cualquier postura, y por lo tanto también la mía. No sentía a Dios en el corazón, pero la historia le había enseñado que millones y millones de hombres desde que el mundo era mundo creían en un Ser superior. «También es una lata suponer que tanta gente se ha equivocado.» Algo había que la ponía cara a la pared: la Santísima Trinidad y que el Padre Eterno enviara a la Tierra a su Hijo, a sabiendas de que iba a ser crucificado. «Si quería salvar a la humanidad, ¿por qué no elegía un sistema menos cruel? ¿Y por qué nos ha puesto a todos a prueba, como si se tratara de una carrera de atletas? Pudo crearnos directamente ángeles, *et voilà*. ¿Sabes lo que te digo? Que voy a encender un pitillo y a tumbarme en la hamaca junto a la balsa...»

Victoria se tumbaba en la hamaca, el calor era sofocante, se abanicaba con indolencia, ahuyentaba las moscas riéndose a pleno pulmón, pero yo estaba vacunado. El incidente con Rocío y los consejos de mosén Salvador bastaban para que yo me clavara las uñas en la piel y para que subiera a mi cuarto, también en el primer piso, donde ahora andaba leyendo a Balmes y una biografía del padre Claret. Me preparaba para el quinto curso, y mi padre me estimulaba a ello. Mi padre —cada día con menos cabello y más miope, pero amando cada día más su profesión de maestro y pedagogo—, en verano se transformaba, rebosaba salud, le gustaba la vida del campo, el olor de la alfalfa y hasta había aprendido, gracias a Fermín, a usar, a su manera, el tractor. El sol le molestaba y de ahí que a menudo se protegiera la cabeza con un pañuelo con cuatro nudos. Le dolía en el alma la indiferencia religiosa que reinaba a su alrededor, y harto de discutir con mi madre —él seguía siendo un beaturrón—, se agarraba a mí, a mi fe, que imaginaba sin fisuras, y todos los días me acompañaba a misa a Arenys de Munt, a las siete de la mañana, cantando o silbando durante el camino y rogando a Dios que la irrupción de Victoria no entorpeciera la rectitud de mi conducta.

Victoria sentía por mi padre un gran respeto. Se aprovechaba de su madurez para formularle preguntas, obteniendo casi siempre la respuesta adecuada. Le hacía gracia que por el hecho de enseñar en los hermanos de la Salle hablara perfectamente francés.

—¡Hay que ver, don Rosendo! Se diría que ha nacido usted en Toulouse, en *le Midi*...

—Nada de eso, pequeña. Mi acento es tan horrible como el tuyo. ¡Ja, ja!

Sí, los dos se reían, y a veces ella remataba el diálogo

tocando en el acordeón, en honor de mi padre, *Frère Jacques* y otras canciones del repertorio folklórico francés.

Esas caminatas mañaneras con mi padre me sentaban de maravilla. Ambos nos complacíamos en la observación de la naturaleza. No era raro que tomáramos atajos para acortar el trayecto. Entonces bautizábamos con latinajos los árboles y la tupida vida vegetal, como si fuéramos adanes que anduviéramos poniéndoles nombres a las cosas. Tales nombres eran nuestro secreto compartido, y en el hervor del bosque, del canto de los gallos y de los pájaros, adquirían una dimensión trascendental. «¿Por qué no? —argumentaba mi padre—. ¿Por qué un elefante ha de ser más trascendente que una hormiga? Todo es complejidad, todo tiene su misterio, aunque la gente suele dejarse engañar por los tamaños y el color.» A veces a la ida nos acompañaba el madrugador Fermín con su camión, y entonces a la vuelta bifurcábamos hasta hacerle una visita a una idílica gruta próxima a Arenys de Munt, llamada «el santuario de Lourdes», por cuanto era una réplica exacta de la gruta del Lourdes francés. Los domingos y festivos dicho humilde santuario se llenaba de peregrinos que acudían a pedir alguna gracia o algún milagro —también almorzaban allí, pues había fogones y mesas de piedra al aire libre, bajo los árboles—, y encendían un cirio y contemplaban los exvotos expuestos, con algún que otro vestido de novia y adornos distintos, generalmente de mujer. El viejo Tomeu y mi padre se conocían al dedillo el historial de la cueva, en la que no faltaba siquiera la pequeña Bernadette, por cuanto durante la guerra civil fueron allí a reponer fuerzas combatientes de las Brigadas Internacionales. Naturalmente, la imagen de la Virgen había desaparecido, pero al término de la contienda fue sustituida por otra un poco mayor, en un acto de reconciliación similar al que tuvo lugar en la capilla del seminario.

Aprendí a montar a caballo, aunque no el conocido *Vesubio*, que era propiedad exclusiva de Fermín. A mí me tocó en suerte el llamado, no sé por qué, *Calatrava*, que era trotón y de doma fácil. Con él me pegaba mis buenas correrías hasta los pies de los Tres Turons, haciendo honor a la promesa que le formulé a mosén Salvador de no olvidar el ejercicio físico. Dos veces por semana acompañaba a Arenys de Mar a mi madre, a la que convenían, a causa de las varices en las piernas, largos paseos por la arena salada. Después del baño era inevitable que nos acercáramos al puerto donde al atardecer llegaban las barcazas llenas de peces —la subasta era una insólita atracción—, barcazas que atracaban junto a los balandros o yates deportivos con los que yo de vez en cuando soñaba con irme a misiones. Sueños que había despertado en mí mosén Salvador, quien estuvo dos años en la Escuela Bíblica de Jerusalén, pisando las mismas piedras que Cristo pisó.

—¿Quién sabe? —me repetía con frecuencia mi director espiritual—. A lo mejor te animas y al término de la carrera te decides por la India o por el África negra...

—¿A santo de qué irme tan lejos? —le contestaba yo—. Mi impresión es que puedo ser misionero sin moverme de Barcelona... o de Mas Carbó.

Era verdad. En Mas Carbó no conseguí, en aquel mes de julio, afianzar mi paz interior. La promiscuidad, forzosa, con los animales; los olores de estiércol; las blasfemias de Fermín; las noches bochornosas y, ¿por qué no?, la inesperada presencia de Victoria, consiguieron desestabilizarme. No podía con Balmes ni con la biografía del padre Claret. Necesitaba alguna ayuda, además de la que me ofrecía mi padre. Hasta que di con una posible solución: invitar a Héctor a pasar conmigo el mes de agosto. Le llamé por teléfono y el chico pegó un salto.

—¡Anselmo, sería maravilloso! ¡Me encuentro solo aquí, en Castelldefels, donde mi padre, que pronto ascenderá a general, no deja de salir a las afueras a pegar hipotéticos tiros a diestra y siniestra! ¡Avísame y hago las maletas en un santiamén!

Hablé con Fermín y no hubo la menor pega.

—Donde caben seis caben siete.

Héctor podría dormir en mi cuarto, donde sobraba sitio para colocar otra cama. Fermín sólo me preguntó si mi amigo era tristón o alegre.

—Bajito y flaco, pero alegre —le contesté—. Sobre todo cuando puede comer chocolate.

Dicho y hecho, el 2 de agosto fuimos a la estación de Arenys de Mar a esperar a Héctor, a Héctor Quesada, el pelirrojo, cuyo cabello cortísimo llamaba la atención. Fermín tuvo la gentileza de acompañarnos con el Studebaker que acababa de comprarse —y con el que Victoria aprendía a conducir—, de suerte que la llegada a Mas Carbó, al mediodía, fue apoteósica. Héctor llevó consigo poco equipaje, pero su personalidad intacta, sabia mezcla de misticismo y de acción, con su léxico peculiar —se mofaba del lucero del alba—, con su tino para sacar motes y una especial habilidad para adaptarse a cualquier circunstancia.

Saludó a todo el mundo —el perro *Tritón* ladró— y tuvo para cada cual la frase oportuna. «¿Es usted Fermín? ¡Le agradezco en el alma su invitación!» «¿Es usted doña Dolores? Bien, de acuerdo, quitaré el doña y será usted Dolores a secas.» A mi padre le dio un abrazo y a mi madre le besó la mano. Con Victoria estuvo cortés, pero distante, matiz que ella, sin duda, detectó. Fue saludando a todos los animales —¡cómo se rió con los patos!— y platicó con los cerdos, sin la menor repugnancia, como si éstos pudieran mejorar su condición. «Me duelen los animales porque no saben que tienen alma... Aunque, ¿quién puede asegurarlo?... Tampoco lo saben los ateos y a veces son felices.» El molino de viento le encantó. «Las aspas son como nosotros. Giran y giran y producen un ruido infernal.» Se lanzó de cabeza contra un montón de alfalfa y salió despolvoreándose todo el traje y restregándose los ojos. «¡Ja, ja!», rió mi padre, emitiendo su interjección favorita. *Tritón* le siguió ladrando irritado unos minutos, pero por fin se acercó a sus pantalones y se orinó. Saludó al tractor y a todos los jornaleros que andaban desperdigados por los surcos. De vez en cuando se volvía hacia mi padre y se mofaba amablemente de su pañuelo blanco con cuatro nudos en la cabeza. El último en ser visitado fue el viejo Tomeu. Desde el primer momento hicieron buenas migas. «Zahorí... ¿Sabía usted que las tres cuartas partes de nuestro cuerpo son agua? ¡Y esa chistera! Seguro que Fermín le obliga a que saque de ella diariamente una docena de conejos...» Tomeu, que llevaba una gorra sucia a cuadros y una faja negra envolviéndole los riñones, opinó al fin. «Chiquillo, eres más simpático que Matusalén...» Héctor ignoraba que era ésta una frase hecha de Tomeu, quien consideraba que Matusalén, dada su edad, debía de ser todo un tipazo.

Cambio en el ambiente de Mas Carbó. La irrupción de mi amigo fue más espectacular aún que la de Victoria. Había momentos en que los animales pasaban a un segundo término: por ejemplo, al atardecer, cuando todos nos sentábamos en la era formando semicírculo y nos zampábamos pan con tomate y jamón, o bien tostadas con aceite, o frutos secos acompañados del mejor tinto de la comarca. Hablábamos un poco de todo, incluso de la guerra mundial, que estaba perdida para los alemanes, lo que Héctor, a regañadientes, admitía como verdad irrebatible, pero lo más normal era que cotilleásemos sobre las masías de la vecindad, sobre Arenys de Munt y Arenys de Mar y sobre los aconteceres del campo, a través de las fábulas de La Fontaine y de Esopo. Héctor recitaba como un rapsoda profesional y conseguía que incluso Fermín y la bigotuda Dolores comprendieran el mensaje. Héctor repintó de rojo violento las letras al borde del camino, a la entrada de la finca, que decían «Mas Carbó» y se fue a Mataró y trajo unas bolsitas de un ingrediente que olía a cloro y con el que el agua de la balsa se clarificó, llevándose por delante todo el orín verdoso depositado en el fondo y en las paredes laterales. Por lo demás, el acordeón de Victoria le encandiló. Victoria, en su honor, y pese al distanciamiento que continuaba marcando Héctor, tocó incluso fragmentos de zarzuela —el padre de Héctor, el coronel, era muy aficionado a ellas—, y melodías antiguas catalanas, como *El cant dels ocells* o *El Virolai*. Claro que de pronto Victoria hacía un mohín coqueto, se alborotaba más aún los cabellos, se abría un poco el escote —¡qué calor!— y tronaba en Mas Carbó, ante el estupor de todos, el impresionante himno de *La Marsellesa*.

Héctor y yo nos pasábamos muchas horas juntos, dialogando a la sombra de la emparrada que nos cubría al lado del algarrobo, donde rezábamos algún que otro rosario. Un día le llevé a la gruta de Lourdes y se emocionó tanto ante aquella cueva con la imagen *naïf* de la Virgen —y la de Bernadette—, que se le humedecieron los ojos y plantó en el altar el cirio más grande que encontró. «Si *el Tontorrón* ve esta Virgen, blanca y con su banda azul, se desmaya.» Aquella mañana fue la que elegí para contarle el pecado con Rocío. Héctor reaccionó de una manera sorprendente. Me asió del brazo, como quien ayuda a un inválido, hizo hocico con los labios y me confesó que también él había caído en barrena por culpa de las «serpientes tentadoras» que se bañaban en Castelldefels. «Sí, Anselmo. Yo también pequé, y precisamente con la esposa de un capitán. Aquello fue peor. Ella no me provocó lo más mínimo. Fui yo quien se abalanzó sobre ella como una fiera salvaje. Claro que ella se dejó querer, y no una, sino hasta cuatro veces. Ya antes me había dado cuenta de que eso de la castidad era un problema muy serio, contra el que tendríamos que luchar hasta que alcancemos la edad de Tomeu...»

Inesperadamente, Héctor se rió. Me confesó su culpa y se rió. ¡Claro, se había confesado ya con su director espiritual, que era también profesor del seminario y se llamaba Ángel Casas! «Pensé que me iba a pegar un bofetón. No amainó. Me llenó de improperios. Me dijo que pecar una vez era natural, porque la naturaleza es la naturaleza, pero que pecar cuatro veces, y con una mujer casada, era perversión. Todavía llevo en el antebrazo (mira, fíjate...), las marcas del cilicio que, al despedirnos, me regaló, como quien obsequia un juguete precioso.»

Ante la Virgen de Lourdes, que nos contemplaba desde su hornacina abierta a cierta altura en el muro de piedra de la gruta, hablamos de la masturbación —¿quién podía librarse de ella?— y de los sueños eróticos que, a rachas, nos perseguían y que eran como un azote que caía sobre los internos del seminario. «Aquellas manchas en la sábana, ¿verdad, Héctor? Nos delatan uno por uno y los ayos no tienen más que recorrer las celdas y fulminarnos luego con la mirada.»

Héctor se había traído consigo, con su equipaje, un librito titulado *Exámenes para seminaristas*, que constaba de treinta y dos capítulos, con un temario exhaustivo. Este librito se convirtió —Evangelios aparte— en nuestra lectura de cabecera, en el epicentro de nuestro tiempo de meditación. Curiosamente despachaba el capítulo de la castidad con pocas palabras. Pero una pregunta entre ellas nos hirió de lleno: «¿Ves en la castidad una cruz en vez de un regalo de Dios?» Unos cuantos peregrinos habían llegado a la gruta, encendiendo unos cirios y besando la medalla de la Virgen que colgaba de la imagen. El sol iba hacia el ocaso y se oían los cencerros de las ovejas cercanas que retornaban al aprisco. Héctor y yo acordamos que la castidad no era un regalo de Dios. Era una cruz, y una cruz pesada, muy pesada, para la mayoría de los condiscípulos y probablemente para la mayoría de sacerdotes. La prueba estaba en que hubo épocas en la Iglesia en que incluso los papas tenían sus amantes, para no hablar de que varios de los apóstoles que eligió Jesús estaban casados. Entonces, el celibato, ¿qué? ¿Tenía que ser opcional?

—En este caso, si nosotros no nos sentimos capaces de cargar con esta cruz, en septiembre nos despedimos del seminario y nos alistamos en la Legión.

—Los que tengan vocación de célibes, que se hagan monjes y sanseacabó.

—Eso digo yo.

—¿Quedamos en que el celibato debería ser opcional?

—Quedamos en eso.

Dicho esto, nos invadió una extraña y amarga tristeza. Poco a poco nos habíamos ido enzarzando en el debate y habíamos pronunciado en voz alta lo que reclamaba nuestra piel, o algo más hondo que nuestra piel. Guardamos silencio, y pudimos oír el «buenas tardes» con que nos saludaron al irse los peregrinos, y oímos también los cencerros ya cerca de los apriscos.

—¿Te das cuenta, Anselmo? ¡Cualquiera diría que al llegar a Mas Carbó vamos a colgar los hábitos! ¡Menudo susto el de tus padres! —Héctor se acarició la cabeza y añadió—: Y menuda alegría la de mi padre, que antes de que se reanude el curso quiere que le vea ya de general...

Yo masticaba una espiga, Héctor jugueteaba con una

hoja verde. Llevábamos el *Exámenes para seminaristas*; nos despedimos de los pecados de la carne y pasamos al capítulo titulado «Caridad fraterna». Capítulo también breve, pero punzante como un cacto convertido en letras. «Nada más opuesto a la caridad fraterna que las amistades particulares.» «¿Sientes inclinación hacia algún compañero o persona? ¿Proviene de la comunidad de aficiones, temperamento o paisanaje? ¿O es más bien de tu inclinación sensible, sensual o carnal?» «¿Se atenúa tu inclinación o va tomando un incremento mayor?» Etcétera.

Estaba claro que el examen y la alusión «a las amistades particulares» se referían tanto a las mujeres como a las personas del mismo sexo. En el seminario habíamos vivido al respecto un escándalo mayúsculo, por culpa del antiguo organista. Fue sorprendido acariciando al solista del coro y se le despidió acto seguido a una isla llamada infierno.

—Pero ¿y nuestra amistad, Anselmo? ¿Cómo puede interpretarse nuestra amistad? A mí me gusta estar contigo. Me siento bien en tu compañía y en Castelldefels te echaba de menos. ¿Es esto pecaminoso? ¿Es peligroso? ¿Debemos renunciar a ese sentimiento recíproco? ¡A veces me hago un lío! Confío en que los libros de filosofía del próximo curso me aclararán la cuestión...

Fue una tarde ácida, que coincidió con unos nubarrones que se acercaban a los Tres Turons. Nos salvó un autocar que llegó inesperadamente a la explanada de la gruta y que soltó a tierra una veintena de niños deficientes mentales. Sus miradas extraviadas, sus cuellos torcidos, las babas de sus bocas y su andar basculante daban grima. Los acompañaban dos monjas jóvenes, una de las cuales nos llamó la atención. Era enérgica y cariñosa a la vez. Les limpiaba los mocos, los ayudaba a orinar y empezó a repartir entre todos las escuálidas bolsas de merienda que llevaban. Los niños sonreían a su manera. El aspecto de algunos de ellos era de felicidad. *Bienaventurados los pobres de espíritu.*

—Sí, claro, son felices. Se encontrarán de pronto en el cielo, así, sonriendo, felices como los ángeles...

—¿Te gustaría ser un niño subnormal? Entre ellos las

amistades particulares son frecuentes. Pero jamás podrían culparte de concupiscencia...

Reaccioné. Reaccioné, entre otras causas porque cayó un chaparrón y nos refugiamos en el interior de la gruta, donde había un altar y un crucifijo, mientras las monjas y sus discípulos se refugiaban a su vez en el interior del autocar. Aquello había sido un coletazo del diablo. A lo largo de las vacaciones siempre ocurría así. Héctor, que se friccionaba la nuca con el agua caída del cielo, fue el primero en soltar una carcajada.

—¡Por los cuernos de Satanás! ¿Qué andamos hurgando, Anselmo? ¡Si mi vocación es más sólida que esta roca! Yo querría llevar ya sotana, estudiar teología, decir misa, confesar... y perdonar a todo el mundo sus pecados.

—Lo mismo digo, Héctor.

—Anda, regresemos, que ha escampado ya...

A partir de esa tarde Mas Carbó se convirtió un poco en un subseminario. Héctor y yo nos esforzamos al límite para cumplir de pe a pa los consejos del librito serafinesco, protestando, eso sí, de que se nos prohibiera leer el Antiguo Testamento. ¿Cómo podía prohibírsenos la doctrina en la que bebió Jesús en la sinagoga de Nazaret y que le permitió lanzarse luego a la predicación y discutir con los doctores de la Ley? Si Tomeu, en vez de ser un viejo plagado de pulgas y un zahorí jubilado fuera Anás o Caifás, no acertaríamos a impugnarle sus argumentos en defensa de nuestra fe.

El mes de agosto pasaba tan de prisa que era como si mi madre, que no veía con buenos ojos que mi compañía preferida fuera la de Héctor, arrancara de un golpe las hojas del calendario. En vano intentaba convencerla de que aquello era un bien para mí, de que la bondad de Héctor era ejemplar, y de que su rapidez mental me estimulaba hasta decidirme a estudiar griego. Mi madre sonreía —también ella era bondadosa— y me decía: «Lo que quieras, hijo. Pero parecéis dos ratas de sacristía y yo tenía pensado otra cosa para ti.»

Mi madre rechazaba de plano el calificativo de agnóstica que le habíamos asignado. «Soy indiferente, que no es lo mismo, como tu padre y tú sabéis de sobra. No quiero pasarme la vida dándome de cabeza contra el misterio. Que si el alma sobrevive, que si el más allá, que si el paraíso, que si la Gehenna... Lo que sea sonará. Yo he sido y soy fiel a tu padre y a ti, pago religiosamente, fíjate en la palabrita, mis limosnas cada mes y no daño a nadie, ni a mis alumnos en la escuela Ausiàs March, ni aquí en Mas Carbó, y hasta convivo con los cerdos con más cariño del que tú les demuestras. ¿Estamos, Anselmo? Indiferente y nada más. In-di-fe-ren-te...

Mi padre gozaba escuchando a su mujer. Le gustaba incluso que se llamara Concepción. «Es un nombre precioso.» Estaba enamorado como un jovenzuelo primerizo y bebía sus palabras, porque mi madre hablaba con una voz extrañamente dulce, secuela, quizá, de mi abuela, que según retratos de familia en sus tiempos se dedicó con cierto éxito al *bel canto*. «Concepción, que te tomas esto muy a pecho y se te alteran los nervios. Debes cuidarte, ya lo sabes, aunque por ahora seas una atleta y ahí me las den todas.» Mi madre se le acercaba, estampaba un beso en su frente y luego se iba a la emparrada con sus libracos, que en aquel verano eran de Marañón y Azorín.

Fermín, una tarde, a la hora mágica de la tertulia en la era, tuvo una severa discusión con Héctor. Fermín tenía cierta autoridad para hablar de religión porque gracias a él durante la guerra civil no sólo salvaron su pellejo varios curas de la comarca, sino que fue respetado el altar mayor de la iglesia de Arenys de Mar, que era una de las más famosas joyas conocidas del barroco. Ahora pasaba factura y no le importaba que de vez en cuando circularan por la carretera próxima a Mas Carbó parejas de la Guardia Civil.

Lo que Fermín le echaba en cara a Héctor era su germanofilia, habida cuenta de que Hitler era un monstruo, responsable de varios millones de muertos. Pero, sobre todo, detestaba —éste era, detestar, el verbo exacto— a la Iglesia española, que a partir de 1939 se puso del lado del vencedor, colaborando incluso con la represión sin nombre que había emprendido el general Franco. «Tengo noticias al respecto, porque han cascado a tres primos hermanos míos y a un cuñado de mi mujer.» En su opinión, el párroco de Arenys de Munt no era un delincuente, pero el de Arenys de Mar, sí. Había llegado a denunciar a los que formaron el comité, a perseguirlos como si fueran alimañas. ¡No eran corderitos, por supuesto! Pero la Iglesia debía ser neutral y, en todo caso, ponerse del lado de los vencidos.

Ahí Héctor falló, y ello me dio idea de lo difícil que era mantenerse en el fiel de la balanza. Defendió a Hitler en nombre de la cruzada contra Rusia —el comunismo era intrínsecamente perverso—, y defendió a la Iglesia española negando que se hubiera puesto del lado del vencedor hasta el extremo de denunciar a los milicianos «rojos», como en su casa los llamaban. «Algún caso puede haber, no lo niego, pero será una excepción y no por ello la Iglesia dejará de ser Iglesia ni yo dejaré de ser seminarista.»

El diálogo subió de tono hasta que Victoria, evidentemente incómoda, cogió el acordeón y atacó de improviso, apretados los dientes, un vals romántico, momento en que los dos adversarios enmudecieron, y mientras Héctor se acercaba a la balsa y se friccionaba —era su costumbre— la nuca, Fermín entró en la masía, salió con una de las dos escopetas de caza que poseía y disparó tres tiros al aire. Acto seguido recostó la escopeta en la pared y sin pronunciar una palabra se fue a dar de comer a los patos.

Llegada la noche, Héctor dijo que estaba cansado y subió a nuestra habitación. Todo el mundo escampó: habíamos cenado muy tarde y caía sobre Mas Carbó un bochorno extremado. Sin saber cómo, mi padre y yo nos encontramos solos bajo la emparrada. El silencio era total. Únicamente se oían los ladridos de algunos perros lejanos. Uno de ellos debía de estar herido o enfermo, pues su ladrar era angustioso. *Tritón*, por el contrario, quedóse mansamente dormido a nuestra izquierda, en el interior de una pequeña casita que Fermín había acondicionado para él.

Mi padre aprovechó aquellos momentos para hablar conmigo. Ni siquiera nos mirábamos. Nos habíamos sentado en un banco de piedra, muy juntos, agachadas las cabezas, como si en la gravilla, en la tierra, sólo iluminada por el rayo oblicuo de un farol, pudiéramos leer algo aproximado a la Verdad.

Dicha verdad, según mi padre, era que Fermín llevaba razón en cuanto a que la Iglesia se había aliado con el vencedor —sí, en los campos de concentración hubo sacerdotes camuflados que se dedicaban a denunciar a los prisioneros—, pero ello no debía generalizarse y tampoco cabía sacar del hecho conclusiones exageradas. Judas era el patrón de los delatores. Pero no hubo más que un Judas, uno solo, en tanto que el resto de los discípulos se mantuvieron fieles al Maestro.

—A mí lo que me revienta —añadió mi padre, en voz baja, para que no le oyera ni siquiera *Tritón*—, es que Fermín se considere exento de culpa. ¡Y hay que ver! La fortuna que ha hecho ha sido a costa de la población hambrienta. Gravísimo pecado, contrario a la ley de Dios y de los hombres. Especular con la miseria del prójimo es la más aberrante de las corrupciones. Los campesinos han picado en ese anzuelo y Fermín no se ha quedado atrás. Y si habla como lo hace es porque tiene mala conciencia. España es ahora un inmenso mercado del Rastro en el cual todo lo que se vende es producto del robo. Tú, hijo mío, vives en una especie de isla y no te enteras de lo que ocurre por ahí. Es época de oro para los sepultureros... La ciudad es sinónimo de concupiscencia; el campo lo es de la más abyecta ambición.

Mi cabeza, agachada, se movió imperceptiblemente, en señal de asentimiento.

—Tienes razón, padre... Pero si uno quiere abarcarlo todo, lo más probable es que se quede en ayunas. Héctor y yo tenemos muchos planes para el futuro... Hemos quemado una etapa en el seminario y ahora, al reingresar, iniciaremos otra, más peliaguda, por supuesto, primero porque ya somos mayorcitos y luego porque este verano, en estas vacaciones, nos hemos dado cuenta de que lo principal es la pureza interior. Fermín y Victoria están convencidos de que, una vez terminada la guerra mundial, esto dará un giro de ciento ochenta grados. Yo, la verdad, no lo sé. Carezco de información. Ya sabes que en el seminario nos está prohibido incluso leer periódicos. Tampoco podemos tener radio; sólo, de vez en cuando, las visitas de la familia, en aquella desangelada sala de espera que tú conoces. Mi gran sorpresa al terminar el curso fue enterarme de que un viento loco se ha apoderado del mundo y que no sabemos adónde nos conducirá...

Estuvimos media hora dándole vueltas a la situación, sin conseguir avanzar un paso. Si yo era una isla, Mas Carbó era un mar, con una ballena —Dolores—, y una sirena —Victoria—. Claro, la noche quieta invitaba a la metáfora, pero la escena vivida poco antes en la era nos había entristecido de tal modo que hubiéramos dado cualquier cosa para que Fermín no hubiera disparado los tres tiros. ¿Contra quién iban dirigidos? Alguna figura humana concreta cruzaría por su mente, puesto que el labio inferior le tembló e incluso por la comisura le salió un poco de espuma. Acaso todo ello se debiera a que estaba bebido —lo que desde hacía algún tiempo le ocurría con frecuencia—, o se tratara de una burda fanfarronada.

—Padre, me ha gustado mucho estar contigo, aunque el pleito haya quedado sin resolver...

—Buenas noches, hijo... —Avancé unos pasos y oí que añadía—: Ya sabes que eres lo que más quiero en el mundo.

Al llegar a mi cuarto encontré a Héctor arrodillado a los pies de su cama, la cabeza entre las manos, meditando sobre una estampa del Sagrado Corazón. ¿Cuánto tiempo llevaría allí? Desde que se despidió de todos alegando que estaba cansado. Su director espiritual le había prescrito una hora diaria de meditación y él cumplía el precepto a rajatabla. Seguro que *el Tontorrón*, allá en su casa de Berga, donde vivían los suyos, meditaría a diario también una hora delante de una estampa de la Virgen. ¡Yo me las arreglaba con Cristo! Mi ventaja consistía en que, al andar, podía uno ver por todas partes figuras geométricas que dibujaban una cruz.

Pasado un cuarto de hora estábamos los dos acostados, en nuestras respectivas camas, las luces apagadas, cerrada la ventana para que no entraran los mosquitos. Era nuestra costumbre. Nos gustaba hablar en la oscuridad, en la que las palabras rebotaban como en una bóveda incontaminada.

—Héctor... Acabo de hablar con mi padre. Le he dicho que un viento loco se ha apoderado del mundo.

—Lo mismo le estaba diciendo yo al Sagrado Corazón...

—Los acontecimientos me turban. La vida es un avispero. A veces envidio al viejo Tomeu...

—No digas majaderías, Anselmo. Si la vida te desborda, siempre te queda una solución: ingresar en la Trapa.

—Si tú me acompañaras...

—¿No sabes, Anselmo, que en la Trapa está prohibido hablar?

—Pero te vería. Sabría que estás a mi lado, como en estos momentos...

—¡Hum! No te olvides de las amistades particulares...

—No te hagas ilusiones. Eres más feo que el demonio. —Marqué una pausa—. Le he dicho a mi padre que tú y yo tenemos muchos planes para el futuro.

—No sé cuáles son, pero cuenta conmigo.

—Por lo pronto, seguir estudiando piano. Mosén Salvador está dispuesto a darme clase...

—Eso cuenta para ti. ¿Y a mí qué novedad se me asigna?

—¡Vestir sotana negra, con una ancha faja azul! ¿Te parece poco?

—Eso ya lo sabía... Filósofos vestidos de negro, como un paraguas plegado. Será como si nos bautizáramos otra vez...

—¡Mucho más que eso! La sotana imprime carácter, y ya me imagino a *el Tontorrón* sin poderse abrochar y estudiando a Aristóteles.

—Nada. Un peldaño más y a por la tonsura se ha dicho.

—¡Je, más despacio, Héctor! Más despacio... El barbero no te tonsurará hasta que estudies teología.

Llegó de madrugada, con el canto de los gallos. Llegó harapiento, maltrecho, como si viniera andando desde los montes de Teruel. El padre de Victoria, amigo de Fermín, había renunciado a la lucha en el maquis porque en una emboscada perdió un brazo. Se desmoralizó. ¡Con los proyectos que le rondaban por la cabeza, en unión de sus compañeros, por las sierras calcinadas de Aragón! Pero Hitler resistía aún y daba la impresión de que ni Roosevelt ni Churchill le darían a Franco la patada en el trasero.

Se llamaba Casimiro. El primero que le vio, oteando desde lejos tras unos matorrales próximos al algarrobo, fue Fermín.

—¡Casimiro! —gritó—. Sal de ahí si no quieres recibir una perdigonada en la tripa...

Casimiro se acercó y los dos hombres guardaron silencio mientras se inspeccionaban mutuamente.

El padre de Victoria daba pena. Casi se desmayó al dejarse caer en brazos de Fermín. Éste le quitó la cochambrosa boina que llevaba y advirtió que Casimiro iba pelado al rape. Tal vez fuera cosa de la Guardia Civil. Fermín se preguntó si le habrían dado una buena dosis de aceite de ricino.

Media hora después todo el mundo rodeaba al recién llegado, incluido *Tritón*. La sorpresa fue mayúscula, naturalmente, sobre todo para Victoria, quien se había hecho a la idea de que nunca más volvería a ver a su padre, «el cual se había metido en líos innecesarios desde que su madre lo parió». Victoria, al ver la manga colgante del «maquis frustrado», y especialmente cuando éste les enseñó el cicatrizado muñón a la altura inicial del antebrazo, sintió compasión. Pese a la repugnancia, le besó repetidas veces en la cara sin afeitar, al tiempo que la ganaba un llanto incontenible. Casimiro, por su parte, al besar a su hija y reposar la cabeza en su hombro, pareció volver a la vida y barbotó durante un buen rato palabras ininteligibles.

Tiempo hubo para que se aseara, se cambiase la ropa y se tomara un desayuno como no lo cataba desde que, cerca de Teruel, había irrumpido en un bar amenazando al dueño con un fusil. Nos contó a grandes rasgos su odisea, mientras *Vesubio* relinchaba, el molino de viento giraba y los dispersos jornaleros iban ocupando los surcos que les correspondían. «El maquis es muy duro. ¡Muy duro! Es peor que la guerra abierta... Y, además, hay mucho desertor.»

Héctor hizo de tripas corazón y se unió al coro de voces que se organizó para darle ánimo. Pero Fermín acortó lo que podía convertirse en la pesadilla de Mas Carbó. Le dijo a Casimiro que allí podía quedarse, escondido, un par de días, pero que la Guardia Civil andaba por los caminos y no era cosa de exponer la piel. Entonces Casimiro, cuyos ojos delataban a un tiempo miedo y felicidad, y que se dirigían cada dos por tres a Victoria, asintió con la cabeza y expuso su plan.

—Mi plan es volverme a Francia, a Perpiñán, y que Victoria se venga conmigo...

Esta vez la sorpresa de la muchacha se convirtió en estupor. Jamás imaginó tal percance. Ella había proyectado irse a Barcelona, a trabajar en lo que fuera, tal vez dando clases en el Liceo Francés, donde esperaban que al terminar definitivamente la guerra recibirían un aluvión de alumnos. Victoria, sentada en una silla de enea, frente por frente de su padre, se deshizo en protestas y alegaciones. Sin embargo, era su padre y éste, en lugar de brazo izquierdo, exhibía un muñón cicatrizado, alrededor del cual zumbaban las moscas. Casimiro no abrió la boca. Se limitó a mirar obsesivamente a su hija, casi sin parpadear, indefenso y derrotado como *Tritón* cuando su amo se largaba sin acariciarlo. Al cabo de un rato Casimiro pronunció de nuevo un nombre, uno solo: Perpiñán. Y la resistencia de Victoria se derrumbó. Al fin y al cabo, «nunca sabía si mirar al norte o al sur» y en Perpiñán había estudiado el bachillerato y tenía media docena de amigos. Seguro que si abandonaba a su padre le sería imposible sentirse en paz consigo misma. Victoria giró la vista en torno, fijándola en cada uno de nosotros como suplicando un consejo. Nadie habló. El silencio se hizo tenso y se oyó un silbido: el del solitario Tomeu, que se iba a plantar tabaco para Fermín. Victoria, que en cuestión de una hora parecía haber envejecido, rompió en sollozos y dijo con voz entrecortada:

—De acuerdo. Iré contigo a Perpiñán...

Fermín soltó un «¡Hurra!» y, saliendo fuera, se acercó a *Vesubio*, se montó en él y se perdió en dirección a los Tres Turons.

CAPÍTULO V

EL INICIO DEL QUINTO CURSO —filosofía— tuvo su cara y su cruz. La cruz consistió en que, como en todas las fiestas señaladas, fueron invitados el capitán general, el gobernador civil y otras autoridades. Éstas, acompañadas por el rector, don Vicente, los vicerrectores y el prefecto, se plantaron ante la lápida en que, por orden alfabético, estaban inscritos los nombres de los profesores y seminaristas «caídos por Dios y por España» y todos tuvimos que cantar, brazo en alto, los himnos de rigor. El coro no fue unánime, pues hubo seminaristas, como *el Tontorrón* y como yo mismo, que simulamos mover los labios pero sin pronunciar una sílaba. «¡Viva Franco!» «¡Arriba España!» Después de esta ceremonia la iglesia se abarrotó, el rector, con su voz tronante, nos dedicó un sermón religioso-patriótico y el curso se consideró inaugurado.

La vertiente emotiva de los actos fue, sin duda, el estreno de la sotana. Héctor tuvo razón en Mas Carbó. Aquello era algo más que el rebautizo, que la confirmación; era la ofrenda oficial, el «despojarse del hombre viejo» para alumbrar al hombre nuevo. Efectivamente, *el Tontorrón*, que durante el verano, en Berga, había engordado más aún, tuvo sus problemas para abrocharse; Héctor y yo, por el contrario, nos miramos mutuamente y soltamos una carcajada. Si bien minutos después, al recibir la enhorabuena por parte de nuestros respectivos directores espirituales, soltamos alguna lagrimita. Don Salvador Cebriá me repitió: «No olvides que el demonio anda cerca y que el color negro le atrae como a los toros el color rojo.»

Salimos, por supuesto, a media docena de sorpresas por día. La primera fue enterarnos, por él mismo, de que *el Tontorrón*, en pleno mes de agosto, encontró en el pueblo su Rocío particular y pecó también contra el sexto mandamiento. Pero él se lo tomó a la tremenda, por lo que, además de ponerse cilicio, prometió subir a pie a la montaña de Montserrat en cuanto se presentara la ocasión.

La segunda sorpresa consistió en comprobar que, de los cincuenta y dos alumnos que comenzamos la carrera, se habían descolgado ya veintitrés. De seguir este ritmo, ¿cuántos llegaríamos a la meta? Por fortuna, había ingresado otro importante lote, lo que, en principio, suponía una compensación.

Luego ocurrió que el reglamento se modificó y durante el curso podríamos salir de paseo los jueves y los domingos por la tarde, de tres en tres, si bien nos estaba prohibido visitar a la familia y, por descontado, mirar las carteleras de los cines. Héctor, *el Tontorrón* y yo lo pasábamos de rechupete, especialmente porque con mucha frecuencia se nos acercaban niñas salidas de los colegios de monjas, que al vernos con sotana acudían a besarnos la mano —*el bes de l'amistat*—. Íbamos a Montjuich, a contemplar el puerto, el teleférico colgado y la mar grande; al Tibidabo, donde con los catalejos mirábamos en dirección a Mallorca y subíamos a la Gran Noria soltando chillidos de entusiasmo, ignorando que, años después, mi padre moriría allí mismo de un ataque cardíaco. Otras veces visitábamos el parque de la Ciudadela, en cuyo Zoo había de todo excepto diplodocus, o el parque Güell, admirando la genial inspiración del arquitecto Gaudí. También nos gustaba montar en un tranvía de circunvalación y dar vueltas y más vueltas comentando las bellezas de Barcelona, y también su descuido y suciedad, con los inmuebles desconchados y el hedor que desprendían las alcantarillas. En una ocasión transgredimos la norma y nos adentramos, por la calle Conde del Asalto, en el barrio chino, donde, sentadas en los cafés, mujeres coloreadas como peponas esperaban poder prestar servicio. ¡Qué espectáculo, Dios mío! La prostitución... Con permiso de san Agustín, todo aquello me apenó inmensamente. Héctor opinaba que en gran parte se debía al vicio; *el Tontorrón*, que se debía a la necesidad. ¿Cómo saberlo? El barrio chino era una gusanera por donde merodeaban los esclavos de la carne, con singular abundancia de soldados y marineros. Luego existían los *meublés*..., las infinitas alcobas. Resumiendo, el mundo era una inmensa charca en la que los espermatozoides se movían como pez en el agua.

Otra sorpresa: las barracas, la cochambre, los niños con el vientre hinchado en los barrios periféricos de la ciudad, entre los que destacaban el de Casa Antúnez, Somorrostro y la Barceloneta. ¡Otro espectáculo, santo Dios! ¿Quién era el culpable? Todos. Los que se inventaron nuestra guerra civil y los terratenientes de los campos de España, singularmente los de Andalucía y Extremadura. Vida infrahumana, muertos de frío, calentándose con tímidas hogueras o acercándose a algún fogón de alcohol. No había electricidad, no había agua —les faltaba el viejo Tomeu—, los techos eran de uralita, de modo que cuando llovía o azotaba el viento aquellos seres humanos, que tenían alma, se quedaban a la intemperie, carentes de lo más elemental.

En medio de aquel universo, de aquella otra charca de pobreza, nuestras sotanas destacaban de tal modo que debían de parecer una blasfemia. Nadie se atrevía a zaherirnos, pero en cada esquina había un gitano o un payo con la gorra calada que nos miraba sin disimular su absoluto desprecio. Aquello me hirió en lo más hondo, puesto que allí nosotros representábamos a la Iglesia. ¿Qué decirles? ¿Dónde estaba la «caridad fraterna» de que hablaba el librito *Exámenes para seminaristas*? Aquello era el examen clave, puesto que las palabras —y los escupitajos— iban a parar de rebote al Cristo que yo amaba, a la Virgen que *el Tontorrón* amaba, al Sagrado Corazón que amaba Héctor. Los animales chapoteaban, había alguna cabra y muchos carteles, en las vallas metálicas, anunciando el «Anís del Mono» y alguna que otra corrida de toros.

Por primera vez comprendí lo que significaba realmente la palabra «desesperación». Pensé en las misiones —en los misioneros—, que sí eran testigos de Dios, y en el padre de Victoria, el doliente Casimiro, quien, según él, anduvo durante seis años por Aragón, primero en las trincheras y luego en el maquis, para cortar por lo sano y liquidar de una vez tamaña discriminación. ¿Fácil demagogia? Ahí estaban los niños con tracoma, visible el esqueleto, mientras se decía que los americanos, vencedores, iban a mandar comida enlatada y medicamentos. La vida en el seminario, pese al frío y a las bufandas de Héctor, era el paraíso islámico, repleto de huríes y de arroyos de leche y miel. Si alguien moría, ¿dónde enterrarlo? ¿Se le ocurriría a alguien plantar sobre la tierra una cruz? ¿Y el Palacio Episcopal? En él cabrían doscientas familias. ¿Y el Vaticano? Allí cabría una ciudad. ¿Esto fue lo que Cristo ordenó al decir: «Id y evangelizad la tierra»? Los humos de las fábricas cercanas se elevaban al cielo pidiendo protección. La bofetada fue en pleno rostro, y lo mismo Héctor, que *el Tontorrón*, que yo, volvimos al seminario sin pronunciar una sílaba, avergonzados de nuestra sotana y de nuestra ancha faja azul celeste.

Otra sorpresa: el dormitorio que nos tocó en suerte, denominado de San José Oriol. Dormitorio común —los «teólogos» disponían ya de celdas individuales—, pero con una salvedad: los tabiques de separación no llegaban al techo. Ello permitía, las noches en que los ayos dormían y soñaban con ser rectores, dar rienda suelta a nuestra alegría y bromear y jugar. Jugábamos a lanzarnos por encima de los tabiques viejas alpargatas, almohadas, aviones de papel, cualquier objeto no dañino. También nos tomábamos a chunga los ronquidos y las ventosidades. Éstas, inadmisibles en clase e incluso en el recreo, en el dormitorio sonaban a cosa normal y alguna noche se hubiera dicho que organizábamos un concierto. Don Salvador Cebriá opinaba que eran el sustituto de las blasfemias y de las palabras lujuriosas. «El mundo escatalógico es la válvula de escape del estamento eclesial.»

Obligados a barrer nuestra celda una vez por semana, con las escobas organizábamos carreras de caballos o de brujas. Hasta que matamos un gato. Nunca sabré cómo ocurrió. Un gato apareció en lo alto del tabique del sabihondo de la clase, un tal Joaquín Valls, éste dio la voz de alerta y todos nos apresuramos a cercar al pobre animal hasta asfixiarlo bajo una pila de mantas. Fue una crueldad gratuita, que tuvo su apoteosis en la procesión y simulacro de entierro, las escobas encendidas, hasta la puerta cerrada e intrigante que había debajo del torreón. La misma suerte corrió poco después un ratoncillo, que, ¡cómo no!, aplastado y abierto en canal, colgamos en la entrada de la celda de *el Tontorrón*, con un letrerito que decía: «Se vende al peso.»

En ocasiones me preguntaba si en ese tipo de «broma» no habría un componente sádico, fruto acaso del cúmulo de represiones a que nos veíamos sometidos. Héctor negaba con la cabeza. «Nada de eso. Todos los críos, sin necesidad de ser seminaristas, matan ranas y toda clase de bichos.» Yo me quedaba con la duda, primero porque nosotros ya no éramos unos críos y luego porque una rana no era un gato de pelo sedoso como el que nosotros enterramos en la procesión.

¿Y los pitillos? Circulaban como por arte de magia, no sólo a lo largo de nuestras salidas por la ciudad, sino preferentemente en los lavabos. *El Tontorrón* se pasaba a veces media hora en el lavabo, del que salía tosiendo y abrochándose los pantalones. Los ayos andaban de requisa, guiados por el olfato, pero rara vez daban con el culpable. A mí fumar me gustaba mucho. En Mas Carbó había descubierto este placer. «Me siento un hombre. Un hombre como los demás.» Me acordaba del viejo Tomeu, para quien un hombre que no fumara o estaba enfermo o era un marica.

Pieza importante en la vida del seminario —y posteriormente en mi vida personal— era, lo fue, el médico. Se llamaba Rafael Camprubí. Catedrático de patología de la universidad, tenía su consulta privada en la calle Provenza, cerca de mi casa. Algo mayor que mi padre, con unas cejas tan pobladas que, según él, «en ellas se columpiaban sus nietos», tenía la espalda curvada a fuerza de inclinarse para auscultar a los enfermos en la cama. Llevaba siempre sombrero, sin el cual no hubiera podido vivir, así como un reloj de oro cuyo escudo delataba su ascendencia aristocrática. Con el sombrero, el reloj de oro, el maletín de urgencia y su sabiduría había salvado tantas vidas que por Navidad su piso, a pesar del racionamiento, se llenaba de jamones, de pavos, de cajas de champaña y de regalos de toda índole. Había salvado a Fermín de una crisis de asma que nadie más acertó a resolver. Médico de cabecera, naturista en el fondo, e incluso acupuntor, ganó su cátedra con una tesis sobre «La medicina antihipocrática». No aceptaba la dicotomía, tan corriente entre los galenos de la ciudad, y a los pobres los visitaba gratis, suministrándoles además los fármacos necesarios.

Nuestro primer encuentro —luego habría muchos más— fue de lo más lógico. A mitad de curso se declaró en Barcelona una epidemia de gripe que afectó al seminario y a mí. La enfermería a tope, las monjas desbordadas, velando día y noche; el doctor Camprubí, ¡a quien también pilló la gripe!, nos atendió a todos con la mayor abnegación. Al enterarse de que yo estudiaba música y de que iba para pianista, se interesó por el tema, puesto que él era un asiduo del Liceo desde que tuvo uso de razón. Entre enfermo y enfermo tarareaba por lo bajini fragmentos de ópera, que en toda la enfermería yo era el único en captar. El hombre, vivo como una centella, no sólo sanó mi cuerpo sino que le puso también algún parche a mi alma, dado que mi vocación, a raíz de nuestra visita a los barrios periféricos de la ciudad, estuvo pendiente de un hilo. «¡Por favor, chaval —me dijo el doctor Camprubí, hombre de una fe comparable a la de las mujeres bretonas—, que no va por ahí la cosa! La Iglesia no puede atender a todo, ni es ésta su misión. Y no olvides que Jesús nunca desdeñó posar en casa de los ricos.»

Este argumento me sobresaltó, tanto más cuanto que mi director espiritual, mosén Salvador Cebriá, abundó en él y me dijo que no lo olvidara hasta el día de la muerte.

A lo largo de los cuatro años de filosofía obligatorios en la carrera, mosén Salvador Cebriá intentó por todos los medios poner un poco de orden en mi talante personal, contradictorio de por sí, capaz de lo mejor y de lo peor. Su fe iba más allá que la del doctor Camprubí, puesto que no sólo aceptaba de pleno «el misterio», sino que practicaba cada día más la ascesis, hasta el punto de ayunar varias veces al año —por ejemplo, por Semana Santa, ¡y por Navidad!—, alegando, con su característica modestia, que mediante el ayuno desintoxicaba su cuerpo y su mente. Más flaco que nunca, más pálido, de rostro estirado y con tendencia a mirar hacia lo alto, alguien estimó que se parecía a una figura del Greco. Mosén Salvador Cebriá protestó. Ser asceta no significaba ser místico, aunque a veces resultaba difícil determinar la frontera entre ambas virtudes. Sus manos y sus dedos larguísimos se cruzaban a menudo sobre el pecho, como si quisiera resguardar algún insólito tesoro oculto en su interior. Era, por lo dicho, la antítesis del vicerrector *Bon Vivant*, de quien hubiera podido jurarse que jamás pisó los agónicos suburbios de la ciudad.

Mosén Salvador Cebriá nos llamaba *Los tres mosqueteros*, pidiéndonos perdón por el tópico. Convertido, por ósmosis, en director espiritual de los tres, tenía de cada uno un concepto distinto. Y llevaba razón. A medida que avanzábamos «en gracia y filosofía», como solía decir Héctor, avanzaban nuestras inclinaciones y se perfilaba el temperamento de cada uno. Dicha mutación era lógica, pues ante los acontecimientos, ante la vida, ante un tumor maligno o ante Tomás de Aquino, el Doctor Angélico, cuya profundidad de pensamiento en clase nos llevaba a mal traer, la reacción de un crío de once años no podía ser la misma que la de un hombre de dieciocho o de veinte. Héctor iba por un lado, yo por otro, y *el Tontorrón* tiraba por la calle de en medio. Cada uno era protagonista de su propia realidad. Sin embargo, era cierto que nos llevábamos de maravilla, excepto tratándose de los dogmas de la Iglesia y de los juegos a los que nos dedicábamos cuando llovía a la hora del recreo. Los dogmas no eran ningún obstáculo ni para Héctor ni para *el Tontorrón*: obediencia ciega. Yo me rascaba la cabeza, «¡Ejem, ejem!», y desviaba el tema hacia los colores de las mariposas o el sexo de los ángeles. En cuanto a los juegos, *el Tontorrón* era el campeón del parchís. Héctor lo era del ping-pong y yo lo era del ajedrez. Todo simétrico, como el edificio del seminario, en cuyo frontis, antes de la guerra, una inscripción decía: «*Pro fide et razione.*»

Lazo de unión de *Los tres mosqueteros*: el latín. En aquellos cuatro años aprendimos a hablarlo incluso coloquialmente, aunque *el Tontorrón* andaba un poco corto de vocabulario. El latín era un ejercicio mental perforante, un arma dialéctica de eficacia extrema, que el doctor Camprubí, naturista, enamorado de Oriente, solía comparar con el yoga, y, ¡cómo no!, con el griego, instrumento que en manos de Aristóteles, de Platón y otros clásicos y discípulos, alcanzaba cimas casi inaccesibles, como mosén Salvador Cebriá —que acabó siendo, ¡quién pudo predecirlo!, nuestro profesor de filosofía— nos demostraba en clase casi a diario.

Mosén Salvador Cebriá deseaba que *Los tres mosqueteros* tuviéramos una formación humanística, sin la cual era difícil disponer de las herramientas necesarias para el ejercicio del sacerdocio. Pero ocurría que las ciencias naturales, la física, la química y demás nos producían cierto repeluzno. Excepto, por descontado, la historia, que personalmente me entusiasmaba, pues tirando de ella conseguía explicarme muchas cosas del tiempo en que me había tocado vivir. ¡Si hubiera podido nacer en el paleolítico y seguir el proceso hasta el siglo XX!... Sería el más sabio de los mortales; más sabio aún que el muy ilustre señor rector, don Vicente Gual, a quien tuvieron que operar de la próstata.

Héctor había pegado un estirón y ahora, con la sotana, tenía buena facha. En su celda, compuesta, como todas las demás, de cama, armario y alfombra, hacía gimnasia todas las mañanas y luego, llegado su turno, se duchaba con agua caliente, pues no soportaba la frialdad. Tenía una agilidad extraordinaria, y cuando le tocaba, también por turno, servir las mesas del comedor, hacía con las bandejas demostraciones de equilibrio. Cuando, ante una frase o un tema, se colocaba a la defensiva, semicerraba los ojos y parecía oriental. Tenía las orejas grandes, como prestas a escuchar los ruidos del mundo o a los penitentes en confesión. Su evolución derivó hacia el misticismo. Sus dos consignas, que ponía en práctica sin cesar, eran la meditación y la oración. Si se le preguntaba qué «sentía» cuando meditaba, contestaba invariablemente: «*Siento* que el Padre Eterno, el Sagrado Corazón, vela por todos, por los vivos y por los muertos.» En cuanto al rezo, tenía predilección por el *Agnus Dei*: «Cordero de Dios, que quitas los pecados del mundo, ten piedad de nosotros. Cordero de Dios, que quitas los pecados del mundo, dadnos la paz.»

Las objeciones no le hacían mella. Amaba a la Iglesia más que a su propia carne. Partiendo de la base, tan simple y tan conocida, de que «no hay reloj sin relojero», creía en un Dios omnipotente que creó el mundo en un acto de voluntad suprema, para que los humanos pudiéramos participar de su gloria. Y ese Dios, encarnado en un gesto de sublime grandeza, nos concedió la libertad necesaria, el libre albedrío, para elegir entre el bien y el mal. Y le dijo a Pedro que las puertas del infierno no prevalecerían contra él. Héctor, también sacudido por la historia, se sabía de corrido todo cuanto se refiriese a la vida de los primeros cristianos en las catacumbas y a los grandes mártires de los que había constancia. Su apóstol o «discípulo» predilecto era Juan. En la tierna mirada de Juan hacia su Señor veía él la armonía del universo. Estrellas y mares, bosques y leyendas, padres e hijos, sueños y el calorcillo procedente del sol, todo tendía hacia el Creador, sin el cual lo más pertinente sería el suicidio. Precisamente la filosofía le estaba enseñando, más que la vida misma, la inutilidad de todo esfuerzo intelectual para romper la barrera de la fe. «Formación de la inteligencia y de la conciencia», repetía mosén Salvador. Héctor sentía más honda la conciencia. Arrodillado en Mas Carbó o en el seminario, con la cabeza entre las manos, se afirmaba en la convicción de que lo suyo no era una triquiñuela emocional sino algo más *total*, que tiraba de él hacia Dios.

Por su parte, *el Tontorrón*, con la ayuda de todos —todo el mundo le quería—, iba aprobando los cursos. Incapaz de opinar por sí mismo, esgrimía una arma contundente: obediencia ciega. Se armaba un lío con la filosofía, con el ser, el existir, la inmanencia, las potencias y demás: hasta el punto de que pronto le dolía la cabeza o pensaba en las musarañas. Obediencia, espíritu de servicio: «*Monsieur*, de eso me encargo yo.» Mosén Salvador Cebriá le quería como a la niña de sus ojos.

—De acuerdo, *Tontorrón*, lo tuyo será una parroquia rural, una parroquia de pueblo.

—A mí lo que me gustaría —replicaba él— sería que me destinaran de vicario a Berga, para bautizar a mis paisanos, administrarles la Eucaristía y acompañarlos en el día de la muerte.

El Tontorrón tenía unos pies enormes, que se le salían de la cama, era patizambo, se bamboleaba al andar y se reía a carcajadas, mientras la nuez del cuello le subía y le bajaba. Tan grande era su boca al reírse que hubiérase dicho que podía tragarse el ratoncillo que le colgaron en la puerta de la celda. Lo que más le gustaba era hacer de monaguillo, en lo que nos parecíamos como si fuésemos hermanos gemelos. «Ya que todavía no puedo ir de vicario a Berga, por lo menos que pueda ayudar en la Santa Misa.» Ocurrió que, en plena Cuaresma, le avisaron de que su padre había muerto. Se marchó y regresó a los tres días, sin el menor indicio de haber llorado. «¡Claro que estoy triste! ¿Cómo no voy a estarlo? Pero mi padre era un santo varón. En el fondo le tengo envidia, porque me ha precedido. A partir de ahora toda la familia tendrá un interlocutor válido en el cielo.»

El Tontorrón tenía una habilidad manual fuera de lo común. Le gustaba encuadernar libros, lo que el bibliotecario le agradecía de veras, arreglar los enchufes eléctricos y, sobre todo, montar el belén navideño. ¡Ahí se empleaba a fondo, sin regatear horas, y era el único trabajo en el que demostraba tener imaginación! «Dejadme, dejadme, yo lo haré a mi manera.» Cueva de corcho, figuras de tamaño considerable, prefería los pastores a los reyes y de la imagen de la Virgen quiso encargarse él. No podía ser de otro modo. Virgen de barro, significando que era de barro antes de su concepción. Pintada con tal esmero que parecía *humana*, con un mirar modesto y dulce, casi en éxtasis, ante la presencia del Niño. «Yo soy éste», se reía *el Tontorrón* señalando con el dedo al asno. Por lo demás, su apóstol favorito era Mateo, puesto que, en su opinión, la Iglesia debería cobrar impuestos. Jamás dudó de que existieran el infierno, el purgatorio, las indulgencias, las potestades, y prefería san Agustín a santo Tomás de Aquino, puesto que aquél había pecado hasta que su madre le convirtió en *esclavo* del Señor. Jamás quiso creer que hubo en el correr de los tiempos algún papa —él prefería decir sumo pontífice— que hubiera prevaricado y, menos aún, que hubiera tenido hijos. «Eso son calumnias de Voltaire.» A mi entender, viendo ahora las cosas con perspectiva —y lo que ocurrió después—, *el Tontorrón* era el más sabio de la clase.

Las mayores dificultades las presentaba yo. Nuestro director lo sabía de sobra, desde el primer curso. La filosofía me apasionó. Mi postura era absurda. En vez de agachar la cabeza, como Héctor había hecho, estaba empeñado en hacer compatible la razón y la fe. Porfía inútil, puesto que siempre, al final del mejor juego dialéctico, tropezaba con el misterio. «La línea divisoria está trazada: si no crees en el misterio, te condenarás.» Palabras de mosén Salvador Cebriá, que me herían en lo más hondo. ¿Es que la duda, la incertidumbre, el inquisitivo mirar, el análisis, se merecían lo que el rector del seminario llamaba «castigo eterno»? Los escolásticos me mareaban por su prepotencia, por la seguridad con que especulaban sobre las consecuencias del pecado original y sobre el más allá. A veces tiraba el lastre por la borda y conseguía emular a Héctor, al *Tontorrón* y al doctor Camprubí; pero, de repente, los apologéticos me abofeteaban, me parecían simples títeres dóciles a la voz de su Amo, y la inquietud me atosigaba de nuevo. Y lo curioso era que mi vocación no vacilaba por ello. Algo más profundo que la conciencia, como decía Héctor, me dictaba lo que debía hacer, y ante el sagrario pedía humildad, humildad, humildad. Me acordaba de Ícaro, de los fariseos, del sueño que se apoderó de los apóstoles mientras Jesús —mi único punto de referencia— rezaba. Detestaba mi cuerpo y lo atribuía a la tesis según la cual por sí mismo era polvo, nacido del polvo y que al polvo volvería. Al afeitarme —Héctor y *el Tontorrón* eran casi imberbes—, el espejo me devolvía una imagen atrozmente imperfecta, con el mismísimo rostro de Lucifer en el fondo de los ojos. Mosén Salvador

Cebriá cambió de táctica conmigo: me concedió un plazo —hasta el primer curso de teología— para que afianzara mi fe; en caso negativo propondría al rector mi expulsión. ¡Expulsado del seminario! Adiós sotana, adiós celebrar la Eucaristía, adiós al poder de perdonar los pecados. La sola idea me estremecía y entonces pedía luz, más luz. En el comedor, donde era costumbre que un seminarista leyera desde un raquítico púlpito algún libro edificante, cuando me tocaba la vez pasaba las de Caín. Había santos que hacían honor a esta palabra, pero otros habían sido introducidos en el martirologio con calzador. Lo sorprendente fue que, a raíz de festejar la Asunción, solicité del prefecto permiso para leer desde el púlpito alguna obra profana, como, por ejemplo, las aventuras de Juan de Serrallonga o las del padre Brown, el cura-detective inventado por Chesterton. El prefecto accedió, y todo el mundo pudo comprobar que la atención de los comensales se quintuplicaba. Aquello no era rutina; era intriga, era interés. Al rector el experimento no le divirtió lo más mínimo y dio orden de volver a la vida de santa Teresa de Jesús. Por lo demás, mi personaje bíblico era Juan el Bautista, por aquello de su cabellera, de sus harapos, de la grandiosa ceremonia del Jordán y de su decapitación a causa de Salomé.

Sí, mi asidero era Cristo. Aquel Ser que nunca sabía dónde podría reposar la cabeza al llegar la noche me ayudó a no declararme vencido. Pensaba en mis padres, cuya labor en el magisterio era grata y fecunda, y pensaba también en Rocío, en sus pechos redondos que se me ofrecían una y otra vez en cuanto yo disfrutaba de unas vacaciones y me trasladaba al piso de la Rambla. Sólo en una ocasión volví a sucumbir. Fue precisamente el día de Reyes, cuando yo andaba por el séptimo curso. Mis padres se habían ausentado y de nuevo me encontré solo en casa, ¡leyendo a Descartes! Rocío llamó a la puerta pulsando el timbre —pese a poseer la llave—, y se presentó con el periódico del día. Nada más. Nada más, excepto *ella sola* y *entera*, claro está. Me miró como si yo fuera el rey Baltasar, tembloroso el labio inferior, humedeciéndolo con lentitud con la punta de la lengua. Olvidé los clásicos, el latín, el piano que tenía en mi cuarto y el andar patizambo del *Tontorrón*. Ella avanzó un paso y de un taconazo cerró la puerta por dentro. Y pronto, sin pronunciar una sílaba, nos encontramos tumbados en el ancho diván en que mi padre solía dormir la siesta. Fueron unos minutos más salvajes que la primera vez, y en esta ocasión el acoplamiento llegó al final, fue perfecto.

—Has perdido la virginidad —me dijo un minuto después, sonriendo y abrochándose la blusa.

—Ya lo sé —balbucí, normalizando poco a poco la respiración. Luego apreté los puños y bramé—: ¿Por qué me ha ocurrido eso, precisamente hoy?

—Ha ocurrido porque tú eres más hombre y yo soy más experta que antes, puesto que tengo novio, que trabaja en un taller mecánico.

—Ya...

Rocío no quiso mofarse de mi estado de ánimo, ni proseguir con su coquetería. Se dirigió a la puerta, hizo mua y salió escalera abajo, hacia la portería, donde Mercedes seguramente la estaría esperando.

El remordimiento que me invadió fue tan fuerte y tan súbito que sollocé un buen rato en mi cuarto, frente a la imagen de Cristo. Lo primero que se me ocurrió fue ir al seminario en el acto —al día siguiente, finalizadas las vacaciones, teníamos que reingresar—, pero con sólo pensar en que allí debería toparme con mosén Salvador Cebriá y confesarle a él mi pecado sentí escalofríos y una insoportable incomodidad. ¿Qué hacer? Deseché la idea de aguardar veinticuatro horas y decidí ir de inmediato a la catedral, a pedir la absolución a un confesor anónimo. Así lo hice. Me peiné ante el espejo, vi mi cara enrojecida —una vez más, mi cuerpo me dio asco—, y tomé el primer autobús que bajaba por la Rambla. Un cuarto de hora después me encontré arrodillado ante un viejo sacerdote cuyo confesonario olía a rapé, y vomité en voz alta lo que consideraba «mi podredumbre».

El sacerdote se dio cuenta de que yo llevaba sotana y me reprendió con inusitada dureza. Aguanté el chaparrón, por estimarlo merecido; pero me dolió que, al igual que mosén Salvador Cebriá, aludiera a las garras de Satanás, el cual, al tomar contacto con un cuerpo joven, ¡que además pretendía entregarse a Dios!, había conseguido su propósito. «No tengo más remedio que llamarte hijo mío, pero debes comprometerte ante mí, que como sabes represento a la Iglesia, a que a partir de ahora, y para siempre, respetarás la castidad. Voy a darte la absolución, pero huye de esa mujer como en el día del Juicio, si te fuera posible, huirías del infierno.»

El olor a rapé se intensificó, recibí la absolución, la penitencia impuesta fue de aúpa —antes de acostarme debería rezar durante un mes seguido las tres partes del rosario—, me levanté y a trompicones, puesto que las piernas me temblaban, me dirigí a la capilla donde estaba expuesto el Cristo de Lepanto, sentimental patrono de los barceloneses.

La capilla estaba repleta de fieles y los cirios eran como llamas de fe ardiente. En aquel momento un sacerdote muy joven, parecido a uno de los ayos del seminario, celebraba misa. Me arrodillé en un rincón, sin poder concentrarme porque el órgano de la catedral, semioscura y grandiosa, tronaba a todo volumen. Con cierta sensación de alelamiento esperé a que se celebrase la consagración —la hostia blanca me recordó la tonsura de mosén Salvador Cebriá—, bebí también el cáliz de la amargura y me hundí estrepitosamente al llegar el *Agnus Dei*, tan querido por Héctor: «Cordero de Dios, que quitas los pecados del mundo, ten piedad de nosotros, dadnos la paz.»

¿Por qué no sentía dicha paz si había sido ya absuelto por una mano con poderes para ello? Me hubiera gustado comulgar, pero había comido. Aguardé hasta el final, me puse en pie, me uní a la cola que se había formado para tocar o besar los pies del Cristo de Lepanto y poco después me encontraba fuera, sorteando los mendigos y un grupo de gitanas que comían cacahuetes.

Decidí volver a casa a pie. Todo el camino fue un tormento, porque recordé a Rocío, quien seguramente estaba en un cine besando a su novio. Día de Reyes. El frío era intenso, pero las calles estaban repletas de familias cuyo centro de atención eran los niños con sus juguetes recién estrenados. Junto a unos grandes almacenes, vi dos limpiabotas que se habían quedado dormidos. Abordé la

Rambla de Cataluña respirando con más sosiego, sensación que se agudizó al llegar a la altura de la estatua de Clavé, erigida delante de mi casa. Recordé los coros de Clavé oídos a través de la radio y aquellas voces me parecieron un revolotear de ángeles que acudían en mi ayuda.

CAPÍTULO VI

CONTINUÁBAMOS PASANDO LOS VERANOS en Mas Carbó, donde todo seguía en su lugar: Fermín, que había renunciado a ampliar sus poderes, ingresando en el banco el dinero sobrante, cada día lamentaba más no haber tenido hijos. ¿Quién heredería todo aquello? En cierta ocasión resbaló de una manera absurda en la bañera, se dio un golpe seco en las cervicales y durante seis meses tuvo que llevar un collar ortopédico que le mantenía la cabeza erguida e inmóvil. Superado el incidente, se vengó galopando a *Vesubio* por los alrededores, casi siempre en dirección a Arenys de Mar o a los Tres Turons. De vez en cuando iba por inercia hasta la gruta de Lourdes, donde, según contaba, recordando lo que aquella imagen significaba para mí, se quitaba la boina.

—Lo que nunca haré es encenderle un cirio —afirmaba.

—Eso está por ver —le retaba yo—. Torres más altas que tú se han derrumbado.

—No vuelvas a contarme aquella historia de las trompetas —replicaba él, refiriéndose al pasaje de Jericó, con el que a mí me gustaba achucharle.

Tritón, el perro, envejecía —se pasaba medio día durmiendo—, lo contrario de Tomeu, cuya capacidad de soledad en su chabola maloliente me asombraba cada día más. «Los inviernos son duros —me decía—, sobre todo porque tú no te dignas hacerle una visita a este pobre viejo.» Decía «pobre» sonriendo con malicia, sobre todo porque salud no le faltaba y tampoco le faltaba el vino tinto. Se había aficionado a beber. Disfrutaba con sus propios eructos y con subirse a una silla y tocar el techo de uralita. Después de esto, tomaba la chistera y, tambaleándose, se iba a la masía a saludar a todo el mundo, especialmente a Dolores —la «dueña y señora» de Mas Carbó sufría ahora de varices y de hemorroides— y a los patos. Éstos le provocaban la risa y a cada uno lo bautizaba con el nombre de algún cantante conocido, o de algún payaso. También tenía un gato —*Morrón*— y una tortuga —*Centella*—. Tomeu quería vivir más que la tortuga, pero Dolores le desanimaba. «Deja ya de beber, si no quieres caerte en redondo y despertarte dentro de un nicho del cementerio.»

A Dolores, que jamás estuvo enferma, se la llevaban los diablos con eso de las varices y las hemorroides. Las piernas le pesaban horrores y no sabía si estarse de pie, sentada o meterse en la cama. Fue a visitarla el doctor Camprubí, pero éste, mi gran amigo en el seminario, no acertó con la terapéutica indicada. «En mi opinión, tendríamos que operar», dijo. Al oír esta palabra, Dolores, y a su lado el viejo Tomeu, pusieron el grito en el cielo. Por nada en el mundo entraría ella nunca en el quirófano. Tomeu compuso con las hierbas del campo unas cataplasmas que la mejoraron sensiblemente, que le hicieron vivible la vida.

En Mas Carbó yo no desaprovechaba el tiempo. Me dedicaba a leer lo que en el seminario me tenían prohibido —por ejemplo, el Antiguo Testamento—, empezando por el *Cantar de los Cantares*, que por lo visto era la oveja negra del rebaño bíblico, y terminando por la costumbre de los patriarcas de tocarse los testículos en señal de juramento. Los libros que más me emocionaban eran, aparte del *Génesis*, los de Jeremías y Job, y los *Salmos* y los *Proverbios*. «No reprendas al petulante, que te aborrecerá; reprende al sabio, que te amará.» «Escudríñame, ¡oh Dios!, y examina mi corazón; pruébanos y conoce mis inquietudes.»

Yo estaba inquieto. Y lo estuve sobre todo a raíz de un telegrama que se recibió de Victoria, expedido en Perpiñán. Era escueto e iba destinado a Fermín. «Mi padre ha muerto. Ampliaré detalles. Decidme si puedo pasar unas semanas en Mas Carbó.» Fermín se las ingenió para ponerse al habla por teléfono con Victoria —lo consiguió desde la centralita de Arenys de Mar—, y le abrió a la muchacha las puertas de la masía. En resumen, a mediados de agosto —en septiembre yo me reintegraría al seminario, primer curso de teología— Victoria se plantó entre nosotros y, al igual que la primera vez, Mas Carbó se alteró con su presencia, ahora más rotunda que antes. Victoria llegó con su acordeón, su cabello alborotado, una montaña de libros y su decisión de estudiar idiomas. En aquel tiempo transcurrido se había hecho más mujer, hasta el punto de que a Fermín, al verla, se le cayó la baba. Casimiro, el padre de la muchacha, había sufrido un fulminante ataque apoplético y en cuestión de tres días murió en el hospital, sin un mal camarada maquis que le acompañara y sin haber visto cumplido su sueño: la condena internacional de Franco.

Fermín había ido a la estación de Arenys de Mar a esperar a la muchacha, sorprendiéndose al advertir que ésta, dueña de sí, no había derramado una sola lágrima. Pronto el clima se distendió. «Nada de llantinas —propuso Victoria—. Al fin y al cabo, nunca me llevé bien con mi padre.» Por lo visto la muchacha llegaba con el firme propósito de quedarse en España. «Tenéis que ayudarme. Esta vez, entre mirar al norte o mirar al sur no lo he dudado: el sur. A fin de cuentas, España es mi patria, aunque a veces la política haya puesto barreras en mi pasaporte.»

Dimos muchas vueltas al tema. De momento permanecería en Mas Carbó hasta septiembre y en septiembre se quedaría en Barcelona, en nuestro piso de la Rambla. Mi padre intervino:

—Puesto que para entonces Anselmo (¿qué opinas de su sotana?) reingresará en el seminario, su habitación quedará libre y tú, Victoria, podrás ocuparla.

—Sólo te pido una cosa —añadí por mi cuenta—. Que respetes el crucifijo que hay en la cabecera de la cama.

Victoria simuló enfadarse y después de hacer como que levantaba la mano en señal de juramento añadió:

—Acepto tal hospitalidad, pero con la condición de que el arreglo sea provisional. Buscaré trabajo, tengo mis planes, y los libraré a ustedes de mi presencia lo antes posible.

Mi madre negó con la cabeza.

—Nada, nada de eso. Tú te quedas con nosotros hasta que Anselmo cante misa. O hasta que te cases...

Victoria sonrió.

—¿Casarme yo? Una muchacha que ha vivido tantos años en Francia, país del libertinaje, y que encima toca el acordeón, asustará a cualquier caballero español que se precie de serlo.

Todos nos reímos, y Dolores, que continuaba oliendo a ajo, a axilas sin depilar y cuyo negro bigotillo había aumentado considerablemente —Fermín apenas si la miraba jamás—, trajo refrescos para todos, mientras el molino giraba lentamente y *Tritón* daba vueltas, olfateando alrededor de Victoria.

A la hora de la cena quedaron en claro dos cosas: que la muchacha era una mujer de muchos quilates y que mi sotana le había pegado un bofetón.

—Te sienta fatal, Anselmo, y no me perdones si no quieres. ¡Con esta faja azul celeste! Sólo te falta el sombrero negro, de alas anchas! Supongo que no te atreves a salir de Mas Carbó.

—Te equivocas —le dije—. Las chicas se acercan a besarme la mano, porque suponen que soy sacerdote y luego me sacan fotografías.

—¡Ah, claro! —prosiguió Victoria—. El mundo femenino, en España, es masoquista por la gracia de Dios.

Ritmo alegre en Mas Carbó. Victoria hizo por cuenta propia varios viajes a Barcelona y obtuvo todo lo que quería: le convalidarían los estudios —si salía airosa en los exámenes—, y de momento podría dar doce horas de clase semanales en el Liceo Francés. En efecto, el director le dijo que, desde que terminó la guerra con el triunfo aliado, el número de alumnos inscritos se había quintuplicado. «Trabajo no ha de faltarle, *mademoiselle*. Aunque al principio, y en tanto no sepamos cuál es su rendimiento, la remuneración será escasa.»

¡Trabajo en el Liceo Francés! Y por si fuera poco, en la universidad podría estudiar filología, empezando por el griego y el latín.

—Tú me ayudarás con el latín, ¿verdad, Anselmo?

—Ni hablar —le contesté—. El reglamento del seminario prohíbe tener amistad con *mademoiselles* guapetonas. Y además, estudiando latín correrías el riesgo de convertirte al catolicismo, cosa que no te aconsejo.

Victoria se rió, y ambos fuimos a ver al viejo Tomeu, que se había tumbado en el jergón completamente desnudo.

El 20 de agosto llegó a Mas Carbó *el Tontorrón*. A petición mía, Fermín le había invitado y el chico no se hizo de rogar. Se presentó muy ligero de equipaje —una sotana de repuesto, eso sí—, dispuesto a pasarse una semana entre nosotros. «Ya era hora», me soltó, de buenas a primeras, al tiempo de darme el primer abrazo. Comprendí perfectamente al *Tontorrón*. Estaba celoso de Héctor, que cada verano se presentaba en Mas Carbó cuando quería y sin que se le limitase el tiempo. Por fin había llegado su turno, con lo que pudo arrancarse la espina que llevaba clavada.

Mi amigo conectó en seguida con el clan. ¿Cómo podía ser de otro modo? Procedía de una masía de Berga. Sus padres eran campesinos —también se habían enriquecido—, de suerte que nada en Mas Carbó le pilló de nuevas, ni siquiera el orinal coronando el pajar. A las veinticuatro horas todo el mundo le quería, incluidos los patos y los cerdos. Ante mi estupor, en vez de procurar pasar conmigo el mayor tiempo posible —se había traído consigo un curioso libro apologético titulado *Buzón de preguntas*—, se encandiló con las labores del campo. Conducía el tractor con maestría y le daba al arado con el entusiasmo de quien se ha propuesto, como se había propuesto él, adelgazar. Había engordado tanto que su madre tuvo que hacerle las sotanas a medida. ¡Cómo gozaba alborotando el gallinero! Y nadando en la balsa. Y escuchando el acordeón de Victoria. De los detalles más ínfimos sacaba la conclusión de que el supremo artista era el Dios Creador. La variedad de las especies, el mundo vegetal, el rodar de las estaciones y, por supuesto, las galopadas de *Vesubio* eran otras tantas manifestaciones de la armonía universal.

—¿Y mis varices? —le preguntaba Dolores—. ¿Y mis hemorroides?

—¡Ah! Esto, señora, le va a servir a usted para valorar mayormente la salud.

Fermín le atacó por el flanco de los terremotos y los volcanes, que tantas víctimas inocentes ocasionaban.

—¡Hum! Ahí no entro ni salgo —se alzó de hombros *el Tontorrón*—. Dios tiene sus designios, y todo lo negativo proviene del pecado original.

Mi madre y Victoria negaron con la cabeza.

—Este argumento es demasiado simple. ¿Es que la sangre ha de correr hasta el final de los tiempos?

El Tontorrón sonrió, se ajustó con cierta dificultad la faja azul y afirmó que había ensordecido de repente.

—De veras. No he oído una sola palabra. Tendremos que avisar al doctor Camprubí...

Cuando *el Tontorrón* se enteró de que a media hora de Mas Carbó existía «la gruta de Lourdes» me agarró del brazo y me arrastró hasta aquel idílico lugar. Al ver la imagen de la Virgen —y la de Bernadette—, puso un pañuelo en el suelo y se arrodilló. Su concentración duró algo más de cinco minutos, durante los cuales yo le miré fijamente, distraído sólo por el trinar de los pájaros y por un hombre que con un carrito limpiaba el lugar, recogiendo las basuras. Al final *el Tontorrón* plantó un cirio junto al altar, lo encendió y me invitó a mí a cantar la Salve. Empecé bisbiseando, como si tuviera vergüenza, pero de pronto el ardor de mi amigo se me contagió y terminé cantando como él, a pleno pulmón.

Ello me dio idea, una vez más, de lo influible que yo era. Notaba las vibraciones del aire. Un minuto después de haber terminado la Salve, y mientras *el Tontorrón* se golpeaba el pecho con alegría y le mandaba besos a la imagen de la Virgen, vino a mi memoria aquel autocar que tres veranos antes había llegado a la gruta, repleto de niños y niñas subnormales. ¿También aquello formaba parte de los designios de Dios? Sentí que se cerraban mis mandíbulas y al instante, y sin saber por qué, aplasté con la puntera del zapato una hilera de hormigas. Luego me acordé de los hindúes, para los cuales muchos animales eran sagrados. *El Tontorrón* advirtió que algo me ocurría —estaba acostumbrado a ello— y emitió un grito a lo Tarzán.

—Anda, espabílate... Si no, me arranco con otra Salve, esta vez en latín.

Sorprendente la amistad que pronto se estableció entre *el Tontorrón* y Victoria. Ésta le tomó gran afecto, por lo «gordito» que estaba y porque era incapaz de mentir. Todo en *el Tontorrón* era auténtico, incluso los ronquidos con los que de noche me obsequiaba desde la cama de al lado. Victoria decía que *el Tontorrón* —ni siquiera quiso enterarse de que se llamaba Eugenio Sala— llegaría con toda seguridad al sacerdocio y dedicaría su vida a servir a los demás. «¿No os dais cuenta? A sus órdenes, *monsieur*. A mí me llama *mademoiselle*, por lo que puede decirse que ha duplicado su vocabulario francés.»

El Tontorrón, que hablaba bien de todo el mundo, admiraba la entereza con que Victoria había afrontado su situación personal. Huérfana, hubiera podido caer en brazos del mejor postor; en vez de esto, ahí estaba, dispuesta a organizar su vida en Barcelona, independizándose a la primera ocasión y terminando, probablemente, por formar un hogar puro y sólido.

—Yo te veo a ti, Victoria, pariendo un montón de hijos...

—No seas majadero, *Tontorrón*. Su desconocido padre no ha nacido todavía.

Por el contrario, Victoria, en un alarde de franqueza, me soltó, como si tal cosa, que yo no terminaría la carrera.

—Antes de recibir las órdenes, ¿se dice así?, colgarás la sotana en un lugar que yo me sé. Estás lleno de dudas, aunque intentes disimularlo.

Me enfadé con la muchacha, lo que equivalía a enfadarse con un frontón. Ella llevaba un vestido floreado y nos habíamos tumbado, a poca distancia el uno del otro, en sendas hamacas tendidas bajo la emparrada. Le dije a Victoria todo lo que pensaba. Nadie sabía si yo terminaría o no la carrera, pero hasta el momento había salido airoso de varias y tormentosas pruebas. En cuanto a las dudas, era cierto. Pero éstas se referían más bien a la organización interna de la Iglesia, al boato del Vaticano y a determinados dogmas que me obligaban a acatar y que me revolvían el estómago.

—No le des más vueltas, Victoria. Mi fe es tan sólida como la del *Tontorrón*. Y deseo como él llegar a la meta. Ahora bien, me costará más que a él hacer el voto de obediencia, porque ese mismo Creador que él invoca me dio a mí una cabeza pensante. Escúchame bien. Si no fuera por la figura de Cristo, yo estaría en todo de acuerdo contigo y en ninguna Iglesia me verían jamás el pelo. Pero Cristo está ahí, está aquí, es un ser real, que vino al mundo hace veinte siglos y que no hizo más que predicar la gloria del Padre. Yo no soy quién para dudar de sus palabras, que por otra parte son tan sencillas como el hecho de que la lluvia fecunda la tierra. De modo que mi propósito es precisamente ingresar en la Iglesia para, una vez dentro, remozarla y retocarla en la medida de mis fuerzas y en lo que me sea posible. ¿No comprendes que dentro de una semana entraré en el octavo curso, el primero de teología? ¿No comprendes que todos los interrogantes que os planteáis mi madre y tú han pasado antes mil veces por mi cerebro? Al final me he decidido por la humildad, por agachar la cabeza, porque el misterio no dejará nunca de serlo. Convéncete, pues, de una vez. Tan absurdo me parece creer en todo a ciegas como vivir pensando que todo acaba en un nicho o en una fosa común. El Creador sería un necio si no hubiera introducido en nuestro maldito cuerpo una porción de inmortalidad. Yo espero, Victoria, encontrarme contigo allá arriba, sin preocupaciones, sin que yo tenga que vencer cada día mi naturaleza rebelde y sin que tú tengas que dar doce horas semanales de clase en el Liceo Francés...

El diálogo se prolongó toda la tarde. Las objeciones de Victoria iban en aumento, intensificándose en agresividad, y yo me atrincheraba en la figura de Jesús. Victoria era hija de su padre —el fetiche que le quedó de él era un reloj de pulsera—, cuyo odio a la Iglesia le llevó a perder un brazo y a renegar de todo lo que ésta significaba. Victoria, con muy buen sentido, me dijo que vista mi incomodidad tal vez mi lugar estuviera en el seno del protestantismo.

—No entiendo mucho de religiones, pero creo que los protestantes no tienen un papa infalible, no tienen dogmas y no tienen que prometer o jurar mantenerse célibes. Eso del celibato se lo han sacado de la manga para teneros agarrados y para haceros la puñeta. ¡Hay que ver! ¡Un mocetón como tú! ¿Y qué habrá hecho *el Tontorrón* en Berga, con las jovencitas que se le habrán acercado a besarle la mano? La vida sexual es muy importante, y hablo por experiencia. El celibato es contranatura. Es convertir una institución en una colmena de eunucos. La práctica sexual es la realización de la persona. Tampoco es cosa de declararla obligatoria, puesto que hay monjes y eremitas a los que esto les importa un bledo. Con su pan se lo coman, pero el otro día te vi en bañador, zambulléndote en la balsa y, la verdad, imagino que los escrúpulos para mantenerte casto han de ser de aúpa y crearte tremendas represiones...

Intenté darle un giro a la conversación. El recuerdo de Rocío estaba demasiado cerca y presente en mi memoria.

—Concédeme la libertad para decidir esto por mi cuenta —le dije, sin estar convencido de que Victoria interpretaría correctamente mis palabras. Y luego añadí—: ¿Quieres más material para detestar a la Iglesia en la que milito y de la que me siento orgulloso? Hasta hace poco, en el seminario, los alumnos que más pagaban tenían un plato más en la mesa. Y hace poco me paseé por los horrendos barrios de la periferia barcelonesa y encontré viejos moribundos, niños con tracoma y moscas en los ojos y el vientre hinchado, perros sin amo, ¡y ningún cura! Si, en contra de tus pronósticos, resulta que yo acabo la carrera, no me busques en la catedral, aunque sea magnífica, ni en una parroquia de ricos, sino en una de los suburbios.

Victoria, al oír esto, se incorporó cuanto pudo en la hamaca, a riesgo de caerse al suelo y me miró fijamente.

—Es muy hermoso lo que acabas de decir... —Reaccionó y pareció que su respiración se agitaba—. Además, no creas que ignoro lo que tu Iglesia ha significado en el curso de los siglos. La mitad de Occidente es obra suya. Sin el cristianismo todavía andaríamos bajo el estigma de Yahvé, el dios de la venganza. Sin la existencia de los caballeros de Malta, tú ahora serías musulmán y yo debería esconder mi rostro detrás de un velo negro...

En este momento llegó *el Tontorrón*. Había dejado al viejo Tomeu borracho como una cuba y se había dado una vuelta con el tractor. Plantado de pie ante nosotros, los últimos rayos del sol le iluminaban la cabeza. Preguntó, con voz rimbombante:

—¿De qué estáis hablando, si puede saberse?

Sin nada que ocultar, le trazamos una síntesis. Entonces se tocó la barriga y luego se dio un golpe en la frente. Se dedicó a defenderse. Negó la posibilidad de que mis crisis me llevaran algún día al borde de colgar los hábitos. Todo lo contrario. Yo era así porque tenía pasta de líder.

—No como yo, que soy como un borrego o como el asno del pesebre.

Eso de la vocación era un tema muy complicado y a menudo el que más dócil parecía era el que claudicaba al final. O bien se convertía luego en un cura rutinario, es decir, en una rémora. La mayoría de los grandes santos habían sostenido luchas tremendas consigo mismo, teniendo que someterse incluso ante la Inquisición. Personalmente creía que *Los tres mosqueteros* podrían cantar juntos el *Aleluya*, si él, *el Tontorrón*, no se retrasaba en alguno de los cursos de teología.

—Héctor es el que está mejor colocado, porque se entiende directamente con el Padre. A mí, que me den grutas de Lourdes y buenas rebanadas de pan, y tan contento.

Victoria soltó una carcajada y aquello cerró la cuestión. Luego saltamos de un tema a otro, previo acuerdo según el cual *el Tontorrón* no podría nunca tenderse en una hamaca porque ésta se rompería bajo su peso. A continuación, Victoria y yo nos levantamos con sorprendente agilidad y estuvimos contemplando la puesta del sol. Parte de la comarca del Maresme se extendía a nuestros pies, con sus viñedos, árboles frutales y abundancia de fresones en los invernaderos. Se oían ladridos de perros —*Tritón* debía de estar durmiendo—, y el balido de las ovejas que retornaban al aprisco. *Vesubio* relinchaba, Dios sabía por qué. ¡Dolores se estaba lavando los brazos y las manos en una jofaina! Era una novedad. Poco a poco el paisaje se llenaba de silencio, que a mí me recordaba los claustros del seminario y a Victoria, según propia confesión, el cementerio en el que estaba enterrado su padre. *El Tontorrón* se reía. Ante las maravillas de la naturaleza, a él con frecuencia le daba por reírse. En esto mis padres se acercaron sigilosamente por un atajo, cada uno con una brizna de hierba en los labios.

—Seguid contemplando el cielo, que pocas veces se viste de gala como lo ha hecho hoy.

Pero el encantamiento se había roto.

La víspera de nuestro regreso a Barcelona, Victoria, *el Tontorrón* y yo bajamos juntos a Arenys de Mar. La muchacha se había enterado de que en el Café Español del pueblo —en el café en que Fermín, de noche, solía jugarse los cuartos— había un piano y quiso ponerme a prueba. La música era importante para Victoria, que aspiraba a convertir el acordeón en instrumento de concierto. «Nada de charangas a la francesa o de tangos a lo Gardel. Quiero que el acordeón, que es un instrumento que respira, llegue a parecerse a un órgano.» En realidad, en la era, casi siempre al atardecer, la muchacha nos había obsequiado con varias sesiones que encandilaron a todos, especialmente a mis padres. Mi padre, cuyo estreñimiento crónico lo llevaba a mal traer, continuaba admirando mucho a Victoria. «Si se casa, y se casará, hará feliz a su marido y a los hijos que Dios le envíe.» Mi madre, cuyas lecturas a lo largo de aquel verano se habían inclinado hacia el *Quijote* y Balzac, quería a la muchacha como si fuese su ahijada de postín. «Nunca sabrá ella lo que le agradezco que en Barcelona se quede con nosotros. Tiene lo que más aprecio: serenidad. Una serenidad contagiosa, de la que espero que tu padre, tan temperamental, saque el debido fruto. Además, te sustituirá a ti, haciéndonos compañía.»

Al llegar a Arenys de Mar nos salió al paso algo imprevisto: un viático. El párroco andando por la Riera bajo un paraguas negro que sostenía un monaguillo ornamentado con un sobrepelliz. El sacerdote llevaba el copón cubierto con un paño blanco y el monaguillo hacía sonar constantemente una campanilla. Victoria se quedó estupefacta al advertir que la mayoría de los transeúntes se santiguaban, se arrodillaban o hacían la genuflexión. *El Tontorrón* y yo, por supuesto, nos arrodillamos en el acto, sobre la acera, súbitamente presos de una visible emoción. ¿Quién sería el enfermo, el moribundo acaso? No sé por qué imaginé que se trataría de una persona joven. El viático —sobre todo, el paraguas, bajo el rutilante sol de la mañana— componía una estampa pintoresca. Pero el milagro estaba ahí, en el interior del copón, donde se guardaba la Sagrada Forma. Victoria permaneció de pie, un tanto desconcertada. Le explicamos lo que significaba aquello.

—Un misterio más. ¡Qué le vamos a hacer!

—¡Ah, claro, el viático! —La muchacha se llevó el índice a la frente y sentenció—: La transustanciación.

El Tontorrón asintió.

—¡Bravo, bravo! —aplaudió—. Ésa es la palabra exacta.

Victoria nos miró con fijeza —el viático se había alejado ya y los hombres que se habían arrodillado se espolvoreaban los pantalones— y dijo:

—No comprendo cómo con unas simples palabras un hombre pueda convertir el pan en el cuerpo de Cristo (en el cuerpo de Dios), y el vino en su sangre. Algún día me explicaréis esto con detalle.

El Tontorrón replicó:

—No hay nada que explicar. O se cree o no se cree, eso es todo.

Victoria hizo un mohín y terminó con el tira y afloja.

—Vamos a por el piano.

El Café Español estaba a rebosar. Jugadores de cartas y de dominó en las mesas de mármol, clientes de pie en la barra tomándose refrescos o cucuruchos de helado. Me acerqué al dueño y, en nombre de Fermín, le pedí permiso para tocar el piano situado arriba, en un altillo casi disimulado.

—Adelante... —dijo, mirándonos con curiosidad, mientras, servilleta al hombro, lavaba vasos y platos—. Pero no molestéis a los que juegan al billar.

Nuestras sotanas, escoltando a la hermosa Victoria, por un momento provocaron el silencio en el Café Español. Aquello olía a tabaco y a cerveza. Pescadores con el caliqueño en los labios, un par de gamberros jugando a los dados. En cuanto abordamos la escalera todo el mundo volvió a hablar a grito pelado, ante la mirada oblicua de un guardia civil que simulaba leer el periódico. Minutos después me encontraba sentado ante un Pleyel —los billaristas dieron por terminada su partida—, y mis manos se deslizaron por las teclas con una agilidad desconocida. No era el lugar ideal para enfrentarse con Chopin y con Mozart, pero hice cuanto pude. Media docena de personas habían seguido nuestros pasos. Victoria se entusiasmó, lo cual no le impidió advertir que, por el momento, yo era un aprendiz aventajado, pero de ningún modo un maestro.

—Sigue, sigue, no te detengas... A ver, algo de Falla, o de Albéniz.

—De acuerdo —asentí.

Los rumores de la caleta invadieron el aire, con un ritmo al que resultaba difícil sustraerse. Lástima que en la puerta trasera, que no cesaba de abrirse y cerrarse, un letrero dijera «Lavabos», porque yo me sentía feliz. Y también *el Tontorrón*. Y también Victoria. La música adquiría por momentos categoría de magia. Llegó un momento en que dejamos de oír el guirigay de abajo, del café. Sólo la puerta de los urinarios nos estorbaba, hasta el punto de que *el Tontorrón* dijo:

—Deberíamos avisar al guardia civil que leía el periódico.

Para Victoria fue una velada inolvidable. Cerré el piano y se oyeron tímidos aplausos a cargo de los mirones. Nos enzarzamos en un diálogo sobre compositores e intérpretes y, al final, acordamos que aquello de las tres B era un acierto: Brahms, Bach y Beethoven. *El Tontorrón*, que no entendía ni jota, señaló que nada podía compararse al canto gregoriano, en lo que coincidía con mi padre.

—Y conste que la opinión no es mía —matizó—. Es de mosén Salvador Cebriá.

Después de bajar la escalerilla nos tomamos un helado, que sabía a demonios, y nos acercamos a la puerta de salida.

—Recuerdos a Fermín —saludó el dueño.

—De su parte.

Una vez fuera, el sol cayó con violencia sobre nuestras cabezas. Nos hubiera apetecido bañarnos en el mar. Incluso había una cala cercana, denominada *dels capellans*. Pero ni Victoria llevaba bañador, ni nosotros teníamos permiso para asomarnos a la playa.

—Es lástima, Victoria. Lo tenemos prohibido. El cuerpo de la mujer, ya sabes... La manzana de Eva.

Victoria se enfureció. Sus facciones se endurecieron como si aquello fuese algo que la afectara personalmente.

—Eso es una ordinariez... Os crea represiones sin el menor sentido y acabaréis enfermos del coco. Me temo que un día de éstos, a no tardar, tendrán que llevaros el viático... —Nos miró sin piedad y añadió—: Y yo me ofreceré voluntaria para sostener el paraguas.

Fuimos al puerto, en cuyos malecones había una hilera de pescadores con caña. Tomamos asiento en el Club Náutico. Terminado ya el incidente, nos sentíamos relajados. Muchos yates y balandros meciéndose en las aguas tranquilas. Niños a la busca de mejillones. El hangar de las subastas aguardando la llegada de las barcazas de pesca.

Permanecimos silenciosos hasta que, inesperadamente, Victoria volvió a la carga, aunque de manera indirecta y sin asomo de malicia. Dijo que hacerse sacerdote debía de suponer un sacrificio mayúsculo, dada la rigidez del reglamento.

—Por ejemplo, mi padre, quien como sabéis perdió un brazo, ¿hubiera sido admitido en el seminario?

Victoria se acarició el fetiche heredado, el reloj de pulsera, y ella misma se rió ante lo absurdo de su pregunta.

El Tontorrón se disponía a contestar algo, pero yo me anticipé.

—No, tu padre no hubiera sido admitido, por lo que en teología se entiende por *irregularidades*...

—No sé de qué estás hablando.

Me expliqué. Precisamente, en uno de los volúmenes que llevé conmigo a Mas Carbó, el *Diccionario de teología*, del abate Bergier, se incluía un capítulo que me había llamado la atención y que pormenorizaba el apartado de las «irregularidades». Para ser consagrado sacerdote era preciso no padecer de ningún defecto corporal que pudiese «ocasionar escándalo». Me esforcé en recitarlas por orden, abusando de mi fantástica memoria: la falta de un ojo, especialmente si se trataba del derecho, con el que se leía el canon de la misa. La epilepsia. Todo defecto de pierna que impida servir al altar sin muleta. La falta de una mano —«toma nota, Victoria, que con esto tu padre queda descartado»—. La falta de la uña del pulgar de la mano derecha, si este defecto impide romper la hostia. La falta de los dos dedos necesarios para alzar la hostia en el momento de la consagración. La lepra. La parálisis. La jaqueca u otro mal de cabeza que impida la aplicación del entendimiento. La falta de uno de los labios. El tartamudeo —que podía provocar la risa— u otra dificultad del habla. La falta de dos orejas, o de una sola. Etcétera.

El Tontorrón se quedó aterrado. Jamás había oído hablar ni de aquello ni del diccionario del abate Bergier. Cerró los ojos y se acarició los párpados, se tocó las orejas, contempló los diez dedos de sus manos y por fin respiró:

—¡Menos mal! —Luego añadió—: Ahora comprendo por qué se dice que nuestro rector en el seminario, don Vicente, que es un poco bizco, tuvo que pedir «dispensa».

—¿Dispensa...? —preguntó Victoria con aire casi divertido.

Asentí con la cabeza.

—Sí, por supuesto. Hay que hacer esta salvedad, sin la cual tendrías la impresión de que entrar en el sacerdocio es entrar en la Casa del Miedo... El reglamento prevé lo que acabo de decirte, y mucho más. Pero quienquiera que adolezca de uno de los defectos mencionados puede dirigirse a su obispo, y éste a su vez a Roma, pidiendo «dispensa». Y es casi seguro que se la concederán...

Victoria, que había pedido otro helado, aplaudió, esta vez visiblemente divertida.

—¡Bravo, bravo! —repitió—. En Barcelona pienso recorrer todas las iglesias a ver si encuentro un cura que celebre la misa con dos muletas... O al que le falte una oreja.

Renuncié a volver a las andadas. Mi sotana, aunque detonante en aquel Club Náutico, me inspiraba demasiado respeto. Sin embargo, le conté a Victoria que precisamente en nuestro curso estábamos viviendo un caso límite: Joaquín Valls, el primero de la clase, se había quedado ciego a causa de un accidente doméstico, había pedido «dispensa» y se tenía la impresión de que se la iban a conceder. *El Tontorrón*, que no estaba enterado de aquello porque el percance ocurrió al comienzo de las vacaciones y él se había ido a Berga, hinchó los carrillos, su tic de costumbre y me preguntó angustiado:

—Pero... ¿Joaquín Valls? ¿Se ha quedado ciego? ¿Cómo es posible?

—Así es, *Tontorrón*. Pronto lo comprobarás...

Precisamente *el Tontorrón* tenía a Joaquín Valls en un pedestal, porque era un «sabio». Se tapó los ojos con las manos y se tambaleó en el incómodo sillón pintado marineramente de blanco. Hice cuanto pude para consolarle, pero no había manera. Victoria acudió en mi ayuda, mas fue inútil. La ceguera de Joaquín Valls había hundido al *Tontorrón*, quien de improviso se mostró vulnerable como si aquel «defecto» o «irregularidad» no formara parte de la armonía universal.

CAPÍTULO VII

REGRESAMOS A BARCELONA el 13 de septiembre. Dos días después —santa Catalina de Génova, que vivió presa de horribles tormentos— yo entraría en el seminario. Mercedes, la portera, nos recibió con visibles muestras de cariño, al igual que Rocío, si bien ésta, al percatarse de la espléndida figura de Victoria y enterarse de que la muchacha ocuparía mi lugar en el piso, no pudo reprimir una mueca de asombro. Hubo ronda de besos —Mercedes, sucia como siempre, oliendo a lejía— y pronto nuestro equipaje estuvo colocado en el lugar correspondiente. Mi madre entregó a Mercedes un suculento lote de productos alimenticios, obsequio de Fermín, su cuñado, y el contento de la portera se acrecentó más aún.

Mercedes, además de sucia (las ratas y las cucarachas —crac-crac—, continuaban siendo las dueñas del jardín trasero), era la persona más avara de nuestra señorial Rambla de Cataluña. Con mi madre no tenía secretos, por lo que le había contado que guardaba sus ahorros ocultos en el colchón, dado que no se fiaba de las cajas de ahorros y menos aún de los bancos. Me sorprendió ver en el comedor una hornacina iluminada, con una imagen de la Virgen en el interior. Era una de esas «capillitas» que pasaban de mano en mano, de casa en casa, a lo largo del año. ¿Cómo era posible? Mercedes no había puesto jamás los pies en una iglesia, emulando a Fermín. ¿Qué habría ocurrido? La portera se lo explicó. En primer lugar, las convicciones religiosas de mi padre, al que quería mucho, siempre le dieron que pensar. También le dio que pensar mi vocación de sacerdote. Y por si fuera poco, en el decurso del verano había tenido una «vivencia» personal, íntima, que no pensaba contar a nadie, pero que la obligó a modificar su actitud. Hice muchas cábalas sobre tal posible «vivencia», llegando a la conclusión de que le habría tocado la lotería.

Mercedes detestaba a Dolores, de la que decía que no se merecía la suerte que había tenido casándose con Fermín. Su gran pasión, desde siempre, aparte de ir al cine —un promedio de tres tardes semanales, acompañada de Rocío—, eran los títeres. Aquel verano no pudo quejarse. Cada domingo, en la plaza Real, donde se reunían los numismáticos y los filatélicos, hubo sesión, al término de la cual Mercedes gozaba lo suyo viendo cómo apaleaban al diablo; todo lo contrario de Rocío, quien deseaba, sin saber por qué, que el diablo fuera el vencedor. «¡Qué quieren ustedes! Los diablos me caen bien, tal vez porque se parecen a Evaristo, mi novio.» Evaristo se dedicaba a la reparación de coches en un taller situado en el cruce Aragón-Bruch, por donde, en aquel entonces, pasaba el tren.

Rocío era la niña de los ojos de Mercedes. Ésta la quería como si fuera hija suya, pese a que la muchacha no olía a lejía sino a perfume de excelente calidad. Pronto se hizo notorio que la incorporación de Victoria a la casa, a la «familia», le sentaba como un tiro. Algo de celos tal vez. Por su parte, Victoria captó una mirada entre Rocío y yo, y su rostro tuvo una expresión inequívoca. Sus ojos, muy pintados de rímel, proclamaron: «¿Qué ha pasado aquí? Hay gato encerrado.» Claro que no podía afirmar nada ni sobre el gato ni sobre el encierro. Pero Victoria tenía una intuición y una sensibilidad a flor de piel, lo que por un lado le permitía salir adelante y por otro le ocasionaba desazones y malos tragos.

No pude evitar imaginarme a Rocío haciendo el amor con Evaristo, en el propio taller en que éste trabajaba, es decir, entre efluvios de caucho y gasolina, que probablemente debían de excitarla de un modo particular. Por lo demás, la chica continuaba siendo un bombón y yo tuve que encomendarme a santa Catalina de Génova para no transgredir con el pensamiento las normas de castidad. Se había abierto en el barrio una Casa de Andalucía, donde se reunían los inmigrantes que llegaban diariamente, en caravana, a la estación de Francia en busca de un trabajo que les permitiera sobrevivir. Rocío era el alma de aquella Casa de Andalucía. Organizaba bailes, cantares y zapateados, con acompañamiento de los instrumentos folklóricos de rigor. El local, sobre todo por las tardes, estaba a rebosar, y en las paredes, además de varias banderillas cruzadas con los colores de la bandera rojigualda, sobresalían guitarras y panderetas, una cabeza de toro de impresionantes cuernos y carteles con los diestros de moda. «He comprobado que en Cataluña —afirmaba Rocío— hay más aficionados a la fiesta de lo que podría suponerse.»

El presidente de la Casa de Andalucía era un tal Martín Pacheco, terrateniente de la provincia de Huelva, quien intentaba por todos los medios convertir aquello en «centro cultural». Organizaba ciclos de conferencias, a las que no asistía casi nadie. A Rocío le bastó con asistir una vez. El disertante, muy miope y tartamudeando —total, *irregularidad* para ser sacerdote—, trató el tema «Boadbil, último rey nazarí de Granada» y Rocío se aburrió solemnemente. «Nunca jamás», sentenció, ajustándose los grandes pendientes que le colgaban de las orejas y haciendo rodar las ajorcas que exhibía en los tobillos.

Rocío era un animal salvaje, un potro sin domar, que hubiera debido casarse con el mismo Martín Pacheco, o con un torero de postín. Mercedes tenía miedo de que se quedara embarazada de Evaristo, pero ella negaba con la cabeza. «No, porque tendría que casarme, y Evaristo prefiere esperar un poco más.» Maldecía a las gitanas que, con excusa de los churumbeles —a veces, de alquiler—, se dedicaban a mendigar o a robar. Y a leer la buenaventura. «¿Quién sabe algo de lo que va a ocurrir? Yo nunca sé si al día siguiente estaré viva o muerta.» Por lo demás, tenía un alto concepto de Andalucía. Ante mí no hacía más que repetir que «los andaluces llevan el señorío en la sangre».

Mi padre se reintegró a los hermanos de la Salle, de la calle Viladomat. Mas Carbó le había sentado bien. Su aspecto, dada su edad, era inmejorable. Pero, aprensivo de suyo, hipocondríaco, siempre se lamentaba de algo, sobre todo mientras mi madre le cortaba y limaba las uñas de los pies. Al día siguiente de llegar a Barcelona juró por sus antepasados que sufría un ataque de asma. «Me ahogo, respiro con dificultad. Por favor, llamad urgentemente al doctor Camprubí...» Éste, con sus cejas pobladas «en las que se balanceaban sus nietos», su espalda corva, su maletín y su reloj aristocrático, de oro, se presentó en el piso sin perder un minuto y palpó y auscultó el pecho de mi padre. «Nada alarmante. Fue mucho peor lo de su amigo Fermín.» Le recetó un fármaco y, sobre todo, ejercicios respiratorios al levantarse, con la ventana abierta de par en par. Mi madre protestó, porque era propensa a los catarros. Llegaron a un ten con ten y mi padre superó el bache.

Por otra parte, continuaba coleccionando cajas de cerillas y ardía en deseos de que llegara el domingo para hacer acto de presencia, como de costumbre, en el mercado de San Antonio, donde abrían sus tenderetes los libreros de lance —«a ver si te encuentro un buen devocionario latino-español»—, y donde coincidían seres estrafalarios en busca de revistas antiguas —como, por ejemplo, *La Traca* y *El Bé negre*—, de carteles de la guerra civil, de cromos, de postales. Mi padre tenía allí un amigo, cuyo nombre ignoraba, que coleccionaba postales de lagos y cascadas. Era un ser poético que, paradójicamente, a juzgar por su aspecto, abominaba del agua. Extremadamente cortés, un domingo del pasado invierno, sabedor de que mi padre tenía un hijo en el seminario, le obsequió con un valioso surtido de estampas de vírgenes y de santos. «¡A ver si me encuentra usted, compadre, una estampa de san Anselmo!» Y el hombre la encontró. En el dorso de la estampa se decía que el tal santo, mi patrón —festividad el 21 de abril—, era natural de Aosta, llegó a arzobispo de Canterbury, ¡y se distinguió por sus trabajos teológicos, exactamente, en la Edad Media, allá por el siglo XII! Dicho hallazgo lo guardé siempre conmigo, en el misal diario que todos utilizábamos, que era el del padre Ribera.

Por su parte, mi madre se reintegró al colegio Ausiàs March, ¡con el cargo de directora! Durante el verano los profesores se habían reunido, llegando a la conclusión de que era la persona idónea para tal menester. Mi madre estornudó varias veces consecutivas, que era su forma personal de mostrar alegría. Se sentía halagada.

—A ver —le dijo a mi padre— cuándo te pones el babero y te nombran a ti director de la Salle.

Sin embargo, la dicha fue efímera. El Palacio Episcopal, minuciosamente informado, le puso el veto. «Las ideas de la presunta directora son perniciosas. El colegio, en sus manos, no daría a la juventud la formación cristiana que todos deseamos y que nuestro pueblo necesita.» En vano se porfió. El Palacio Episcopal impuso su ley, y ello ayudó a que mi madre encontrara más motivos aún para separarse de la Iglesia y para lamentar que yo llevase sotana.

—Ya lo ves, hijo. Tu madre es una indeseable. ¿Por qué no renuncias de una vez y te casas con Victoria? Me harías muy feliz.

Casarme con Victoria... Perdoné a mi madre porque su estado de ánimo era paroxístico. Lo era tanto, que se hubiera dicho que encaneció de repente y que sus ojos perdieron un poco del brillo que los caracterizaba. Mi padre procuró calmarla.

—No te extrañe —le dijo—. De hecho, si no hubiera sido el obispado se hubieran opuesto otras personas. Tal vez, tal vez, los padres de los propios alumnos. Ya sabes que en la sociedad de hoy está mal visto que una mujer ocupe un cargo de responsabilidad.

Era cierto. Las mismas monjas del seminario, que tenían a su cuidado la enfermería y la cocina, vivían un tanto acobardadas, y cuando se cruzaban con el rector, don Vicente, debían contenerse para no hacer una genuflexión. A Victoria nada de esto le cabía en la cabeza.

—Esto no ocurriría en Perpiñán —afirmó.

Mi padre la miró con fijeza.

—¿Es que echas de menos... aquello? —le preguntó, con voz sorprendentemente enérgica.

—Nada de eso, don Rosendo. Me he limitado a decir: «Esto no ocurriría en Perpiñán.»

Mi madre reaccionó a la brava. Mucho temple era el suyo. Volvió a su aula de geografía e historia, más segura que nunca de sí misma. Consintió que mi padre respirara con las ventanas abiertas y entró en el colegio Ausiàs March taconeando con fuerza. «¿Sabéis cuál es mi santa preferida? Santa Dignidad.» Todos nos pusimos de su parte. Yo... no sabía qué hacer. La decisión episcopal me había herido en lo más hondo; pero no encontraba argumentos para oponerme a ella. Como fuere, el incidente empañó un poco el júbilo con que me disponía a reintegrarme al seminario, puesto que amaba a mis padres como a mí mismo, o quizá un poco más.

En tanto esto ocurría, Victoria se incorporó a la nómina del Liceo Francés, atiborrado de alumnos. En aquel curso, ya nadie, o casi nadie, estudiaría alemán. La derrota de Hitler había trastocado la situación. En aquel otoño —1947—, los jóvenes se volcaron hacia el inglés y el francés. Victoria dio pronto muestras de su talento, hasta el extremo de que el director la felicitó y le proporcionó una serie de clases particulares, que de hecho le hubieran bastado para independizarse, pero mis padres no se lo hubiesen permitido por nada del mundo, si bien la muchacha se empeñó en pagarles mensualmente una pensión.

Se instaló en mi habitación, respetando, ¡cómo no!, el crucifijo, una imagen de la virgen de Fátima y los mapas que yo había clavado en la pared, por si algún día me decidía a ir a misiones. Por su parte, ella colgó, a ambos lados del ventanal, sendas reproducciones de Van Gogh y del *naïf* Rousseau. Y cambió mis libros por los suyos, heréticos, ¡no faltaría más! Y del armario ropero desaparecieron las sotanas y mis mudas interiores, sustituidas por el flamante vestuario que, en compañía de mi madre, había adquirido en una *boutique* del paseo de Gracia.

Ésta fue la novedad. Victoria quiso ir a la moda, incluso en lo referente al peinado, imitando a las señoras de la Diagonal y de Pedralbes. Había empezado una nueva vida y, harta de sufrir con su padre, no quería perder la ocasión. Apenas si se acordaba de que el reloj de pulsera fue lo único que heredó de él. Marcaba la hora exacta y sanseacabó. Mientras convalidaba en la Universidad sus estudios y se matriculaba en filología —empezaría por el griego, ¡y el latín!—, en las horas libres se dedicó a conocer Barcelona. Yo le había hablado de los barrios bajos, como Somorrostro o Casa Antúnez, pero ella pospuso esas incursiones para más tarde. De momento, las fuentes luminosas de Montjuich, la montaña del Tibidabo, la catedral y el barrio gótico, el parque de la Ciudadela, el parque Güell, el edificio de La Pedrera... Sorprendentemente, el templo de la Sagrada Familia le produjo rechazo. Le pareció un intento enfático, el do de pecho de un tenor en declive. Ahí discutió mucho con mi padre, enamorado hasta el tuétano de aquella obra de Gaudí, quien no era precisamente un tenor sino un hombre modesto y humilde, que murió atropellado por un tranvía. Victoria descubrió también el encanto y la magia del frontón, Ramblas abajo, con frecuencia entraba en cualquiera de los que allí había e incluso apostaba por los pelotaris que se le antojaban más hercúleos. Aquel deporte, ¡vaya por Dios!, le pareció mucho más varonil que el de las bochas, al que se dedicaban los hombres en el sur de Francia.

Nueva vida para Victoria. ¿Cuándo se cruzaría en su camino un hombre al que poder adorar? La verdad es que estaba deseando dar con él, aunque de ningún modo se dejaría llevar por un arrebato. Pese a las carambolas que iban marcando su existencia, era reflexiva, cauta, víctima, a veces, de cierta indiferencia que le daba ese aire de misterio que había encantado al *Tontorrón*. Todo el mundo esperaba de ella lo mejor, y todo el mundo abrigaba la certeza de que el destino le sería favorable.

Júbilo en el seminario. Primer curso de teología. Reencuentro con aquellos muros augustos y fríos, con aquella acogedora iglesia presidida a la sazón, no por la Virgen, sino por el Sagrado Corazón en actitud de bendecir el mundo, lo que haría las delicias de Héctor. Éste fue el primero en abrazarme —abrazo de *caridad fraterna*—, y al instante me sentí de nuevo identificado con él. Igualmente fui abrazando uno por uno a todos mis condiscípulos decididos, como yo mismo, a emprender el último tramo de la carrera —eché de menos a seis, porcentaje aceptable—, contagiándonos mutuamente el entusiasmo de la jornada. Jornada solemne, por supuesto. Misa pontifical —el obispo, doctor Modrego, oficiando—, con una homilía centrada en la gratitud que le debíamos al Señor por figurar entre los elegidos. Sin que faltaran, como todos los años, el capitán general y el gobernador civil, que al término de la ceremonia nos invitaron a gritar con ellos los consabidos «¡Arriba España!» y «¡Viva Franco!», y a levantar el brazo frente a la lápida de los «Caídos». El comentario de Héctor fue gracioso: «Mi padre, que todavía no ha ascendido a general, se queja de que la Iglesia mete demasiado la nariz en los asuntos del Ejército; yo creo lo contrario, que es el Ejército el que mete demasiado la nariz en los asuntos de la Iglesia.» *El Tontorrón* quiso ejercer de árbitro, y de árbitro neutral: según su opinión, era deseable —y ahí estaba la historia reciente de España para corroborarlo— que anduvieran siempre unidos «la cruz» y «la espada».

Mosén Salvador Cebriá, nuestro director espiritual, estaba presto a intervenir, pero a la postre desistió. Nos había abrazado efusivamente —«¡Caramba con *Los tres mosqueteros*! ¡Qué bien os ha sentado el verano!»—, y opinaba que no era cosa de perder el tiempo en dimes y diretes, puesto que estudiar teología «en cierto modo imprimía carácter». Por descontado, seguía siendo el centinela de nuestras almas y se alegraba infinito de que durante las vacaciones ninguno de los tres se hubiera descolgado.

—Tenía miedo, hijos míos... Miedo de verdad. Sobre todo por Anselmo, cuyo pecado más grande es la soberbia.

Esta palabra me cayó como un mazazo, pero conseguí disimular. Héctor procuró quitarle hierro al asunto y comentó, sonriendo:

—¿Cómo no vamos a ser soberbios si el mismísimo señor obispo nos ha recordado que somos «elegidos del Señor»?

Mosén Salvador Cebriá se rió a su vez.

—Bueno, bueno, de acuerdo. Anselmo, ha sido una

broma... Os confesaré a los tres, uno por uno, y entonces contaré con mayores elementos de juicio. Pero, como sabéis, llevo veinte años de profesor aquí y es difícil que el olfato me juegue una mala pasada.

Jolgorio en el seminario. Los claustros y los pasillos eran un hervidero. A los recién reclutados —casi un centenar, primer curso de la carrera— los llamábamos «quintos», «novatos», «bebés» con el chupete en los labios. Los mirábamos como desde lo alto de una colina verde y en cierto modo nos daban pena. ¡Cuando conocieran al rector, don Vicente, más autoritario, inflexible y diabético que nunca! ¡Cuando conocieran al vicerrector *Bon Vivant*, que había engordado más aún que *el Tontorrón*! ¡Cuando empezaran los escrúpulos...! Todo ello lo había superado —¿o quizá no?—, sobre todo porque estudiar teología significaba un cambio radical de la situación.

En primer lugar, disfrutaríamos de celdas individuales —ya no podríamos lanzarnos objetos volantes por encima de los tabiques, ni matar gatos o ratoncillos—; tendríamos nuestro comedor aparte, con un lector en el cambón o púlpito —salvo jueves y domingos—, el cual, al parecer, centraría el primer trimestre en el Concilio de Trento; luego, ¡válgame Dios!, contaríamos con el permiso oficial para «leer el Antiguo Testamento», a cuyos efectos nos entregaron una Biblia a cada uno, Biblia, por supuesto, distinta o menos completa que la de los protestantes; y, por fin, seríamos tonsurados y utilizaríamos bonete...

La «operación tonsura», como la definió Héctor, fue divertida. La costumbre provenía de los tiempos en que los sacerdotes debían ir con la cabeza rapada, como los bonzos, y solía representar la corona de espinas. Primer curso de teología, tonsura redonda del tamaño de una hostia pequeña. Subdiaconado, tonsura un poco mayor. Diaconado, tonsura del tamaño de una hostia grande, como las utilizadas para la consagración.

El encargado de tan delicada «operación» era Raventós, barbero del seminario desde hacía treinta y cinco años. Todo un tipazo. No tenía ninguna prisa, porque el mundo era suyo. Charlatán por naturaleza, gozaba rasurándonos y pretendía adivinar el porvenir según la forma de los cráneos. Antropólogo aficionado, a mí me dijo —mi cráneo es considerable— que por lo menos llegaría a donde había llegado el doctor Modrego. Mientras con la navaja o la maquinilla de afeitar buscaba, según sus propias palabras, «la perfección de la redondez», iba contando anécdotas del seminario, como la de aquel diácono que el día de Pentecostés empezó su sermón gritando: «¡Truenos! ¡Llamas! ¡Espíritu!», a lo que otro seminarista clamó: «¡Bomberos!», con lo que el diácono se echó a llorar. También hablaba de las supersticiones. «¿Sabíais que mucha gente al ver a tres curas juntos se hace un nudo en el pañuelo porque esto trae suerte? ¿Sabíais que el vicerrector, *Bon Vivant*, anda por ahí diciendo (yo se lo he oído en este mismo sillón) que la Iglesia no se extenderá por todo el mundo hasta el día en que, para consagrar, en vez del vino utilice champán?»

Ver la tonsura en los demás me dio idea de cómo debía de ser la mía. Cuando mi madre la viera le daría un patatús. Ser «tonsurado» era como saltar de un estadio a otro. ¿Por qué no? Soberbia... ¿Cuándo se empezaba a ser soberbio? ¿Por qué mi confesor dijo aquello? ¿Elegido del Señor? Los apóstoles se preguntarían por qué ellos lo habían sido. Y san Pablo... ¿Era soberbio san Pablo cuando conminaba a los corintios diciéndoles: «Porque, aunque con exceso me gloríe de la autoridad que me dio el Señor para edificación y no para destrucción, no por eso me avergonzaré»? Por lo demás, había un sistema expeditivo para ocultar la tonsura: colocarse el bonete al modo de la *kipa* de los judíos.

El Tontorrón se sintió feliz con la tonsura, al igual que Héctor. Yo, como siempre, dudando. Dudando de si la tenía o no merecida. En mi confesión con mosén Salvador Cebriá —confesión general, de efectos comparables a la «indulgencia plenaria»—, forzosamente tuve que contarle mi segundo tropiezo carnal con Rocío y cómo decidí ir a la catedral anónimamente en vez de buscarle a él. Mi director estuvo una vez más muy duro conmigo. «Ahora no volveré a hablarte de la expulsión, porque el tono de tu voz es distinto y parece ser que tu voluntad de arrepentimiento es sincera. Pero no vuelvas a las andadas, o tu vocación, que estimo verdadera, se derrumbará como un castillo de naipes. Y habrás perdido el tiempo y quién sabe si la posibilidad de salvación...»

Curiosamente, asumí esta amenaza sin gran esfuerzo. *El Tontorrón*, con sus reacciones, me había dado muy buenos ejemplos, así como Héctor, quien se había pasado todo el verano estudiando y ayudando en los oficios al párroco de Castelldefels. Por lo demás, seguí conversando con mi director espiritual en su celda. Él no había perdido el tiempo. Había pasado la mayor parte de las vacaciones en Roma, invitado por un sacerdote muy versado en liturgia. Y volvió con renovadas fuerzas gracias, precisamente, a lo que a mí me turbaba: el poderío del Vaticano. Por supuesto, el primer impulso, al visitar la basílica de San Pedro y su entorno, era el de preguntarse qué tenía aquello que ver con la ascesis de Jesús y con las privaciones de los primitivos cristianos; pero, a fuerza de reflexionar sobre la cuestión, quedaba claro que una Iglesia como la católica, cuya finalidad era evangelizar la tierra, necesitaba incluso de poder temporal.

Quienes la acusaban de materialismo o carnalidad caían, sin darse cuenta, en la trampa tendida por las distintas sectas protestantes. «Si el Santo Padre viviera en un garaje o una chabola en Roma o en el mismo Jerusalén, pronto sería barrido del mapa, que es lo que los cismáticos, empezando por la reina de Inglaterra, desearían.» La Iglesia «triunfante» era absolutamente indispensable. Tenía que hacer frente a toda clase de ataques y atender a mil problemas humanos, lo que la obligaba a conservar intacto su patrimonio, e incluso a acrecentarlo. «Te digo esto porque me consta que tal asunto es, en gran parte, tu caballo de batalla. Agacha la cabeza. Siempre te lo he recomendado. No quieras enmendar la plana a quienes ostentan una jerarquía superior. Acepta el magisterio de la Iglesia, que cuenta con dos mil años de experiencia. Acepta los dogmas, por duro que esto te parezca. Si alguna duda muy profunda te zahiere, cuéntamelo. Entre los muchos valores que me he traído de Roma ocupa un buen lugar el de la comprensión...»

La nota agridulce tenía que ser hasta el final de la carrera Joaquín Valls, el primero de la clase, el muchacho de las manos eternamente frías, que en un absurdo accidente doméstico, una explosión de gas, se había quedado ciego. Algo más joven que yo, era sobrino del vicerrector *Bon Vivant* y oriundo de San Sadurní de Noya, tierra de fecundos viñedos. Todos nos desvivimos para que no se sintiera marginado, solitario, antes bien uno más de la pandilla. Le costaría mucho esfuerzo, obviamente, seguir nuestro ritmo. No podía leer, sólo escuchar. Pero su inteligencia era tan vivaz y despierta que pronto íbamos a darnos cuenta de que no se retrasaría un ápice. Por si algo faltara, el rector, don Vicente, que cuidaba de nosotros como de un rebaño, descubrió que los cuatro Evangelios estaban «impresos» por el sistema Braille y se los ofreció a Joaquín Valls como el más grande de los tesoros. El muchacho sonrió de oreja a oreja y su tonsura pareció ensancharse. Su evangelista preferido era Juan. Y cuando leía que Jesús «había curado a un ciego» —los ciegos ven, los sordos oyen—, no abrigaba la esperanza de que un milagro similar le sucediera a él, pero sí que era «un elegido entre los elegidos», puesto que Jesús lo había puesto a prueba. Vida interior. «No os preocupéis por mí; lo único que os pido es que no me hagáis tropezar, que no pongáis piedras en mi camino.» ¿Cómo habíamos de hacerlo? Su respuesta a la prueba había sido asombrosamente ejemplar. Bastón en mano, llegó a conocerse palmo a palmo el seminario, por donde deambulaba con increíble seguridad, apoyándose en las barandillas. En las aulas tenía su asiento reservado, al igual que en la iglesia. Llevaba gafas negras —de «falangista», según Raventós, el barbero—, para ahorrarnos conmiseración. Al conseguir la *dispensa* fue tan grande su alegría que pegó un salto en el despacho del rector. ¡Podría celebrar misa! ¡Podría canalizar su apostolado entre los ciegos como él! Seguro que llegaría a saberse de memoria los Evangelios, empezando por aquel versículo de Juan: «Yo he venido al mundo para un juicio, para que los que no ven vean y los que ven se vuelvan ciegos.»

Las asignaturas que íbamos a estudiar eran, entre otras, teología dogmática, teología moral, derecho canónico, historia eclesiástica y, sobre todo, la Biblia. La liturgia llegaría más tarde, con toda su serie de símbolos cuyo significado ignoraba incluso el pueblo más «fiel». De entrada a mí me interesó, de modo especial, precisamente la liturgia, porque en buena medida era la herencia de los hombres de Grecia y Roma en los comienzos del cristianismo. El profesor Daniel Planellas, que fue el profesor de teología que nos tocó en suerte, me facilitó un devocionario simplista en el que, eludiendo el auténtico significado histórico de los ornamentos y objetos sagrados del culto —tiempo habría para investigar en esa línea—, hacía hincapié en su sentido acomodaticio. Según éste, el amito significaba «el lienzo con que fue cubierto el rostro de Jesús»; el alba, «la vestidura blanca que le hizo ponerse Herodes»; el cíngulo, «las cuerdas con que fue atado en el huerto»; la estola, «las sogas con que era arrastrado al Calvario»; la casulla, «la púrpura que le pusieron en casa de Pilato». Igualmente, cometería pecado grave quien en día de precepto dejase una parte principal de la Misa, como el Canon o la Consagración, y pecado venial quien, en día de precepto y sin justa causa, omitiese las partes menos notables del Santo Sacrificio. Otrosí, había que estar *corporalmente* presente, de modo «que no cumple quien oye la Misa por radio».

Al margen de ese tipo de piadosas interpretaciones, con las que mi padre se daba por satisfecho, comprendí muy pronto que yo necesitaba algo más. Y ese algo más iba a serme dado precisamente por la teología moral, más que por la teología dogmática. Objeciones tales como la crueldad de la Inquisición, la aventura homicida de las Cruzadas, la condenación de Galileo y demás «errores» cometidos por la Iglesia, de ningún modo afectaban a la ley según la cual los papas eran infalibles cuando se pronunciaban *ex cathedra*, pero no impecables en sus decisiones cotidianas. Curiosamente, Héctor reaccionó al revés. La teología moral cometía, según él, la torpeza de querer llevar a un plano dialéctico las cuestiones más arduas de nuestra fe y de la doctrina del Cuerpo Místico, saliendo a menudo malparada o con el rabo entre las piernas. «¿El dogma de la Asunción? ¡Pues adelante! ¿Quién es el guapo que puede negar que la Virgen ascendió pura a los cielos?» «Ese mismo dogma de la infalibilidad, ¿por qué impugnarlo con palabras del enemigo? Jesús le dijo a Pedro: "Tú eres Pedro..." y el resto ya lo sabéis.» En cuanto al *Tontorrón*, para quien Héctor era casi el representante de Dios en la tierra, le entregó a nuestro amigo una buena ración de chocolate y una bufanda de color marrón, porque se acordó de que Héctor era muy friolero y de que en aquel curso en el seminario careceríamos de calefacción. «No sé por qué os estrujáis el cerebro. Las cosas son como son, y a quien Dios se la dé, la teología se la bendiga.»

Positiva reacción la mía, cuando menos era de esperar. Aparte del ejemplo de mis compañeros —sobre todo, del de Joaquín Valls—, mosén Salvador Cebriá, que era el organista del seminario, tuvo la feliz idea de fundar un coro, una *Schola cantorum*, que desde el primer momento funcionó de maravilla. Pronto mi voz sobresalió de las demás —cualidad hasta entonces inexplotada—, de modo que me convertí en solista, aparte de que en algunas piezas del repertorio tocaba el armonio a satisfacción de todo el mundo.

Pero la causa determinante de mi cambio de actitud fue la muerte. Un muchacho del cuarto de filosofía, Benjamín Prat, al terminar de comulgar sufrió un mareo —yo le vi llevarse las manos a la cabeza—, y cayó fulminado al suelo. Conducido a la enfermería, ante la alarma general, a los diez minutos falleció. El doctor Camprubí, que acudió a toda prisa, no pudo siquiera determinar la causa de la muerte. «Habría que hacerle la autopsia, pero esto tiene que ser a petición de la familia.»

La familia de Benjamín Prat, que vivía en Barcelona, en la calle Bailén, se opuso firmemente. Los padres del muchacho y sus hermanas lloraron a moco tendido. «¿Qué importa la causa? Lo terrible es que está muerto. Era fuerte, un buen atleta. La víspera de su reingreso en el seminario estuvimos simulando un combate de boxeo.»

El rector, don Vicente, concedió el permiso para instalar la capilla ardiente en la propia iglesia del seminario, a los pies del altar mayor. La familia podría velarle toda la noche y el entierro tendría lugar al día siguiente en un panteón del cementerio del Este, en Montjuich. Quince días después se celebrarían los funerales.

Ningún seminarista se quedó sin ver el cadáver, exceptuando, naturalmente, a Joaquín Valls. Todos desfilamos delante de él, delante del féretro, persignándonos. Los hubo que desfilaron de prisa, como huyendo del misterio. Sus compañeros de curso se demoraron un poco más; pero quien se llevó la palma contemplando al muerto —la rigidez del cuerpo, la palidez del rostro, el crucifijo en el pecho, con las manos cruzadas— fui yo. Nadie sabía que era aquél el primer cadáver que yo veía. Me detuve treinta segundos por lo menos y pude comprobar que su expresión era serena, serena hasta el límite, rebosando paz. Sentí muy hondo que algo superior al cuerpo se había escapado de él. Un halo casi palpable, de la vecindad del alma. Me acordé de una frase leída no sabía dónde: «Lo más profundo del ser está más allá del ser.» Frase acaso hiperbólica, pero cuyo significado me pareció que en aquellos momentos yo aprehendía.

La muerte. Al mediodía se llevaron los restos de Benjamín Prat, y yo me quedé meditando por mi cuenta, mientras el profesor Daniel Planellas nos explicaba en clase el misterio de la Trinidad. Experimenté una especie de pánico al pensar que también, un día, moriría yo. Ahora bien, ¿a santo de qué debía temer a la muerte? Para los no creyentes el traspaso debía de ser la gran trampa, la gran estafa, la nada definitiva; por el contrario, para los que teníamos fe en la inmortalidad del alma y en la resurrección —Cristo había resucitado—, dicho traspaso no era más que el término de un plazo que nos había sido concedido. El paraíso que nos aguardaba se me antojó real, el reencuentro con el Padre, al que Héctor siempre invocaba. El reencuentro con la Virgen, de la que hablaba siempre *el Tontorrón*. El reencuentro con Cristo Jesús, que era mi asidero y al que yo me agarraba en los instantes del Gran Miedo.

Los tres mosqueteros hablamos, a toro pasado, de Benjamín Prat. Héctor recordaba de él que, jugando al ping-pong, era un as. *El Tontorrón* se acordó de que una vez, el día de Reyes, se presentó con un matasuegras. Soplaba y volvía a soplar y se reía como un bendito. «Es verdad. El chico se reía siempre», comentó Héctor. Yo sólo recordaba haberle prestado unos apuntes sobre Zenón, que decían precisamente: «Ningún mal es honorable, y puesto que la muerte es honorable, yo deduzco que la muerte no es un mal.»

El profesor Daniel Planellas era tomista por la gracia de Dios. De modo que nos impuso como disciplina principal y casi excluyente la *Suma teológica* del Doctor Angélico, de santo Tomás de Aquino, nacido en esta villa en 1224, ciudad perteneciente al reino de Sicilia. Cuando oía hablar de la «mafia» siciliana se echaba a reír. «Bien, de acuerdo. Pero el más grande de los mafiosos ha sido santo Tomás...»; y el profesor se aplaudía a sí mismo, haciendo gala, como siempre, de un excelente sentido del humor.

Empecé a estudiar metódicamente y con ahínco la inmortal obra del santo de Aquino. La mayor parte de sus argumentos me parecían irrefutables. Más aún, a menudo se anticipaba a sus objetores, haciendo caer sobre ellos el martillo de su raciocinio sin par.

Uno de los ejemplos que me pareció más significativo del andamiaje dialéctico del santo —*el Tontorrón* se quejaba de que el lenguaje de éste era «abstruso»— fue el aplicado a la dicotomía *cuerpo-alma*. «Como en los cuerpos hay gravedad o levedad, por la cual se dirigen al lugar que les corresponde y que es el término de su movimiento, así hay en las almas el mérito y el demérito, que las conduce al premio o a la pena que es el término de sus acciones. Y así como el cuerpo obedece, cuando nada obsta, a su levedad o gravedad que le llevan a su destino, así las almas, desatadas las ligaduras carnales que en este mundo las detienen, consiguen al punto el premio o la pena, a no ser que haya algún obstáculo. Lo es algunas veces el pecado venial para alcanzar el premio, el cual se difiere hasta que aquél se purgue. Y como hay un lugar destinado a las almas según que merezcan premio o castigo, el alma, libre del cuerpo, o se hunde en el infierno o vuela al cielo. Mientras que el alma informa al cuerpo, hállase en *estado* de merecer; separada del cuerpo pasa al *estado* de recibir lo que en el anterior estado haya merecido. De ahí que el cielo, el purgatorio, el infierno y el limbo sean cierta y preferentemente *estados*, aunque se considera probable y conforme a las divinas Escrituras que sean también *lugares*.»

Por cierto que, llegados aquí, Héctor preguntó ingenuamente qué debía entenderse por *lugares*, teniendo en cuenta que el universo era uno e indivisible en el plano de la Creación. Al oír esto, el profesor Daniel Planellas se levantó en su tribuna y fulminó con la mirada a Héctor.

—¡Siéntese! —gritó.

Y dio por terminada la lección.

Al llegar las vacaciones de Navidad —del 24 de diciembre al 7 de enero—, eché a correr hacia mi casa. Casi todos los domingos había podido ver a mis padres, gracias a las permitidas visitas de la familia al seminario; en cambio, sólo un par de veces pude estrechar la mano de Victoria. Al pulsar el timbre de la puerta el corazón me latía con fuerza. En vano los profesores utilizaban sutiles argucias para distanciarnos lo más posible de la familia; para mí, mis padres eran mis padres, Victoria era Victoria, los de Mas Carbó eran nuestra providencial despensa —Tomeu seguía viviendo y comiendo con los dedos—, y Rocío era el rompe y rasga de la Rambla de Cataluña y contornos. Hacia Mercedes, la portera, sentía algo especial, sabedor de que, de un tiempo a esta parte, ella era la encargada de lavar y planchar mis sotanas y mis camisas. Además, Mercedes había empezado a poblar de cactos el jardín, detalle inimaginable un año antes.

Tiempo tuve, a lo largo de aquellas vacaciones, de olvidarme un poco de santo Tomás y de prestar atención a mis seres queridos. Mi madre, superado ya el trauma del veto del obispado para su cargo de directora, me acarició repetidamente la tonsura con más delicadeza que el barbero Raventós. Andaba ahora con un par de tomos de *Re-*

ligiones comparadas, aunque se abstenía de hacer el menor comentario. Mi padre, que tenía problemas con la graduación de la vista —la dentadura, perfecta, con las dos sempiternas piezas de oro—, no faltaba jamás a la cita dominguera del mercado de San Antonio, donde últimamente echaba de menos al anónimo coleccionista de postales de cascadas y lagos, que había desaparecido. En cuanto a Victoria, me dio la gran sorpresa. Acostumbraba a salir, al cine o al teatro, con un joven médico ayudante del doctor Camprubí, muchacho sobresaliente, que al terminar la carrera amplió estudios en un hospital suizo. «Ya le conocerás. Vale la pena. Todavía no hay nada serio entre nosotros, pero quién sabe... La dificultad está en que a mí no me apetece nada oír hablar de enfermedades.» Al oír esto, ignoro lo que me ocurrió. Sentí como un trallazo la embestida de los celos; por fortuna fue sólo cosa de unos segundos. Mi hábito de autodisciplina me sirvió para cortar por lo sano y felicité a Victoria de todo corazón.

En casa, gracias a mi padre, lucía un belén de lo más sencillo en un rincón del comedor. Un belén heredado de mis abuelos, con la Sagrada Familia de barro, los reyes montados en camellos, los pastores con barretina. Muchos pajes y una estrella reluciente en lo alto de la cueva. Saludé al belén como Dios me dio a entender y estampé un beso en la diminuta figura del Niño, ante el pasmo del asno y el buey.

Desde el primer momento, Victoria tuvo interés en que conociera al doctor Pros. Las fiestas de Navidad eran propicias para ello. Concertamos la cita para el último día del año, festividad de San Silvestre —patrono de los albañiles y canteros—, a última hora de la tarde.

—¿Dónde quieres que nos encontremos? —me preguntó Victoria.

Reflexioné unos momentos.

—Podría ser en las Ramblas, en la iglesia de Belén... De todas maneras tengo que ir, porque todos los años exponen allí una serie de dioramas sobre el nacimiento de

Jesús. Por lo visto este año han alcanzado la cota más alta. Además, en la iglesia suelen cantar espléndidos villancicos...

Victoria asintió con la cabeza, llamó por teléfono —desde hacía un mes disponíamos de él— y el trato quedó cerrado. Y llegado el día señalado, Victoria y yo bajábamos por las Ramblas, entre un bullicio ensordecedor de la gente, el canto de los pájaros, el olor de las flores y el rasgueo de alguna que otra guitarra, con palmas y gritos de «olé».

El doctor Pros se nos había anticipado. Victoria, muy dueña de sí, cuidó de la presentación con la autoridad que la caracterizaba. El doctor Pros era un hombre más bien bajito, de unos treinta y cinco años, quizá más, con gafas de sabio —montura de plata— y cierto aire cosmopolita. Ambos nos deseamos felices fiestas y un año nuevo rebosante de prosperidad. Pero el bullicio era tal que el diálogo resultaba imposible.

—Vamos a ver los dioramas —propuse yo.

Victoria y el doctor asintieron con la cabeza.

Nos costó abrirnos paso. El apelotonamiento era enorme y nadie cuidaba de que se formase una cola en regla. Por fin llegó nuestro turno y, entre codazos, pudimos contemplar uno por uno los dioramas, que eran realmente espléndidos, fruto sin duda de años de labor. Existía la Asociación de pesebristas —como existían las Cofradías de Semana Santa— y éstos se encargaban de tan honroso menester. El itinerario que seguían dichos dioramas, perfectamente iluminados, era fiel a los Evangelios. Conté doce en total, como el número de los apóstoles. El primero representaba la búsqueda de posada por parte de José y el último la ferviente adoración de los Reyes Magos. El Jordán era allí un riachuelo de verdad, cuya agua clara se deslizaba por entre los guijarros, y los puentes, en miniatura, eran de madera rústica y noble. Las ovejas pastaban en campos de hierba y una legión de ángeles rondaban en torno a la estrella de la cueva...

Terminada la gira a través de los dioramas entramos en la iglesia de Belén. Fue el aviso mágico, la confirmación de que topábamos con otro mundo. El templo estaba también lleno y, en el presbiterio, un coro de niños sevillanos, que formaban una piña, cantaban villancicos en honor del Niño Jesús, con textos de una poesía de ritmo lorqueño que parecía improvisada pero que era con toda certeza fruto de una cultura secular. ¿Cuántas gargantas habrían cantado aquello en Andalucía, desde Boabdil, el último rey nazarí de Granada? Me contagié del ambiente reinante, sin que me importaran las toses de los acatarrados de turno. Ahí estaba el pueblo «fiel», como hubiera dicho mosén Salvador Cebriá. Ahí estaba la «grey», como hubiera dicho el obispo, doctor Modrego. El Niño Jesús aglutinaba voluntades y querencias, y por aquellas fechas se pintaba de blanco en Occidente, de negro en África, de amarillo en Asia y de cuarterón en el Caribe. Era el Niño universal, la síntesis, el incontaminado, junto a María y san José. San José había sido víctima de toda clase de mofas, de sañudas caricaturas —vara florida—, pero a mí su inocencia me conmovía hasta el tuétano.

En cuanto terminaron los villancicos y se retiraron los niños sevillanos —algunos de los cuales me recordaban a Rocío—, Victoria, el doctor Pros y yo salimos a la calle, a las Ramblas, donde continuaba el bullicio, pese al frío reinante. A gusto hubiera encendido un pitillo, pero fuera del seminario teníamos prohibido fumar. Entramos en el café La Aurora, que estaba casi enfrente y en el que vimos varias mesas libres. Juntos los tres en un rincón acogedor, sin saber por qué nos echamos a reír. «Hay que ver...» Luego ensalzamos los dioramas tal y como se lo merecían, sin que nos importara que un par de borrachos anduvieran a trompicones en dirección a la puerta de salida.

El camarero nos sirvió tres tazas de malta e iniciamos la conversación. El doctor Antonio Pros acababa de cumplir, en efecto, treinta y cinco años, era de origen leridano —lo que se le notaba en el acento—, y durante la guerra civil actuó de enfermero en el frente «rojo», en la brigada del *Campesino*. Aquello le fue muy útil para terminar la carrera después. Y su estancia en Suiza, un acierto. Y trabajar al lado de un maestro como el doctor Camprubí, un acierto todavía mayor.

Pero es que, además, por las tardes visitaba en la barriada de Somorrostro —al oír este nombre levanté sin querer las cejas—, a donde le había destinado la Seguridad Social. Comenzó a ir a esa barriada en verano, «cuando la basura apesta el máximo»; y al principio se lo tomó con la ilusión de un novicio. Imaginó que podría curar a aquella gente las heridas de la carne y del espíritu, pero poco a poco fue desanimándose. En primer lugar, carencia de medios. En segundo lugar, la limitación del tiempo: cinco minutos para cada paciente y receta va. Claro que aquello era un entrenamiento para establecer con rapidez el correspondiente diagnóstico, pero un ser humano se merecía algo más. Por último, con «aquellos» seres humanos era imposible cualquier intento de elevar su nivel, cualquier proyecto de saneamiento práctico. Eran ignorantes, cerriles, quejicas, desagradecidos, con el cerebro embotado o bloqueado, más próximos a los trogloditas que al segundo tercio del siglo XX. Personalmente había ensayado toda suerte de lenguaje, pero, por más que bajara el listón, siempre resultaba incomprendido. Los hombres no pensaban más que en beber y las mujeres en parir hijos. La media era de cinco por cada chabola, y el tracoma, la difteria y demás se ocupaban del resto. Más supersticiosos que los frailes de la Edad Media, adoraban a la diosa Luna y a la diosa Plata en los olivares. Al principio, firmaba con dolor los muchos certificados de defunción. Poco a poco fue acostumbrándose, como le ocurriera durante la guerra civil, y se aprovechó de los cadáveres para practicarles la autopsia en el Hospital Clínico. Pero, ante el incremento de las protestas familiares, optó por abandonar. Ahora aquello se había convertido en una rutina. ¡Una rutina que clamaba al cielo, bien lo sabía! Pero ¿qué hacer? La sociedad era injusta. Y seguiría siéndolo mientras la parte inferior de ella no alcanzara la madurez, para lo cual se necesitaban varias generaciones. Ni los médicos ni los curas —«dicho sea con perdón»— podían hacer nada útil. Los villancicos que acababan de oír eran simples fuegos fatuos...

Las palabras del doctor Pros, cuyas gafas de montura de plata parecían haber aumentado de tamaño, me obligaron a reflexionar. Habló en voz baja, parsimoniosamente, sin apenas separar los labios. Pero se le entendía perfectamente, tal vez porque hablaba de la muerte y de las autopsias. Se apoderaron de mí unas ganas irreprimibles de presenciar una autopsia, de ver con mis propios ojos cómo éramos debajo de la piel. Imaginaba que con utensilios quirúrgicos a propósito abrían el cadáver en canal, como a las bestias en el matadero o en la cocina —en Mas Carbó había visto abrir en canal a los cerdos—, y que luego los cuarteaban separando las vísceras que tuvieran para ellos el mayor interés. Especialmente me seducía la idea de analizar el cerebro, que era algo así como la más perfecta obra del Supremo Hacedor. ¿Dónde estaba la memoria? ¿Dónde residía el deseo sexual? ¿En qué ínfimo rincón se escondían mis saberes ante las teclas de un piano? Contemplé con disimulo las manos del doctor Pros. No eran manos de carnicero, sino todo lo contrario: finas, dedos alargados, tan aristocráticos como los del doctor Camprubí. Con la línea de la vida larguísima y muy marcada la línea del corazón.

¿Qué iba a ocurrir si a Victoria «no le gustaba oír hablar de enfermedades»? ¿Se rompería la cuerda que de momento unía a aquella pareja? Pedí otro café malta y les deseé prosperidad. Mi impresión fue que Victoria estaba enamorada del doctor Pros. Le estuvo escuchando como a un oráculo. El doctor Pros, en cambio, apenas si la miró un par de veces, aunque lo hizo con cariño, eso sí. Tenían toda una vida para decidir si formaban o no una pareja estable.

A las once en punto di por terminada la sesión. Quería asistir a la misa de medianoche, del traspaso del año, precisamente en la catedral. Cuando dieran las doce campanadas besaría el suelo doce veces consecutivas, en señal de humildad. Victoria y el doctor Pros eligieron irse a una sala de fiestas donde se comerían las doce uvas. ¡Bien, allá cada cual! El mundo era diverso, inarmónico. ¿Qué opinaría, al respecto, santo Tomás? Y sobre todo, ¿qué opinarían los dos tomos de *Religiones comparadas* que leía mi madre? El calendario romano no era universal. Los seguidores del budismo, del sintoísmo, del islam, para no hablar del animismo y otras «creencias salvajes», se reunían festivamente en los correspondientes trópicos para celebrar, en fechas distintas, la ruta del Sol.

El doctor Pros y yo hicimos buenas migas. Me di cuenta de que en ningún momento había pronunciado la palabra Dios. Tal vez para él no existiera otra cosa más que el cuerpo, lo que podía decirse igualmente de Victoria. Nos despedimos en la puerta del café La Aurora. Hacía frío. Ellos tomaron, cogidos del brazo, la dirección de nuestra casa, yo me dirigí a la catedral.

CAPÍTULO VIII

LENTA, ESFORZADAMENTE, fui subiendo los peldaños que me llevarían a lo alto, al sacerdocio. Admirable me pareció la jerarquía de la ascensión, puesta en práctica en el seminario. Pasado el aprendizaje, que se centraba en el latín y la filosofía, la entrada en la teología era el gran salto de la escalera. El primer peldaño de la misma me salió al encuentro jubilosamente —por lo menos, al principio— al alcanzar el subdiaconado, es decir, la primera de las órdenes mayores. Tercer curso de la que Héctor llamaba «la asignatura de Dios» —la teología—, y que el profesor Daniel Planellas llamaba «la asignatura de los hombres que querían llegar a ver a Dios cara a cara». A fuer de sincero debo decir que la teología me alejó un tanto de los placenteros pastos de la razón, precipitándome en la desnudez de la fe. Claro que mosén Salvador Cebriá me había advertido de continuo: «Agacha la cabeza. Cree. Obedece. La Iglesia tiene dos mil años de existencia...» ¿Qué le contestaría el doctor Pros? Podía imaginármelo. «Practique usted una autopsia y todo lo verá de otro modo.» ¿Qué le contestaría mi madre? «Si el argumento básico es la antigüedad, todas las religiones no cristianas, excepto el islam, son más antiguas que la famosa piedra sobre la que san Pedro edificó su Iglesia.»

Recibí, como el resto de mis compañeros de curso, la orden del subdiaconado. Ya me llamaban clérigo, palabra que me halagó como le hubiera halagado a Victoria el título de maestra de acordeón. Mis obligaciones serían rezar el breviario y aceptar el celibato. Mis derechos, cantar la Epístola y ayudar al diácono en el altar. Además de esto, si bien la casulla y la capa pluvial seguían estando muy lejos aún, podía ya usar el alba, el cíngulo y la tunicela, y, también, en las misas solemnes, el manípulo en el brazo izquierdo.

Rezar el breviario no me costó esfuerzo alguno. Tampoco al *Tontorrón*; en cambio, a Héctor se le hizo cuesta arriba. Le parecía repetitivo, algo idóneo para que lo rezaran los muchachos de Acción Católica o los miembros de las Congregaciones Marianas. Esa opinión no se sostenía en pie. Todos los textos del breviario eran sagrados, es decir, trascendentes, y por tanto no podían pecar ni de inanidad ni de repetición. ¿Qué le ocurría a Héctor? Hubiérase dicho que el subdiaconado le había hecho mella en lo más íntimo. Vacilaciones, carraspeos, parpadeo continuo, una serie de síntomas que, según *el Tontorrón*, podían derivarse de una crisis de fe.

—Héctor, estás nervioso...

—Sí, es verdad. Y no sé por qué.

—No irás a tirar la toalla ahora...

—¡Ni hablar! —nos miró con fijeza—. ¿Por qué me decís eso? ¿A santo de qué?

—El breviario es una maravilla, y si a ti no te gusta es porque estás descontento de ti mismo...

Héctor se rascó la cabeza, circunvolando la tonsura, en ademán peculiar.

—Podría ser...

En lo que a mí respecta, la promesa que me turbó fue la aceptación del celibato. Que me perdonaran san Anselmo y también mi director espiritual. Ahora que estudiábamos a fondo el Antiguo Testamento, no veía ningún profeta o precursor que dedicara a tal «virtud» un solo párrafo. Era una imposición meramente de disciplina eclesiástica. En los primeros tiempos de la Iglesia no existió regla alguna sobre el particular y durante tres siglos se ordenaron de sacerdotes y aun de obispos a personas casadas. Me vinieron a la memoria los diálogos habidos sobre el tema con mosén Salvador Cebriá, a raíz de informarme éste de que san Agustín exculpaba a las prostitutas, o, mejor dicho, las consideraba útiles a la sociedad.

Por lo que pude deducir, a base de lecturas ajenas al seminario —lecturas a las que dedicaba mi tiempo en

Mas Carbó—, el tabú sexual se inició en san Pablo, quien predicó mucho contra la carne y contra la «corrupción», defendiendo a ultranza la virginidad. ¡La virginidad! Palabra esotérica, siempre en boca del rector, don Vicente, quien tenía dos hermanas monjas y, por tanto, «vírgenes», que habían sabido domeñar y embridar su cuerpo. Cuerpo que, a juicio del rector, que no conocía ni a Rocío ni a Victoria, era «nauseabundo», polvo y barro, y que al polvo y al barro volvería. Yo no podía despreciar el cuerpo, por otro lado llamado «templo del Espíritu Santo» y apto para la resurrección y la salvación.

Mosén Salvador Cebriá, al corriente, día tras día, de mi evolución, y que deseaba con fervor que ésta llegase a buen término, para apoyar su tesis y su canto a la virginidad, llegó incluso a leerme unos párrafos de las *Novelas ejemplares* y de *La Celestina*. Cervantes ponía en boca de su gitanilla: «Una sola joya tengo, que la estimo en más que a la vida, que es la de mi entereza y virginidad, y no la tengo de vender a precio de promesas y dádivas.» En cuanto a *La Celestina*, puede leerse de labios de Melibea: «No quieras perderme por tan poco deleite y en tan corto espacio. No pidas ni tomes aquello que tomado no será en tu mano volver. Guárdate, señor, de dañar lo que con todos los tesoros del mundo no se restaura... Estad quedo, señor. No me quieras robar el mayor don que la naturaleza me ha dado.»

Asimismo, mosén Salvador Cebriá me puso como ejemplo el de los ermitaños que, con la llegada de san Marcos a Egipto, se extendieron por todo el país «como una epidemia». Epidemia difícilmente comprensible en el siglo XX, pero que llegó a ser tal que en los desiertos de Ouatron y de Kellia fueron encontrados los restos de hasta setecientos conventos y ermitas, aparte de un número incalculable de celdas, en las que vivía un solo hombre, o tal vez dos. Hombres que impulsados por una fuerza superior escapaban del mundo y llevaban una existencia mísera, fieles a la voz de Jesús: «Si quieres ser perfecto, ve, vende todo lo que posees, y después ven y sígueme.» De añadidura, su lema era «degradar el cuerpo para ensalzar el alma». También las mujeres se lanzaron al desierto, convencidas de que «el espíritu de Dios nunca entraría en la morada de las delicias y del placer». De ahí que no sólo practicaran una virginidad y un ascetismo que en nuestros tiempos sería considerado como una locura, sino que rendían un especial culto al silencio, mucho más total que el que reinaba en los claustros del seminario en época de vacaciones. La mayoría comían sólo pan duro, que cocían una vez cada seis meses o cada año, sal y hierbas. Su ideal llegó a ser: «comer hierbas, ir vestidos con hierbas y dormir sobre la hierba», con lo que estaban convencidos de poder vencer a Satán, cuya presencia tenían por más activa, paradójicamente, en el desierto que en la ciudad. En cuanto al silencio, el gran Arsenius escribió que «incluso el gorjeo de un gorrión impedía que el corazón de un monje alcanzara el reposo, y que el ruido del viento en los cañaverales lo hacía del todo imposible». Y un eremita, que por temperamento era un empedernido charlatán, aprendió a callarse a base de mantener una piedra en su boca durante tres años. Además, y consecuentes con el menosprecio del cuerpo, llegaron a establecer una especie de asociación entre «suciedad y santidad». No se lavaban jamás, excepto, quizá, las manos. De ahí que los escasísimos cronistas de la época los describan como demonios, y que más tarde los pintores, como podía verse en los frescos de los monasterios de Capadocia y Grecia, los pintaran como salvajes, demacrados, vestidos con harapos, cabellos largos cayéndoles hasta el suelo, las miradas perdidas en otra realidad, que no era más que el desierto, la soledad y Dios.

Comprendí a mosén Salvador Cebriá, me di cuenta de su buena fe y recordé que un día —hacía de ello mucho tiempo—, me confesó que a lo largo de su vida sólo había pecado dos veces contra la castidad. Ahora para él había pasado la tormenta mayor —la de la juventud—, y mentaba el asunto como si se tratase de la prehistoria. Pero yo estaba en el ojo del huracán, y durante las vacaciones, paseando a orillas del agua en Arenys de Mar, tuve que desviar la vista de las mujeres en bañador y en una ocasión, «disfrazado» de seglar, de laico, había ido al cine, tapándome la tonsura con una boina perteneciente al viejo Tomeu, avergonzado de mí mismo, pese a que la película, sometida, como todas, a la férrea censura existente, era tan infantil e inofensiva como las de los dibujos animados de Walt Disney.

Embridar el cuerpo... En cierto sentido tenían razón y ahí estaban esos eremitas de Egipto y una buena porción de santos para ratificarlo, pero la pregunta era: «¿Valía la pena?» «¿Quién dijo que la castidad era la virtud por excelencia?» Mi madre, en cierta ocasión, encontrándonos en Mas Carbó, me mostró, después de haberlo subrayado, un párrafo de Balzac que decía: «El celibato tiene el defecto capital de que, poniendo todas las cualidades del hombre al servicio de una sola pasión, el egoísmo hace a los solterones inútiles y nocivos.» Y por mi parte había descubierto, en la biblioteca del seminario, en una de las Decretales de Gregorio IX, que «aquellos que fueren fallados en peccado de luxuria, según que peccaran más o menos, sean tormentados segunt los establecimientos de los Santos Padres». Y en otro libro, éste de Rudolf Wolkan, me enteré de que el obispo de Lubecca, Juan Schelle, presentó ante el Concilio de Basilea un testimonio impresionante que rezaba así: «Apenas encontramos un sacerdote casto entre un millar; todos son concubinos o adúlteros. Y los que no lo son es porque hacen cosas peores. Ante esos hechos, Eneas llegó a sostener que era necesario suprimir la prohibición de casarse a los sacerdotes.»

En ocasiones, como un río desbordado inunda los caminos, mis objeciones perdían su fuerza y su entidad con sólo pensar que mi asidero mayor, Cristo Jesús, se había mantenido célibe. Si yo quería imitarlo tanto cuanto me fuera posible, debía empezar por ahí. También era un factor a tener en cuenta el hecho de que los animales, auténticos esclavos de sus instintos, no podían decir «no» y copulaban y procreaban según la naturaleza les daba a entender. En cambio, los seres humanos, destinados a resplandecer en lo alto de los cielos, podíamos combatir y, a la postre, elegir. La doctrina sobre el «libre albedrío», defendida por santo Tomás, era incuestionable. Claro que Jesús defendió con ardor a la mujer adúltera, que untó sus pies con deliciosos perfumes.

Naturalmente, yo no era el único «subdiácono» recientemente nombrado que se enfrentaba al problema. Quien más quien menos, todos luchábamos contra el bramar de la carne. *El Tontorrón* sudaba con sólo hacerle mención de ello, y Héctor, de repente, pegaba un puñetazo en la mesa y se iba a la capilla a rezar, a suplicar entereza.

Hasta que alguien, no se sabía quién, introdujo en el seminario una serie de láminas de mujeres desnudas, publicadas en una revista francesa. Mujeres con los pechos erectos y el vello del pubis al descubierto. Dichas láminas recorrieron las galerías del seminario como un reguero de pólvora, sembrando el desconcierto a su paso, hasta llegar, ¡cómo no!, a manos de *Los tres mosqueteros*, los cuales nos reunimos en mi celda para «pecar con el deseo y con el pensamiento». Ignoro lo que hicieron luego *el Tontorrón* y Héctor al quedarse solos; en lo que a mí respecta, me masturbé, y me juré a mí mismo omitírselo a mosén Salvador Cebriá, con lo que mi culpa dobló su malignidad.

Pero lo más peregrino, blasfemo y sacrílego del caso fue que uno de los seminaristas que cursaba filosofía puso una de dichas láminas en manos de Joaquín Valls, el condiscípulo ciego, asegurándole que era una reproducción ampliada de una de las Vírgenes de Murillo. Joaquín Valls depositó la lámina en sus rodillas y empezó a acariciarla suavemente, mientras por lo bajini entonaba el *Magnificat*. La Virgen, para Joaquín Valls, era la mitad del Todo, la mitad de Dios. Sus pupilas muertas murieron otra vez, y en su oración llegó a exaltarse como debían de hacerlo a menudo aquellos eremitas del desierto egipcio, en Ouatron y Kellia. Nadie se atrevió a contarle la burla tan cruel de que había sido objeto. Por consiguiente, una vez terminada la plegaria, Joaquín Valls devolvió la lámina a un ayo que pasaba por allí, el cual se quedó mudo y tieso de estupor.

El rector, don Vicente, que siempre esperaba un remedio para su diabetes, atosigando al doctor Camprubí, tuvo un acceso de cólera y reunió a los seminaristas mayores en la sala de actos y nos conminó a que denunciáramos al «primer» culpable. Por supuesto, nadie levantó la mano, nadie acusó. Entonces don Vicente, con los ojos enrojecidos y la voz entrecortada, nos condenó a todos a ocho días de casi ayuno, a quince días de no recibir visitas y a cantar todas las tardes, arrodillados en la iglesia, el *Veni Creator*.

Cedió, en buena medida, el ímpetu carnal, que me acongojó a lo largo del octavo y noveno curso, ímpetu centrado, como siempre, en Rocío y en Victoria y a las que a partir de aquella Nochevieja en el café La Aurora cabía añadir las visitas que efectuaba, de vez en cuando, los días festivos, a Somorrostro, de la mano del doctor Pros.

El doctor, con el que pronto llegué a intimar de manera sorprendente, se las había ingeniado en aquel barrio que olía aún peor que Dolores, la dueña y señora de Mas Carbó, para ejercer la medicina con un poco más de dignidad. Consiguió que le ayudara en su labor un practicante espabilado, Emilio Garriga, que confeccionaba las fichas y redactaba los primeros síntomas del enfermo. De modo que cuando el paciente de turno entraba en el minúsculo despacho-consulta del doctor, éste sabía ya de qué se trataba. Así que no tenía que realizar visitas colectivas ni alinear, como antaño, a grito pelado: «¡Los que tengan la tos seca, a la derecha! ¡Los que tengan la tos blanda, a la izquierda!»; recetando luego los mismos fármacos para dolencias completamente distintas. «Ya lo ves. Ahora puedo dedicar un mínimo de diez minutos a cada ser humano, sin contar con que Emilio Garriga a veces me demuestra que sabe tanta medicina como yo.»

El doctor Pros permitía que yo me pusiera bata blanca, como si fuera un ayudante más, y asistiera a sus auscultaciones, tomas de pulso, curación de heridas y demás labores propias de su profesión. ¡Cuántos pechos de mujer! Pechos lacios, fatigados de tanta succión —los churumbeles—, que me vacunaban contra el ímpetu que había pasado como un ciclón por todo el seminario. Dos circunstancias, sin embargo, coadyuvaron a que yo advirtiera que mis visitas no eran fruto de ninguna malsana curiosidad. La primera consistió en la asistencia a un parto; la segunda, a una autopsia practicada por mi amigo en el Hospital Clínico.

El parto: una gitana, ya con siete hijos pidiendo limosna por la urbe, se abrió de piernas y el doctor Pros, ayudado por la comadrona «oficial» de Somorrostro, una mujer forzuda que me recordó a Fermín, sacó de aquel agujero misterioso un nuevo ser. Fue un escopetazo para mí. La llegada a la vida de una *persona* con alma y destinada a ser eterna, me estremeció de arriba abajo. «¿Te das cuenta, Anselmo? Es un milagro. Un hombre. ¿Qué le ocurrirá? Lo mismo puede aumentar el número de parias del barrio como despegar y llegar a ser un pianista como tú.» Minutos después la familia se hizo cargo de aquel tesoro gelatinoso y una versión barriobajera de Rocío lo zarandeó y le leyó las casi imperceptibles rayas de las diminutas manos, garantizándonos que sería feliz. ¡Lástima no ser ya diácono! Lo hubiera bautizado allí mismo.

La experiencia de la autopsia fue atroz. Un cuerpo de anciano tendido en una especie de litera de mármol fue materialmente cuarteado por el doctor, quien se entretuvo largo rato en el esófago, en los pulmones y en el bazo. Todo eran trozos de carne, vísceras, salpicaduras de sangre y el escalpelo hundiéndose aquí y allá. Mi amigo me daba explicaciones, sin duda convincentes, pero yo estaba mareado y a punto de vomitar. Hasta tal extremo que de pronto di media vuelta excusándome:

—¡No puedo más!

Y salí de la «nevera» como si una bandada de cuervos me persiguiera los talones.

Un cuarto de hora después pregunté al doctor Pros:

—¿Quién era ese hombre?

—Ni idea —me contestó, mientras se lavaba y secaba las manos—. Me interesaban su esófago y su bazo, nada más...

Héctor me decía que desde nuestra llegada al subdiaconado se acrecentaban en mí, más y más, las condiciones de líder que siempre había demostrado. Tal vez tuviera razón. Pese a mi triste papel en la escena de la autopsia, con frecuencia me sentía dueño de mí mismo, de mis facultades, de mi juventud, de mi fantástica memoria y de mi aptitud para *mandar*. No sólo tocaba cada día mejor el piano; no sólo era el solista de la *Schola cantorum*;

no sólo leía las Epístolas como nadie, sino que, a raíz de la ceguera de Joaquín Valls, me convertí en el primero de la clase. Todo el mundo me pedía los apuntes y el profesor Daniel Planellas me presentaba como ejemplo a imitar, incluso en cuanto a devoción.

Ahí andaba un poco a contrapelo, puesto que, de pronto, y siempre según la escolástica, empecé a advertir cierta incompatibilidad entre la doctrina del «libre albedrío» y la de la predestinación. Pero no quise devanarme los sesos —bastante me los había devanado con el celibato—, y seguía mi rumbo con la misma firmeza con que el doctor Pros seguía el suyo.

Problema curioso era el del catalanismo, en el que yo —con la bendición implícita de mosén Salvador Cebriá— era militante. El catalán era mi lengua materna, su matriz era sagrada —el latín—, y, pese a ello, llegaban sin cesar órdenes del Palacio Episcopal: «¡Todo en castellano!» El castellano era la lengua del Imperio y, por supuesto, el idioma con que se penetró, cuando la Conquista, en tierras americanas. Pero yo no podía olvidar nunca las dos grandes epopeyas de Jacinto Verdaguer —*Canigó* y *La Atlántida*—, ni la poesía de Maragall, ni la estatua de Clavé delante de mi casa.

Así que protagonicé algunos incidentes, recibiendo el apoyo de la mayoría de los seminaristas. El primero de ellos fue el inesperado arribo al seminario de un grupo de seminaristas franceses, los cuales, después de compartir con nosotros la Eucaristía y un ágape de hermandad, se pusieron a cantar *La Marsellesa*, pidiendo a continuación que nosotros cantásemos el himno de España... Nadie conocía el texto de este himno, de modo que, pasado el trance de súbita tensión, yo arranqué con la primera estrofa de *El Virolai*, que fue seguida con entusiasmo unánime, ante la perplejidad y la indignación del rector, don Vicente, y, más aún, del vicerrector, el *Bon Vivant*. Nadie se atrevió a interrumpirnos y al término del canto a la *Moreneta* los franceses aplaudieron a rabiar, ignorando lo que aquello significaba, y varios se dirigieron a mí estrechándome la mano.

Algo parecido ocurrió a raíz de una representación teatral que organizamos para la festividad de San José, día del seminario. Ensayamos, con el beneplácito del rector, una obra en castellano: *El divino impaciente*. Pero, llegado el momento, sorprendimos a todo el mundo con una obra en catalán sobre la vida y martirio de san Tarsicio, monaguillo de Roma, el cual, mientras transportaba por las calles, a escondidas, una Sagrada Forma —con destino a los cristianos encarcelados—, fue golpeado hasta la muerte. «San Tarsicio murió, pero se salvó el Pan.»

Líder para lo bueno y para lo malo. En cierta ocasión, durante la cena, nos sirvieron una escuálida costilla de cerdo. Lamí hasta el hueso la que me tocó en suerte y luego repiqué en la mesa: ding dang... Se me acercó un ayo y me preguntó: «¿Qué esperas?» Y yo le contesté: «¡La resurrección de la carne!», lo que provocó la hilaridad general.

Con toda franqueza informé a mosén Salvador Cebriá de que la causa de ese liderazgo mío, que se manifestaba en todas las protestas, se debía en parte a mi temperamento y en parte a la machacona tenacidad con que ellos, los jerarcas, nos declaraban «elegidos entre los elegidos». ¡Podríamos *realizar* la transustanciación! ¡Podríamos perdonar los pecados! ¡Podríamos bendecir las bodas y administrar la extremaunción! Todo ello nos erigía en *autoridad* casi suprema, en válidos intermediarios entre Dios y el hombre. El hecho era real, la vocación un don gratuito, como la gracia, y por tanto era cierto que nos convertíamos en pastores de un inmenso hato que debíamos salvar. Pero el peligro radicaba en que el orgullo se introdujera en nuestro espíritu, siendo así que Jesús dijo: «Los últimos serán los primeros.»

Mosén Salvador Cebriá, cada día más afilado —como un ofidio puesto en pie—, y más pálido —debido al celibato, según versión del doctor Pros—, me replicó que tal orgullo podía ser de buena ley, siempre y cuando no se atribuyera a méritos propios y no se abusara de los privilegios. «La dignidad del sacerdocio no te la va a quitar nadie. Fue Jesús mismo quien impuso las manos sobre los apóstoles y el Espíritu Santo quien les concedió el don de lenguas y una sabiduría infusa a la que nadie podía acceder.»

CAPÍTULO IX

FERMÍN, DE MAS CARBÓ, donde pasamos también aquel verano, era bastante supersticioso. Cuando a lo lejos oía toser al viejo Tomeu barbotaba para sí: «Si esta noche me voy a jugar a Arenys de Mar, al Café Español, tendré la suerte de espaldas.» Y solía acertar. Si al oír el primer canto del cucú llevaba dinero encima, estaba seguro de conservarlo todo el año. Si veía una estrella fugaz, al instante formulaba un deseo: y lo veía cumplido. Siempre tenía un poco de muérdago colgado del techo, porque ello traía suerte, al igual que levantarse con el pie derecho o encontrar un trébol de cuatro hojas. Jamás, por nada del mundo, encendería tres cigarrillos con la misma cerilla: quebraría la armonía de la vida. Y siempre bebía en el vaso de su mujer, Dolores, convencido de que de este modo se apoderaba de sus pensamientos.

Parecía imposible que un hombre tan primitivo, tan zoológico, como Fermín, entretuviera su mente con tales sutilezas. Claro que no hablaba de ellas con nadie más que conmigo. Conmigo tenía una confianza total, pese a mofarse de mi tonsura, de mi sotana, de mis escapadas a la gruta de Lourdes y de mi torpeza para montar a *Calatrava*. Mi autoridad moral sobre Fermín era una prueba más de mi condición de líder. Precisamente el hombre presumía de muy macho, de absoluta independencia y en alguna ocasión había llegado a pegar a su mujer.

El 15 de julio de 1951 encontró en un cruce de caminos una herradura de caballo a la que le faltaba un clavo. «Verás cómo me ocurre algo grande... No sé qué, pero algo grande. Una herencia de América, la lotería, que se muera de una vez el viejo Tomeu.» Dijo esto último porque cada día el viejo Tomeu chocheaba más, aunque el ex zahorí, en las noches de luna llena, se colocaba la chistera, salía de su antro churretoso y, golpeándose el pecho, se juraba a sí mismo que llegaría a centenario.

Ocurrió todo lo contrario. La herradura sin un clavo no le trajo a Fermín nada afortunado. Su hermoso caballo, *Vesubio*, con el que tantas millas había recorrido, de pronto, a media tarde, hincó las rodillas y cayó al suelo jadeando y echando espumarajos por la boca. Nada pudo hacerse para salvarle la vida. El veterinario, que tardó un tiempo en acudir, dictaminó: envenenamiento. «Será mejor que lo rematen de un tiro en la cabeza.» Fue el mayor reto con que Fermín se había enfrentado. Pese a todo, obedeció. Fue a por la escopeta y disparó por dos veces sobre *Vesubio*, que se quedó yerto para siempre.

El dolor que se apoderó de Mas Carbó no tenía precedentes. Nunca había visto yo llorar a Fermín, ni creí que sus ojos de cóndor fueran capaces de soltar una lágrima. Y no obstante, en aquella ocasión lloró a lágrima viva. Su primera idea fue enterrarlo en el cementerio de Arenys de Munt, cerca de donde yacían sus padres; pero yo le anticipé que el párroco no se lo permitiría y el hombre me hizo caso. De manera que el animal recibió sepultura a unos quinientos metros de la masía, en medio de un robledal, con un monolito encima que señalaría para siempre el lugar exacto.

Fue el primer encuentro de Fermín con la muerte. Sus padres desaparecieron siendo él un niño incapaz de medir lo que aquélla significaba. Y como les ocurría a muchos campesinos de la comarca, rebosantes de salud, se consideraba inmune, pese a que su mujer, Dolores, de carácter agrio, siempre a punto de anunciar desgracias, se levantaba todos los días presintiendo una calamidad.

Mi padre sostenía la tesis de que *Vesubio* había muerto de puro viejo, como pronto le ocurriría a *Tritón*, que ya no era el mastín de antaño, sino un cuerpo inapetente que se pasaba horas y horas durmiendo bajo la emparrada.

A raíz del suceso tuve ocasión, por primera vez en mi vida, de hablar con Fermín de algo trascendente: la muerte. Su talante supersticioso le llevó a suponer que otros infortunios acechaban a Mas Carbó. Le pregunté si creía que después de la muerte «había algo» y me contestó:

—Hasta ahora supuse que no... Ahora, no sé qué pensar. —Se rascó la cabeza y añadió—: Me gustaría creer que, por lo menos, existe un cielo para los animales de raza.

Estrambótico deseo. Fermín no pedía nada para sus padres, tampoco para su mujer, ni para mis padres o yo mismo. Para los «animales de raza», sí. Un más allá festivo y eterno donde pudieran galopar o volar a su antojo, sin la menor necesidad de alimento y descanso.

Dejé a Fermín con sus lúgubres pensamientos, me bañé en la balsa —Victoria se había quedado en Barcelona, presumiblemente en homenaje al doctor Pros—, y después de encender un pitillo me puse a reflexionar tumbado al sol, muy cerca de *Tritón*.

Agradecí a Dios, con toda el alma, que me hubiera concedido el don de la fe. Ahora que iba a recibir el diaconado necesitaba más que nunca creer en la salvación, aunque me tocara pasar un tiempo en el controvertido purgatorio, en pago de mis concupiscencias. Al recibir el diaconado debería renovar la aceptación del celibato —esta vez sin posibilidad de hacer marcha atrás—, y añadir encima el voto de *obediencia*. Los jesuitas lo tenían peor: «obediencia ciega», «de cuerpo muerto». La obediencia suponía renunciar para siempre a la libertad pensante. Renunciar a la dialéctica, a las objeciones —¿de dónde salió la serpiente que tentó a Eva?—, convertirse en un robot que, pasando por mosén Salvador Cebriá, llegara al obispado y luego a Roma, donde no importaba que en un concilio se pusiera en tela de juicio lo postulado en el concilio anterior.

Bien, de acuerdo. Haría la promesa de obediencia y, por supuesto, la cumpliría a rajatabla. Además, cuando el individuo se obstinaba en pensar por su cuenta, tarde o temprano caía en el error o en la corrupción. Ahí estaba Fermín, casi adorando a *Vesubio*, como el pueblo judío, ausente Moisés, adoró al becerro de oro en contra de la admonición de Yahvé. Obedecería como Cristo obedeció al Padre, especialmente en el instante supremo en que le preguntó: «¿Por qué me has abandonado?», para añadir más tarde: «Pero hágase tu voluntad, y no la mía.»

Cerca del diaconado la figura de Cristo se agigantaba en mi espíritu. Nacido en Bet-le-hem —Casa del Pan—, en un pesebre, después de inquietar a los doctores de la Ley y de asombrar a las gentes en las sinagogas, se lanzó a la vida pública, obró milagros, ¡resucitó a los muertos! No había constancia de que resucitara a ningún animal, pero sí al hijo de la viuda de Naín, a Lázaro y luego a sí mismo. Sin esto último, sin la propia resurrección, su venida al mundo hubiera sido un fracaso y la Iglesia se hubiera derrumbado como un castillo de naipes. De ahí que la Iglesia ortodoxa oriental celebrase la resurrección como la fiesta por antonomasia, entre nubes de incienso y cánticos de gloria. Fue Jesús quien dio a sus discípulos potestad para transustanciar el pan en Cuerpo y el vino en Sangre, y para perdonar los pecados, y para convertir a las muchedumbres, y quien les pronosticó que sufrirían, y tal vez morirían, por su causa. «De modo —me dije, mientras apuraba el segundo cigarrillo— que corro el riesgo de que un día me persigan, de que me maten, como manos criminales mataron a aquellos profesores y seminaristas que figuran en la lápida del seminario.» En aquel momento —fue sólo un instante— casi deseé que esto me ocurriera. Que me ocurriera allí mismo, debajo de la emparrada. Que saliera Fermín y, sin mediar una palabra, y para vengarse de la muerte de *Vesubio* y de otras posibles frustraciones, vaciase un cargador contra mi pecho al descubierto, puesto que caía un sol de plomo y yo acababa de bañarme. ¡Resurrección! En teología me enseñaban que sólo el *hombre* tenía alma, y alma racional. ¿Cómo saberlo? Tal vez, en el día del Juicio, nos sorprendiéramos al comprobar que había resucitado todo cuanto existió desde el principio de la Creación. Yo había visto caballos hermosos que se merecían resucitar... Y pájaros. Y peces. Y todo un universo floral que no tenía por qué haberse marchitado para siempre. Los hindúes creían en la reencarnación, en la transmigración, y por ello consideraban que las vacas eran sagradas y las respetaban como los primitivos cristianos, en las catacumbas, respetaban al pez-símbolo de la Eucaristía. Y Jesús había sido el *Corde-*

ro de Dios, que «quitaba los pecados del mundo». Y la paloma representaba al Espíritu Santo...

Me restregué los ojos, como si regresara de un sueño de difícil interpretación, y pensé en el infierno. Piedra de toque... Convertido en dogma, había que creer en él. Sin embargo, Héctor era el primero en darle vueltas y más vueltas a tal palabra, mientras *el Tontorrón* se limitaba a expresar una profunda tristeza y a dictaminar: «Quien la hace, la paga.» En ese tema mosén Salvador Cebriá no tenía prejuicios ni dudas: el infierno existía, era la Gehenna, estaba *habitado* por una multitud de condenados —tantos como las arenas del mar—, y ni siquiera el mismo Dios podía perdonarlos sin contradecirse a sí mismo. «Existe el bautismo de deseo, todo el mundo ha tenido su oportunidad, de modo que quienes se condenan es por su empecinamiento, por su propia voluntad.»

Fatigado por tanta introspección, me puse en pie de un salto —estaba en forma—, entré en la masía y subí a mi cuarto. Sobre la cama encontré una muda limpia y planchada, una sotana impecable y un diminuto crucifijo de madera oculto en el interior de una caja de cerillas. Esto último, por supuesto, era un detalle de mi padre, al que busqué por todo Mas Carbó hasta dar con él cerca de la tumba de *Vesubio*. Le pillé de espaldas, desprevenido.

—No te asustes —le dije—. Vengo a darte un beso a cambio de un regalo que conservaré toda la vida.

En esta ocasión, la vuelta al seminario, terminadas las vacaciones, resultó excitante. En primer lugar, porque ingresaron una enorme cantidad de chavales —alevines— dispuestos a iniciar el primer curso, lo que, en opinión del rector magnífico, don Vicente, demostraba que el ambiente reinante en España, bajo la égida del Caudillo, «el primer católico de la nación», era caldo favorable para que surgieran vocaciones. En segundo lugar, porque al propio tiempo ingresaron en teología, después de haber convalidado sus estudios, tres abogados y tres licenciados en filosofía y letras, es decir, seis «vocaciones tardías». En tercer lugar, porque se dio como seguro —se confirmó oficialmente— que el próximo año, en mayo de 1952, se celebraría en Barcelona el XXXV Congreso Eucarístico, lo que significaría para la ciudad una «lluvia de beneficios espirituales» —según frase del barbero Raventós, que se mofaba del lucero del alba—, además de un empuje de renovación comparable al que se produjo a raíz de la Exposición que tuvo lugar en el año 1929. Estaba previsto que asistirían, además de un delegado especial del papa, Pío XII, «felizmente reinante», cerca de un centenar de obispos y fieles católicos procedentes del mundo entero, especialmente de Hispanoamérica.

La noticia era, en verdad, fausta. Los arquitectos se apresuraron a trazar los planes de acondicionamiento de los lugares donde iban a desarrollarse las ceremonias multitudinarias, lo que supondría, entre otras muchas remodelaciones, el derribo de diversas barriadas parecidas a la de Somorrostro. El doctor Pros lamentó que no le tocara en suerte el derribo de *su* barriada, a la que había acabado por adoptar como «campo de entrenamiento» o «laboratorio experimental», aunque su consulta particular —de 5 a 9— iba viento en popa, hasta el punto de introducirse con buen pie en la clientela que Victoria denominaba de «alta burguesía».

Desde el primer momento se habló de que tendría efecto, en el estadio de Montjuich, una ordenación sacerdotal masiva —se pretendía que el número de ordenandos llegara al millar—, los cuales se postrarían boca abajo, simultáneamente, sobre el césped del estadio, formando con sus vestidos blancos una simbólica y gigantesca cruz. Ni que decir tiene que dicho estadio se llenaría «hasta la bandera» y que los cánticos de los fieles se confundirían con el toque de las sirenas de los barcos anclados o amarrados en el cercano puerto. Jornada gloriosa que los primitivos cristianos, en las catacumbas, no hubieran podido siquiera soñar.

Los tres mosqueteros tuvimos la misma idea: recibir las órdenes sagradas, alcanzar el sacerdocio precisamente el día en que tuviera lugar tan grande ceremonia. Ello suponía conseguir una *dispensa*, acelerar los estudios de teología para poder coincidir. La gestión resultó más fácil de lo que habíamos supuesto. Hablamos con mosén Salvador Cebriá y con el prefecto, nuevo en la plaza, llamado

Jaime Prieto y encargado directo de la disciplina. El rector asintió, previa consulta con el obispo. «Barcelona tiene que aportar el mayor número posible de ordenandos. Así que, adelante con el proyecto.»

Ello tuvo repercusiones muy concretas sobre nuestras cabezas y nuestra actitud. Todo lo que nos separaba de la ceremonia de Montjuich —faltaba poco más de un año— se nos antojaba un estorbo. Queríamos responder cuanto antes a la llamada del Señor, y aquella nuestra fervorosa reacción valía más que todos los estudios intermedios. ¿Teología pastoral? ¡Tiempo tendríamos para ahondar luego en los libros! ¿Historia eclesiástica? ¡La patrística era un tostonazo —con perdón— y de la vida y milagros de los papas nos enteraríamos un poco más tarde! Lo importante era poder *consagrar*. Éste era el acto sin igual, único e insustituible. El ataque frontal de los monofisitas, partidarios de la tesis según la cual en Cristo sólo había una naturaleza, chocaba contra el misterio inefable de la unión hipostática.

Condición previa, por descontado, era subir un peldaño más en la escalera y ser ordenados *diáconos*. Así se hizo. El día de la Inmaculada Concepción, el 8 de diciembre, con un *Tontorrón* más exultante aún que Héctor y yo mismo, debido a su devoción a la Virgen, el obispo doctor Modrego fue al seminario y nos «ungió» poniendo la mano derecha extendida sobre nuestras cabezas y pronunciando unas palabras en latín, en latín clásico y elegante, que nos quedarían grabadas para siempre, porque conectaban con los controvertidos y denostados exorcismos: «No es nuestra lucha contra la carne y la sangre, sino contra los principados y las potestades; contra los señores de las tinieblas del mundo, contra los espíritus malignos esparcidos por el aire.» «Ningún pasaje del Evangelio tan enigmático como el de los habitantes de Gerasa pidiendo a Cristo que se marchara de su país. Cristo arrojó los demonios del cuerpo de unos pobres infelices, y los espíritus infernales se refugiaron en una piara de cerdos, que se precipitó alocadamente al lago. Entonces, la gente del país, sumisamente, por favor, fue a pedirle que se marchara, ya que de otro modo los arruinaría. Fijaos que no le echan violentamente, indignados, sino que creen en

Él, y con todo le suplican que se vaya, porque prefieren quedarse con los demonios y los cerdos que sin nada pero con Cristo.» «Ésta es la fe muerta, contra la que debemos luchar, y por ello hemos de festejar el Congreso Eucarístico con el alma pura y dispuestos a entregar la vida, si necesario fuere, para escapar de las garras de Satán.»

La ceremonia fue larga, agotadora casi, pero todos los nuevos *diáconos* nos sentimos reconfortados, con un punto de temor. A partir de ese nombramiento adquiríamos nuevos derechos, lo que entrañaba nuevas responsabilidades: bautizar, casar, dar la comunión, administrar la extremaunción, llevar la estola, colaborar en el ofertorio, sostener el copón, despedir a los fieles en el *Ite missa est*, presidir los entierros, etc. En resumen, todos los poderes excepto el de celebrar la santa misa —consagrar—, y perdonar los pecados —confesar—. ¡Perdonar los pecados! Casi me alegré de que este grado sacramental me fuera pospuesto. El compromiso era absoluto y no me sentía preparado para cargar con él. ¡Si viniera a confesarse mi propio padre! (era capaz de ello). ¡O mosén Salvador Cebriá! ¡O Héctor! ¡O *el Tontorrón*! ¡O las monjas del seminario! Raventós, el barbero, que siempre tenía conmigo muchas atenciones, me decía que el mundo interior de las monjas era un misterio tan azorante o más que el que traían consigo los nuevos incorporados —vocaciones tardías—, o que el origen de las fiestas del Carnaval, «prohibidas desde que terminó la guerra».

En cambio, me alegró infinito poder dar la comunión murmurando: «El Cuerpo de Cristo...», por más que un diácono veterano del seminario me hubiera dicho que el *desfile de lenguas* con que los dedos entraban en contacto era un espectáculo turbador. Y más me alegró aún poder bautizar. Pensé que a no tardar —tal vez, por Navidad— podría «estrenarme», recibir la alternativa, en Somorrostro, caso de que el doctor Pros me echara una mano. A Héctor le encantó llevar la estola y poder administrar la extremaunción, dado que estuvo presente cuando la muerte de sus abuelos maternos y advirtió que dicho sacramento los ayudaba a extinguirse en paz. *El Tontorrón* manifestó que lo que a él le iba a gustar en las próximas vacaciones navideñas sería administrar el viático. Recorrer las calles de Berga bajo el paraguas y al lado de un monaguillo que iría tocando la campanilla.

—Cuando ingresé en el seminario todos mis amigos y paisanos se reían de mí. Ahora comprobarán de lo que soy capaz.

Y, naturalmente, lo que fue del agrado común, sin objeciones ni fisuras, fue poder casar, mejor dicho, bendecir el matrimonio de cualquier pareja que hubiera pedido «pasar por la sacristía».

—¿Os dais cuenta...? ¡Hasta que la muerte os separe!

El Tontorrón sonrió.

—Los que yo case no morirán jamás...

El diaconado —la palabra diácono provenía del griego y significaba «ministro» o «sirviente»— modificó mi vida. Eché por la borda mucho lastre dialéctico o apologético y me centré más que nunca en la figura de Cristo. Yo quería ser «ministro» de Cristo, «sirviente» de Cristo. Gracias a Él tenía a Dios en la palma de la mano y sentía como si una lengua de fuego —el Espíritu Santo— se hubiera posado sobre mi cabeza. A más de esto, palabras de Cristo eran, según el Evangelio: «El que tenga sed que venga a mí y que beba, porque quien beba del agua que yo le daré no tendrá sed jamás; sino que el agua que yo le dé se convertirá en él en fuente de agua que brote para la vida eterna.»

En la capilla del seminario teníamos un retablo que representaba a Juan el Bautista bautizando a Jesús en el Jordán. Yo lo que quería era esto: bautizar cuanto antes... Tal y como yo suponía, el doctor Pros me ayudó. No podía ser menos. Ambos formábamos un tándem perfecto, lo cual hacía feliz a Victoria. El doctor Pros cultivaba un ateísmo que él mismo calificaba de «neutro», adjetivo aprendido durante su estancia en Suiza. No era militante. No acusaba a nadie, no era un anti-Dios. «A veces te envidio, querido Anselmo... Primero, porque rebosas salud. Segundo, porque tienes fe en la vida eterna.» Al doctor Pros le ocurría lo mismo que a Victoria: le impresionaba que desde el principio de los tiempos los hombres en la tierra hubieran sentido la necesidad de creer en un Ser superior. Parodiando a Victoria decía:

—Sí, resulta un latazo suponer que tantos millones de seres humanos han vivido en el error. Ni siquiera puedo esgrimir *mis* cadáveres, que se descomponen y se pudren, porque los hindúes y los budistas creen en la reencarnación y en la transmigración.

—Déjate de monsergas y organiza en Somorrostro, para el día de San Esteban, un par de bautizos para mí. Tú y Victoria podríais oficiar de padrinos y ocuparos de los regalos a los neófitos...

Fue coser y cantar. El día de San Esteban, al mediodía —había pasado un año desde que oímos villancicos en la iglesia de las Ramblas y de nuestro primer diálogo en el café La Aurora—, Victoria y yo nos personamos en Somorrostro, donde el doctor Pros nos estaba aguardando. Victoria llevaba para los padres de los catecúmenos varios presentes —espejos, peines, media docena de pastillas de jabón—, y estaba visiblemente emocionada.

—Nunca he apadrinado a nadie. ¿Qué obligaciones contraigo...?

—Pues ni más ni menos que educar a tus ahijados, si ello no te parece el Everest, en el seno de la Iglesia católica, apostólica y romana...

Victoria, que había elegido un abrigo gris, muy discreto —el frío era intenso—, se echó a reír.

—Ya me darás la receta... —repuso—. Desde que estudio filología, el origen y el significado exacto de las palabras que tu padre y tú empleáis, cada día me parecen más oscuros. ¿Qué significan «pecado», «espíritu», «salvación»?

—Anda, Victoria... Déjame en paz, o sea, vete al carajo.

Y yo también me eché a reír.

Los dos bautizos tendrían lugar en el despacho-consulta del doctor Pros, chabola cubierta con uralita. Los catecúmenos que había elegido eran dos bebés gitanos que el propio doctor había sacado, hacía apenas una semana, del vientre de sus madres. Dicha elección no fue por azar. El padre de uno de ellos era *el Grifo*, porque ejercía de fontanero del barrio; el otro era *el Mosquito*, porque era pequeñajo y enclenque y tenía la costumbre de pellizcar a las mujeres. Uno y otro eran amigos del doctor Pros, le defendían a rajatabla y habían conjurado varios intentos de rebelión contra él, o contra el sistema de la Seguridad Social.

—Os estábamos esperando... —dijo el doctor, presentándonos al *Grifo* y al *Mosquito*, que lucían gorras a cuadros, ladeadas y estupendos pañuelos blancos de seda en el cuello.

Las madres iban de negro y lucían peineta y mantilla. En torno a ellos, numerosa concurrencia del barrio, atraída por la curiosidad, y a menos de quinientos metros, sobre una loma, una pareja de la Guardia Civil.

La ceremonia fue breve; mi introspección, larga y extensa como toda la carrera en el seminario. Instruidos los padrinos sobre sus obligaciones litúrgicas —sostener a los bebés, mantener encendidos los cirios—, yo procedí a los exorcismos de rigor, no sólo aplicando la sal y el agua sino pronunciando aquellas terribles palabras: «Satanás, sal de este cuerpo inmundo y cede el puesto al Santo Espíritu Consolador. Yo te exorcizo, espíritu inmundo, en el nombre del Padre, del Hijo y del Espíritu Santo, para que te salgas y apartes de este siervo de Dios Nuestro Señor; pues te lo manda, maldito condenado, aquel mismo que anduvo sobre el mar y dio la mano derecha a Pedro, que se sumergía.» Los nombres elegidos eran Jaime —como el doctor— ¡y Anselmo! El detalle o gesto de los padres gitanos me conmovió, lo que me llevó a dedicarles palabras de aliento en medio de las duras circunstancias que, sobre todo en invierno —el cielo estaba encapotado, como amenazando nieve—, tenían que soportar. Luego ofrecí sendas cajas de puros a los varones y Victoria entregó también sus presentes a las mujeres, mientras el doctor Pros atiborraba a unos y a otros de pasteles y botellas de champán.

—Gracias, muchas gracias —repitieron *el Grifo* y *el Mosquito*.

Las mujeres, que no me habían quitado ojo, por lo visto estaban asombradas de que en todo momento las hubiese tratado como a señoras, y dieron con una fórmula mágica para expresar su gratitud: un pote lleno de jalea real, elixir que, a su juicio, era el que las mantenía vivas y de pie. No se cansaban de pedir a Dios que favoreciera todos mis deseos.

—Sois payos, como esos guardias civiles que están allá arriba y que nos tratan como si fuésemos apestadas. ¡Josú...! Id con Dios y que Él os proteja.

Los chavales, para los que hubo caramelos y globos de colores —obsequio de las dos familias— fueron los últimos en marcharse. Les llamó la atención que yo me quitara, con extrema lentitud, el cíngulo, el alba, la sobrepelliz y la estola, y que mis ojos estuvieran al borde de las lágrimas. Por fin se dispersaron también, haciendo sonar al paso las chapas de los barracones y dándole a una pelota amarilla que surgió de no se sabía dónde.

Al quedar solos Victoria, el doctor Pros y yo se produjo un inesperado y largo silencio. Efectivamente, yo estaba conmovido y lo único que se me ocurría era contemplarme las manos. Esas manos huesudas, idénticas a las de mi madre —muy visibles las venillas azules—, que habían iniciado ya su ministerio ofreciéndole al Señor, a Cristo, dos fieles más.

—Es un milagro, ¿verdad? —dije, de pronto—. Vosotros sois también, en cierta medida, mis padrinos... Prometo que nunca estas manos os desmentirán.

Esperaba de Victoria y del doctor Pros una salutación entusiasta, casi, casi un aplauso. Nada de eso... Ambos seguían sin decir esta boca es mía, dedicándose el doctor a encender un fogón de gas y a calentar en él una cafetera, preparando a los efectos tres tazas grandes.

—¡Hum, qué bien huele! —exclamé, aterido de frío.

Y a través de la puerta vi cómo los gitanos de los chamizos vecinos encendían en la calle tentadoras hogueras.

Tomé asiento, también Victoria, mientras el doctor Pros llenaba los tazones, poniendo a nuestro alcance el azucarero. Y ahí estalló la tempestad. Apenas me dio tiempo a preguntarles:

—¿Qué ocurre? ¿Qué mosca os ha picado?

Entonces el doctor Pros tomó la palabra y, con la evidente aquiescencia de Victoria, soltó una parrafada que no me dañó, porque en aquellos momentos no podía dañarme nada, pero sí que me aguó la fiesta y me entristeció sobremanera.

Se trataba de los textos leídos por mí, enfáticamente además, y que era de suponer que los habría redactado algún reprimido cardenal del Concilio de Trento. «Satanás, sal de este cuerpo inmundo...» ¿Eran inmundas aquellas dos inocentes criaturas? «Yo te exorcizo, espíritu inmundo, y cede el puesto al Santo Espíritu Consolador...» ¿Cómo era posible que, a mediados del siglo XX, se usara semejante lenguaje? O estábamos obnubilados, o nos quemaba la pasión, o éramos unos locos redomados.

—Ahora comprendo por qué a veces me siento incómodo conmigo mismo... A mí también me bautizaron, seguro que con idénticas palabras, y al parecer una parte de Satanás, los cuernos o el rabo, se ocultó dentro de mí y desde entonces asoma de vez en cuando su orejita.

El doctor Pros continuó con su diatriba, tomándose de vez en cuando un sorbo de café, mientras Victoria, a quien la taza le temblaba en la mano, asentía con la cabeza, como hipnotizada por el discurso del doctor. El vapalo duró hasta que yo, repentinamente indignado, me levanté del taburete y grité:

—¡Basta ya!

Lo que originó un silencio tenso, gracias al cual se hizo audible el súbito repiqueteo de la lluvia sobre el tejado de uralita.

A la vista del alba y de la estola mis nervios se calmaron y conseguí el autocontrol necesario para replicar pausadamente, hablando con voz tranquila y suave. Volví a sentarme. Me tomé el último sorbo de la taza. ¿Dónde estaban mis condiciones de líder? Era mi primer enfrentamiento «oficial» con las almas que ignoraban la infinita misericordia de Dios. Era obligación mía dar testimonio de ello.

—Me sorprende que hayáis escogido precisamente mi primer acto ministerial para salpicar con vuestras palabras mis ornamentos sagrados... Pero, en fin, me hago cargo de vuestro asombro, aunque lamento que me organizarais este bautizo sin saber que en él iba implícito el exorcismo. Bautizo significa lavatorio, ablución o inmersión en el agua... Agua mediante la cual quedamos limpios del pecado de Adán, del pecado original y renacemos en Jesucristo, quien fue el primero en darnos ejemplo precisamente en el Jordán. Naturalmente, es inútil hablar de ese modo a quien, pese a mirar en torno, no ve con sus propios ojos la presencia del Maligno. Yo creo en la existencia de Satán y en sus atributos para poseernos, no sólo porque así me lo ha enseñado la Madre Iglesia, sino porque veo por doquier que el mal campa por sus respetos. No son cuentos de brujas, ni resaca de algún cardenal reprimido del Concilio de Trento, sino algo casi palpable que yo mismo experimento con frecuencia en lo más profundo de mi ser. Si vosotros no experimentáis esa sensación, la sensación de que el Maligno cohabita con vosotros y que forma parte activa de vuestra existencia de cada día, os felicito. Pero no creo que esto sea así, y, por tanto, si rechazáis la doctrina de la rebelión de Lucifer, deberéis inventar otra doctrina, el origen del Mal, más inverosímil todavía. Comprendo que produzca un fuerte choque oír tratar de cuerpo inmundo a dos bebés gitanos que acaban de llegar a este mundo. Pero la Iglesia se atiene en esto a la expresión de san Juan sobre la necesidad del bautismo. «El que no renaciera de agua y Espíritu Santo, no podrá entrar en el reino de los cielos.» —Tomé un respiro y continué—: Imagino que lo que acabo de decir, «no podrá entrar en el reino de los cielos», os escandalizará todavía más... Bien, sólo puedo replicaros que, aparte de que existe el bautismo de deseo, mediante el cual toda salvación es posible, existe también el limbo, que es el lugar aparte, donde no se sufre, si bien a los que moren en él no les será posible ver el rostro de Dios. ¡Dios! El único nombre que debería escribirse con mayúscula, que es infinitamente bueno y misericordioso, que a veces nos lanza contra la pared o nos adentra en un túnel para que reaccionemos como reaccioné yo al levantarme del taburete y gritar: «¡Basta ya!»

Esta vez pronuncié «basta ya» en tono dulce y apaciguador. Y logré sonreír. Además, el doctor Pros y Victoria eran personas civilizadas. Se dieron cuenta de que me habían herido en lo más hondo e hicieron marcha atrás. No pronunciaron una sílaba, y durante un minuto, que pareció eterno, oímos cómo la lluvia arreciaba cada vez con mayor violencia sobre el tejado de uralita.

Por fin el doctor Pros, mirándome sin encono, aunque

un poco paternalmente, rompió el silencio y me preguntó si me apetecía otra taza de café.

Acepté sin remilgos. Truenos y relámpagos bombardeaban el barrio, las fogatas de los gitanos se habían apagado, la tierra encharcada se tragó de un bocado a los chicuelos y arrapiezos que jugaban a la pelota. Victoria, eficazmente decidida a conseguir la distensión, abrió el bote de jalea real con que nos habían obsequiado y se tomó una cucharadita de tan secreto elixir. «¡Hum...!», exclamó. Se sucedieron las interjecciones. El fogón del gas cobró suma importancia en aquel despacho-consulta de mala vida y peor muerte. Y por fin las tres tazas de café humeante dieron jaque mate a la controversia, a la disputa, y consiguieron que los tres nos miráramos como si todo aquello hubiera ocurrido en tiempos pretéritos.

De vuelta a casa, Victoria se dedicó a tocar el acordeón —envidiaba que yo supiera tocar el piano—, y sin prisas fui contando a mi padre lo ocurrido. Sentía la necesidad de desahogarme con alguien y nadie mejor que él para comprenderme.

—¿Pues qué te creías, hijo? La neutralidad en el ateísmo no existe. El ateísmo es siempre militante. Tu madre, agnóstica, se hubiera zampado lo de Satanás como quien se zampa un helado...

Mi padre tenía razón. Por lo demás, Jesús ya nos había prevenido: «los elegidos sufriríamos y seríamos perseguidos por su causa». Me encerré en mi cuarto y me hinqué de rodillas ante el crucifijo. Le ofrecí aquel mi primer bautizo y aquella mi primera batalla en la que luché por su nombre. Entonces me acordé de unas palabras de mi madre: «Los seminaristas vivís como en una concha. Todo en vosotros es teórico, desconexión de la vida real. Deberíais salir más y entrar en contacto con la realidad.» Suscribí tales palabras. Volví a mirar la estola y el alba, que había depositado sobre la cama. Pensé que, en adelante, ocasión tendría de recuperar el tiempo perdido. «Y no digamos cuando alcance el sacerdocio y me vaya a Somorrostro a levantar una iglesia, dado que ésta es mi intención.» Intención que sólo había comunicado a mosén

Salvador Cebriá, quien, por cierto, al oírme ladeó dubitativamente la cabeza. «No sé qué decirte —comentó—. Por un lado, tu deseo es evangélico: acercarse a los humildes sin obligarlos antes a enseñar el carnet... Por otro lado, temo que te llevarás un desengaño y que al cabo de un tiempo aquel campo de acción te parecerá estrecho y caerás, como tantos otros, en la relajación o en la rutina.»

Victoria seguía con su acordeón y, de pronto, su fanfarria me distrajo. Yo había supuesto que al llegar a casa la muchacha tendría para mí unas palabras de aliento; o que, para distraerme más aún, me daría a probar una cucharadita de jalea real. No fue así y de nuevo comprobé que en el alma de Victoria persistían unas zonas de frialdad. ¿Y el doctor Pros? ¿Qué sería de aquella pareja? No daban la impresión de mirarse con éxtasis amoroso. Se llevaban de maravilla, eran buenos camaradas, pero yo no conseguía atisbar nada más. Un detalle a favor del doctor: estaba aprendiendo el lenguaje gesticular de los sordomudos, porque, según él, en Barcelona no existía ningún médico especializado en esta dolencia. Sin embargo, tratándose de aquel hombre de gafas de sabio y aire cosmopolita, jamás acertaría yo a saber si su decisión formaba parte del juramento hipocrático o si le serviría de reclamo para atraerse más aún la clientela de élite que acudía por las tardes a su consulta particular.

La víspera de Reyes —faltaban dos días para mi reincorporación al seminario— tuvo lugar un acontecimiento que, desde cualquier punto de vista, era la antítesis del bautizo en Somorrostro. Una boda. El doctor Camprubí tenía una sobrina, Julia de nombre, que iba a casarse con un banquero. Los contrayentes habían firmado ya en el registro civil y sólo faltaba la ceremonia religiosa mediante la cual se comprometerían ante Dios y recibirían las gracias inherentes al sacramento.

El doctor Camprubí, teniendo a mano la lista completa de los sacerdotes de Barcelona, me eligió a mí, lo cual me halagó sobremanera. La boda se celebraría al mediodía y los asistentes al acto, que luego se remataría con un suculento almuerzo en el hotel Ritz, sumarían unos doscientos. Claro, claro, era la época de los contrastes, del arriba y el abajo. Era la época del *Grifo* y *el Mosquito* por un lado, y por el otro la de los privilegiados que amasaban fortunas siguiendo la línea de mi añorado tío Dionisio.

La iglesia sería la de Pompeya, que estaba de moda entre la alta burguesía. De celebrar la misa se encargaría el padre capuchino Rogelio Mascort, correspondiéndome a mí el «unir a los esposos», el bendecir tal unión y pronunciar la homilía de rigor.

Esta última responsabilidad —doscientas personas expectantes—, al pronto me aturulló. Pero finalmente tiré por la borda los temores y me di cuenta de que era perfectamente capaz de dar el do de pecho. En el seminario nadie leía las Epístolas como yo, y nadie como yo había predicado desde el púlpito el sermón del último Viernes Santo. Me preparé a conciencia, incluso en lo concerniente a la impostación de la voz. Mis padres se mostraban orgullosos ante semejante acontecimiento, al que pensaban asistir.

—Alguna cita en latín no sonaría mal —me recomendó mi padre, dándome un par de golpecitos en la espalda.

Por su parte, mi madre agregó:

—Ya que has elegido este camino, por lo menos que tu nombre, Anselmo Romeu, sea conocido por el todo Barcelona.

Altar espléndido, ricamente iluminado, con ramos de flores por todos lados. En la sacristía, el padre Rogelio Mascort me miró de pies a cabeza y dictaminó:

—Eres muy joven.

—Cada día lo seré menos —repliqué.

Y el hombre, que exhibía una tonsura de enorme tamaño, esbozó una sonrisa impregnada de recelo.

A la una menos cuarto el templo estaba ya a rebosar, con el novio, un tanto nervioso, esperando en el presbiterio. Ningún gitano entre la concurrencia, era de suponer. Abrigos de pieles y alta joyería. Y chaqués. Y de pronto, a la hora en punto, sonó el órgano y entró la novia, Julia Camprubí, al compás de la *Marcha nupcial*. En cuanto el padre Rogelio y yo salimos al altar advertí la presencia, en primera fila, del doctor Camprubí, el cual me hizo un guiño amistoso. En cambio, no conseguí localizar a mis padres, los cuales, sin duda por discreción, se habrían quedado en las últimas filas.

Éxito total. Los novios, sonrientes todo el rato, con sólo un ligero titubeo al intercambiarse los anillos, y mi homilía, al decir de los asistentes, «marcaría una época». Porque yo tenía un concepto muy personal del matrimonio. Sí, de acuerdo, podía compararse al amor existente entre Cristo y su Iglesia. Y sin duda su finalidad primera y última debía ser la procreación. Y la lucha de los cónyuges por la vida y la educación de los hijos tendría sus momentos bajos. Y las enfermedades, el choque temperamental y demás contratiempos traerían consigo sorbos amargos. Todo ello era cierto. Pero la mayoría de los sacerdotes se pasaban de rosca. Sus homilías solían basarse en tales aspectos negativos, resumiéndolos por medio de la conocida afirmación de que «el matrimonio era una cruz, una cruz tan grande que se necesitaban dos para llevarla». ¡No, y mil veces no! Mi homilía se centró en la magia del amor mutuo, de la comprensión, en la felicidad que el amor procuraba a los cónyuges lo mismo en el plano espiritual que en el plano de la impetuosa naturaleza. En el plano espiritual, el ejemplo recíproco, la ofrenda de dicho amor a Aquel que al crear la vida dijo: «No es bueno que el hombre esté solo...»; en el plano físico, la legítima satisfacción de la concupiscencia, sin la cual no se operaría la sucesión de las generaciones, ¡y no habría siquiera sacerdotes!

Mi alegato en favor del matrimonio, siempre y cuando no existiesen impedimentos dirimentes como la impotencia, disparidad de culto, voto solemne, rapto, crimen, consanguinidad, etc., invadió como una oleada de aire fresco la iglesia de Pompeya. Cuando repetí lo de «No es bueno que el hombre esté solo» hubiera podido oírse el vuelo de una mosca. Los novios sonrieron, el doctor Camprubí, en primer fila, parecía exultante y yo imaginaba que, a mis espaldas, el padre Rogelio estaría echando chispas. Nada me arredró. Por supuesto, no olvidé dedicar un canto de homenaje a la virginidad voluntariamente aceptada, pero recordé a los oyentes que Cristo sancionó el matrimonio y lo elevó al grado de sacramento en las bodas de Caná.

No hubo aplausos, por encontrarnos en el templo sagrado; pero al terminar la locución pude captar el contento e incluso la gratitud general. ¡Oh, sí, el deseo de mi madre se vería cumplido! Correría la voz por toda la ciudad. Sin duda el rector del seminario y el prefecto recibirían el pertinente informe. ¿Cuál sería su reacción? Incógnita. Reprimenda o plácemes, pronto saldría de dudas. Tan pronto, que nada más terminar la ceremonia obtuve un adelanto: el organista había sido ni más ni menos que el propio mosén Salvador Cebriá, quien acudió a la sacristía, mientras firmaban los contrayentes y luego los testigos, y me dio un abrazo en virtud del cual holgaban las palabras.

Mi dicha era completa, pese a las miradas enconadas del padre Rogelio, quien a buen seguro consideraba que mi «tesis» había sido casi sacrílega o, por lo menos, motivo de «prevaricación» y «escándalo». Tocante a los asistentes, muchos se me acercaron a besarme la mano y algunas madres con abrigo de visón me preguntaron dónde tenía yo el confesonario. Por fin apareció en la sacristía el doctor Camprubí, en unión de mis padres, quienes no pudieron evitar que se les saltaran las lágrimas.

Otra cosa muy distinta fue el almuerzo en el Ritz, al que no me negué a asistir recordando que Jesús jamás rechazó la invitación de los ricos, ni posar en casa de ellos. Sin embargo, el bautizo «gitano» en Somorrostro me había marcado de forma indeleble, y ante aquel despilfarro de lujo y alimentos, la tarta de los novios, de la «feliz pareja», casi se me atragantó. Por si fuera poco, los fotógrafos, que ya en Pompeya me deslumbraron con sus flashes, en el Ritz me dedicaron especial atención, lo que equivalía a decir que quedaría constancia gráfica de mi participación en aquel acto provocador.

Todo terminó con un brindis. «¡Vivan los novios!», los cuales, después de recorrer una por una las mesas de los invitados, se escabulleron, cogidos de la mano, e iniciaron un viaje que, según el doctor Camprubí, los llevaría primero a Venecia y Florencia y luego a Estados Unidos, donde el «novio banquero» tenía previstas varias sesiones de trabajo.

Por supuesto, me acordé todo el rato de Héctor y del

Tontorrón. ¿Qué estarían haciendo? ¿En qué habrían empleado sus vacaciones? ¡Lástima que no estuvieran presentes en Pompeya! Héctor no se habría apartado de los libros —su intención era, una vez ordenado sacerdote, irse a Roma a licenciarse en derecho canónigo—, y *el Tontorrón* se habría dedicado a charlar y charlar con su familia y con los campesinos, a rezarle a la Virgen, a piropearla, y a meditar sobre cuál sería su futuro una vez finalizado el Congreso Eucarístico y el obispo Modrego nos hubiera impuesto sus manos en el estadio de Montjuich. «Yo me iré a donde la jerarquía me mande. En cualquier parte seré feliz.»

CAPÍTULO X

POR FIN SE COMUNICÓ OFICIALMENTE que el XXXV Congreso Eucarístico se celebraría en Barcelona, del 27 de mayo al 1 de junio de 1952 y que la patrona de tal acontecimiento sería la *Moreneta*, la Virgen de Montserrat. El entusiasmo del doctor Modrego, obispo de la diócesis, se contagió a la población entera, y naturalmente a la muy numerosa comunidad eclesial: sacerdotes, monjes, monjas, seminaristas, ¡y diáconos! El doctor Camprubí y mi padre afirmaron que la elección de Barcelona había sido un acierto, porque la estrecha unión existente entre el Estado y la Iglesia garantizaban que no se escamotearían esfuerzos ni recursos para que el congreso fuera el más brillante y espectacular de cuantos se habían celebrado en el mundo hasta la fecha. Cataluña había dado siempre muestras de su capacidad organizativa, de su laboriosidad. El mejor testimonio de ello era el éxito sin precedentes de la Exposición Universal del año 1929, que permitió a la Ciudad Condal y a toda la región dar un gigantesco paso adelante.

El reto, por supuesto, era de aúpa. Las radios hablaban de que asistirían al congreso algo así como millón y medio de personas procedentes de las naciones más lejanas —la India, Australia, Canadá, Mozambique, etc.—, y que sería preciso alojarlos a todos como era debido. Los arquitectos apenas si darían abasto levantando en menos de cinco meses monumentos tales como una cruz de noventa toneladas en lo alto del Tibidabo, un arco triunfal en la Puerta de la Paz, en el mismísimo puerto, al que llegarían varios transatlánticos, la edificación de la plaza de

Pío XII, cerca de Pedralbes, el derribo de barracas —por desgracia, Somorrostro no figuraba en el programa—, cuyos solares serían utilizados más tarde para levantar en ellos las llamadas Viviendas del Congreso. El doctor Modrego hizo especial hincapié en que los frutos del evento debían ser, naturalmente, espirituales, pero que debían proyectarse también en el ámbito de las mejoras que reclamaba la sociedad. «No sólo de la Eucaristía vive el hombre; también necesita un techo y un mínimo asegurado para el sustento de la familia.»

La casualidad quiso que la organización del congreso repercutiera directamente en el seminario —al que me reincorporé, lo mismo que Héctor y *el Tontorrón*, el 7 de enero—, donde se instalarían inmediatamente varias oficinas destinadas a trámites burocráticos, con una estancia a la perpetua disposición del propio doctor Modrego. De allí saldrían muchas consignas y eslóganes, libros, sellos, folletos especiales para la juventud, para los niños —los niños serían la ofrenda virginal del congreso—, y las incontables insignias de «congresistas», con sus correspondientes aportaciones en metálico. *El Tontorrón* criticó que hubiera «congresistas de honor», no por haberse destacado por su singular devoción, sino por haber aportado la suma de quinientas mil pesetas.

Don Vicente, el rector del seminario, en vista de las circunstancias, dio luz verde para que los diáconos fuéramos ordenados sacerdotes el 31 de mayo —saltándonos a la torera cualquier examen o impedimento similar—, habida cuenta de que nos necesitarían para labores muy concretas. Dicha ordenación sería masiva, con un millar aproximadamente de diáconos venidos de muy lejos, y tendría como escenario el estadio de Montjuich, todos postrados boca abajo sobre el césped verde y con una asistencia prevista de cien mil personas. Mi madre me dio un alegrón. «¡Claro que asistiré, hijo! ¡Pues no faltaba más! Ése es el camino que has elegido y hace tiempo que renuncié a que desistieras de llevar sotana y tonsura. Lo único que te pido es que no te vayas a misiones...»

A cada seminarista le fue asignado un trabajo específico. Héctor dispondría, en un rincón de la sala donde se exhibían el diplodocus y otros esqueletos, de una mesa, varios teléfonos y la responsabilidad de toda la correspondencia en latín. Héctor dominaba el latín como un senador romano y de los versos de san Juan de la Cruz había pasado a los de Petrarca y similares. *El Tontorrón*, en su papel de ayudante de mosén Salvador Cebriá, se ocuparía de controlar la disposición de altavoces —mil cuatrocientos en total, repartidos por las calles de la ciudad, hoteles y buques—, y también de enlace entre las oficinas de Prensa y Radio, que se instalarían en el edificio del Banco Español de Crédito. «Claro, claro, los bancos aportarán una cuantiosa suma.» Tocante a mi modesta persona, fui elegido para recorrer las principales parroquias de la capital y poblaciones importantes de la periferia, con objeto de mantener el fuego sagrado del entusiasmo eucarístico entre los sacerdotes. Ingrata tarea para quien era tan sólo un diácono. Me di cuenta de ello apenas empecé a actuar, precisamente en la iglesia de San Pedro Oriol. El párroco, ventrudo como el vicerrector *Bon Vivant*, me espetó a bocajarro: «¿Es que vas a enseñarme lo que tengo que hacer? Vuelve cuando seas obispo y entonces me das las instrucciones que te parezcan...» Por fortuna, no todos los presbíteros reaccionaron así. Los hubo que me escucharon con mucha atención, puesto que de lo que se trataba era de organizar catequesis, cursillos, ensayos y de unificar tales esfuerzos con los del Frente de Juventudes. Naturalmente, la Falange quería participar, en especial la Sección Femenina, la cual había ofrecido sus Coros y Danzas, además de sus conocimientos de cocina para los congresistas que llegaran sin tener reserva en ningún hotel, y en previsión de que los restaurantes no dieran abasto.

El seminario se convirtió en un torbellino. Las costumbres apenas si cambiaron para los «novicios» y para los «filósofos»; pero para los «teólogos» apenas si existía otra cosa que el congreso. Los «novicios» vieron rebajadas sus horas de clase, por lo que daban gracias anticipadas al Señor. Sin embargo, el prefecto manifestó de pronto tal temor a la sexualidad que prohibió que los muchachos se pusieran las manos en los bolsillos o montaran en bicicleta. «Se acabaron los juegos en que se establece un contacto físico...» En consecuencia, se acabó el fútbol y se impusieron el frontón —el frontón, que tanto sedujo a Victoria a raíz de su llegada a la ciudad—, y al mismo tiempo el ping-pong (Héctor seguía siendo el as), la gimnasia y los juegos de salón (yo continuaba siendo el campeón de ajedrez). «Por algo —explicó el prefecto— las partes impuras de vuestro cuerpo son llamadas *las vergüenzas*, calificativo que no es aplicable a la cabeza, a los pulmones, a las rodillas o a los pies.» Los alumnos primerizos sentían un respeto profundo por los ya tonsurados, hasta el punto de que no nos resultaba fácil evitar que nos besaran la mano. El rector magnífico, don Vicente, que se paseaba eufórico por entre los enviados del Palacio Episcopal, tuvo que llamar al orden a los «novicios» y lo hizo mediante una homilía que le salió redonda y que podía compararse, con perdón, a la mía en Pompeya. Empezó por una cita de san Juan: «No me habéis elegido vosotros a mí, sino que yo os elegí a vosotros, y os he destinado para que vayáis y deis fruto, y vuestro fruto permanezca.» Y terminó haciéndoles recitar el famoso himno a la Virgen:

Bendita sea tu pureza
y eternamente lo sea,
pues todo un Dios se recrea
en tan graciosa belleza.
A ti, celestial princesa,
Virgen Sagrada María,
te ofrezco desde este día
alma, vida y corazón.
Mírame con compasión,
no me dejes, Madre mía.

El Tontorrón, que había canturreado este himno centenares de veces, en cuanto podía unía su voz —su vozarrón— a las de aquel coro infantil e incluso se atrevía, si la disonancia era excesiva, a marcarles el compás. *El Tontorrón* había regresado de aquellas vacaciones navideñas con alguna idea nueva. «Naturalmente —nos confesó a Héctor y a mí—, cuando sea ya sacerdote, tal y como os dije, me iré a donde la jerarquía me mande; pero, si puedo elegir, elegiré ser el cura de algún ambulatorio u hospital. Cada día me siento más cerca de los que sufren, de los enfermos y no digamos de los moribundos. Recorreré celda por celda para hablarles del Señor. Y si no acceden a ello, pediré que me destinen a la Cárcel Modelo o a algún otro centro penitenciario.»

Esto último lo dijo porque mosén Salvador Cebriá, con el rostro exultante de satisfacción, nos anunció que, casi con toda seguridad, con motivo del congreso Su Excelencia el jefe del Estado iba a conceder el indulto a diez mil presos de la guerra civil, algunos de ellos condenados a muerte. «¡Diez mil presos! ¿Os dais cuenta? ¿No llamaríais a esto un gesto de buena voluntad?» Héctor, por descontado, en homenaje a su padre, el coronel, y a sus propias ideas, dijo que sí; en cambio, a mí se me revolvieron las tripas. Trece años después de la contienda fratricida, todavía el general Franco podía permitirse el lujo de indultar a diez mil presos. ¿Cuántos quedarían, pues, en las cárceles? ¿Veinte mil? ¿Treinta mil? ¿Gesto de buena voluntad? Aquello no era más que una finta propagandística, sobre todo con respecto a las autoridades y jerarquías extranjeras... Me callé. Me abstuve de pronunciar una sílaba. Sólo me desahogué con Joaquín Valls, el diácono ciego que fue durante años el primero de la clase, quien, a lo largo del congreso, se dedicaría a una importante y delicada tarea: las «traducciones simultáneas», con la ayuda del micrófono y los auriculares. Joaquín Valls me dijo: «Esta cohabitación Iglesia-Estado me duele profundamente, y de ella no puede esperarse nada bueno para las generaciones venideras.»

Y el caso es que los días iban pasando —ninguno de los «teólogos» estudiábamos ni jota, excepción hecha de la liturgia, indispensable antes, durante y después de la ordenación—, y cada vez la connivencia Iglesia-Estado se hacía más patente, sin que ningún obispo dijera ni oste ni moste. No sólo el Gobierno se volcaría en el aspecto financiero; no sólo los escolares de toda España al saludar deberían agregar la jaculatoria: «Alabado sea el Santísimo Sacramento», etc., sino que estaba previsto que llegaría a Barcelona, por mar, el mismísimo Caudillo —acompañado de su «egregia» esposa—, a quien se le tributaría sin duda un grandioso recibimiento y quien ofrecería España entera al Sagrado Corazón, bajo la bendición del legado del papa, cuyo nombre se ignoraba aún.

La letra del himno oficial del congreso fue encomendada al poeta José María Pemán, la música a Luis de Aramburu, maestro de capilla de San Miguel, de Vitoria, y el consabido pregón correría a cargo de Federico García Sanchiz, conocido por «el mago de la palabra» y por pasarse media vida «españoleando» por Hispanoamérica.

Mercedes, nuestra portera, quería colaborar en el congreso y se ofreció voluntariamente para, llegados los días «santos», ir a barrer las iglesias del barrio, regar las aceras o ayudar a las monjas, que se encargarían de la cocina para los congresistas que llegaran sin dinero. Rocío no quería quedarse atrás, y a través del grupo folklórico que se organizó en la Casa de Andalucía bailaría encabezando una sesión de sevillanas. Rocío jugaba la carta de las adivinanzas.

—Después del congreso os daré la gran sorpresa.

¿Cuál podía ser? Mi madre acertó:

—Se casará con su novio, Evaristo, y te pedirá a ti que seas el celebrante.

Rocío terminó por asentir, no sin antes mojarse los labios con la lengua y enviarme una mirada preñada de recuerdos.

También en Mas Carbó, según versión de Mercedes, llegaron los ecos del congreso. El párroco de Arenys de Munt, que nunca se había tomado la molestia de visitar a Fermín y a Dolores, en esa ocasión trepó a pie la empinada cuesta llevando consigo pegatinas, banderines, ¡llaveros! y demás *souvenirs*. «Anselmo me ha hablado de vosotros y pensé que querríais colaborar. Lo principal es la insignia de congresista, llevarla en la solapa o en cualquier sitio visible. Y se admite la voluntad.» Fermín se rascó la cabeza y le cambió la insignia y un llavero por doscientas pesetas, cantidad exacta que la víspera había ganado en el Café Español. El molino chirrió, *Tritón* se puso a ladrar, las gallinas cacarearon y el viejo Tomeu, que gracias a la radio estaba enterado del magno acontecimiento, quiso hacer también acto de presencia y sacó de su misteriosa chistera cinco duros de plata de antes de la guerra. «Aunque el mosén no se lo crea, desde que murió mi madre, pronto se cumplirán cincuenta años, nunca he dejado de rezarle un padrenuestro al aire libre, cuando hay luna llena.»

Fermín se enteró de que muchos empresarios concederían paga doble a sus obreros. Le picó el amor propio y decidió ofrecer otro tanto a los jornaleros que, dispersos por la campiña, trabajaban para él. Y además, y cumpliendo una promesa que desde tiempo inmemorial había hecho a su mujer, subió con ella, en su robusta camioneta de reparto, al monasterio de Montserrat. «¿Qué mosca te ha picado? —le preguntó Dolores—. Has sentido cosquillas no sé dónde ni por qué.» Ni siquiera el propio Fermín acertó a explicárselo, pero algo extraño sintió en sus adentros. Y lo mismo le ocurrió en Montserrat. Sabía ya que la *Moreneta* era la patrona del Congreso, y pensó que ello le movería a risa. «¡La Virgen morena! Como si se hubiera tostado al sol en verano en Arenys de Mar.» No obstante, he aquí que al entrar despacio en la basílica, ésta rodeada de montañas mucho más fascinantes que los Tres Turons, y toparse con toda la comunidad de monjes benedictinos —hábito marrón y capucha— alineados en semicírculo en torno al altar, se le hizo un nudo en la garganta. Sobre todo al escuchar canto gregoriano, y en el momento de la consagración, Fermín se sintió incómodo consigo mismo. La basílica estaba casi a tope —era domingo—, y todo el mundo iba subiendo en fila india por la escalera que conducía al camerino de la Virgen, a la que besaban, al tiempo que besaban también el pie del Niño Jesús, que permanecía sentado en las rodillas de su Madre. Fermín y Dolores se unieron a la cola, por inercia y porque les parecía que todo el mundo estaba pendiente de su conducta. En la basílica les habían llamado la atención las lámparas votivas; subiendo al camerino, admiraron las vitrinas que flanqueaban la escalera, repletas de banderines y pendones de toda Cataluña, copas ofrendadas por deportistas, recuerdos familiares de oro y plata, objetos tan extraños como un mechero o una pluma estilográfica.

Cuando les tocó el turno de besar la imagen de la Ma-

Lo que Fermín y Dolores piden a Montserrat

dre y el Hijo, vacilaron un momento. A Fermín le dio reparo, asco inclusive, que nadie, ningún monaguillo, cuidara de limpiar después de cada beso el pie del Niño Jesús; pero hizo de tripas corazón, al igual que Dolores. Luego bajaron por el lado opuesto y se encontraron con una impresionante muestra de exvotos —curaciones, gracias obtenidas, vestidos de novia e incluso un par de muletas—, y, siguiendo la tradición, adquirieron un cirio de color rojo y lo incrustaron junto a los demás. Lo singular fue que no se les ocurría qué cosa podían pedir.

—¿Qué opinas, Dolores? ¿Te hace falta algo? ¿Nos falta algo en Mas Carbó?

Dolores, que por fin se había lavado la cabeza y exhibía un reluciente moño, alzó los brazos y balbuceó:

—Sí, vamos a pedir que no se nos muera *Tritón*.

El pregón del congreso, a cargo del charlista García Sanchiz, estaba previsto para el 25 de mayo. La víspera, el doctor Pros —ya dedicado exclusivamente a la consulta privada—, Victoria y yo dimos una vuelta en taxi por toda la ciudad. El espectáculo era en verdad apabullante. Colgaduras, estandartes, enseñas y divisas en balcones y ventanas. En el seminario, Héctor había calculado que los gallardetes y oriflamas repartidos por las calles de Barcelona alcanzarían una extensión de cuarenta kilómetros y que se habrían tendido setenta mil metros de línea eléctrica. *El Tontorrón*, por su parte, calculó en mil quinientos los micrófonos con altavoces diseminados por doquier, además del No-Do y de la conexión con noventa y seis emisoras en todo el territorio nacional.

Nos llamó la atención la monumental cruz luminosa levantada en la plaza de Cataluña, a la que daban escolta las banderas de más de sesenta naciones. Subimos al Tibidabo: la cruz de noventa toneladas presidía el grandioso paisaje, con la urbe a sus pies, en el llano, y se decía que, si el tiempo era propicio, dicha cruz sería visible desde Mallorca. En la flamante plaza de Pío XII, cerca de Pedralbes, algo desconcertante por su concepción vanguardista, se había erigido el «altar» mayor del mundo, lo que no era de extrañar, puesto que se esperaba la presencia de trescientos obispos, algunos de los cuales habían llegado ya y habían sido instalados en el Palacio Nacional de Montjuich. Pero, monumentos aparte, lo que golpeaba el pecho era la colaboración multitudinaria. Símbolos eucarísticos por todas partes, en los vehículos, en las estaciones del Metro, en las taquillas de los cines, en las pastelerías. Incluso los mendigos pedían limosna «en nombre de la Eucaristía». Y entretanto, y mientras las prostitutas y macarras eran alejados de la urbe —¿quién cuidaría de su asistencia espiritual?—, grupos de jóvenes de Acción Católica recorrían la comarca del Panadés recogiendo vino para las misas que iban a celebrarse, y los floricultores del Maresme ofrecían ramilletes a los «congresistas» que, procedentes de fuera, se dirigían a Barcelona en tren o por carretera.

Lo que mayormente impresionó al doctor Pros es que «todo estuviera previsto». Desde su ateísmo «neutro», puesto a prueba en el incidente del bautizo en Somorrostro, admitió que el Vaticano era la organización diplomática más perfecta que conocía y que en momentos como el que se vivía en Barcelona era difícil sustraerse a su encanto. «Hay que ver el partido que le sacáis a eso que llamáis Hostia Santa.» La gente sencilla —y la no tan sencilla— acudía al reclamo, y así los médicos y hospitales de la ciudad, bajo el patronazgo de san Cosme y san Damián, se habían preparado para atender a cuantas personas sufrieran desmayos o algún accidente, con ambulancias y motoristas al servicio de la Cruz Roja y del Hospital Mental; y las monjas, con la ayuda de las reclusas de la Prisión Provincial de Mujeres, habían elaborado durante meses los ornamentos sagrados que iban a ser necesarios y que pasado el congreso serían enviados a misiones; y en muchas fábricas los obreros trabajaban voluntariamente turnos extraordinarios; y la Asociación Católica de Sordomudos —cuya existencia el doctor Pros desconocía hasta la fecha—, le había requerido para dar una conferencia en su local de reunión, ubicado en la plaza de Tetuán, después de la cual se procedería a la representación de un auto sacramental mímico y la proyección de varias películas mudas de Charlot; y los falangistas que se concentrarían en Barcelona, muchos de ellos llegados a pie, en peregrinación, desde los puntos más distantes de España, podrían censarse en unos diez mil; y no se había producido, ni era de esperar que se produjera, el menor incidente, pese a que pilluelos y ganapanes subían por los pisos a ofrecer recordatorios del congreso, etcétera.

—Desde luego, os felicito, Anselmo... Sois la rehostia, con perdón.

Yo sonreí. Sonreí porque el tono de la voz del doctor Pros no era agresivo, y además porque Victoria había tomado la palabra con la intención de ratificar lo que a ella le había llamado poderosamente la atención. «Cuando llegue el legado del papa, *ad latere* —ahora ya se sabía que iba a ser el cardenal Tedeschini—, y no digamos cuando llegue Franco por mar y desembarque en los muelles y en la Puerta de la Paz, el país entero se volverá loco.» Victoria confesó sentir envidia de quienes creían sinceramente en una causa, como fue el caso de su padre, anarquista hasta morir. «Yo me las arreglo haciéndome una mueca delante del espejo.» Dos cosas quería destacar. La primera que, a lo largo de varios meses, miles de niños de España y otros países rezaran las oraciones pertinentes y practicaran los más variados actos de virtud para suplicar por el éxito del congreso. «Si no estoy equivocada, Anselmo, cada oración ha sido representada por un grano de incienso, y cada acto de virtud por un grano de trigo, que los párrocos de turno han ido anotando en sus cuadernos. Según Mercedes, estos millones de granos de incienso y de trigo han llegado ya por ferrocarril, y con ambos se están elaborando el perfume para los altares y la harina necesaria para las comuniones.» El segundo detalle que le llamó la atención fue —aparte de la excursión de Fermín y Dolores a Montserrat— que también se hubiera erigido una cruz monumental en el puerto fronterizo del Perthus, sitio que a ella le resultaba familiar por su proximidad a Perpiñán, «donde, no lo olvidéis, hice mis estudios y aprendí a tocar el acordeón».

—Lo que mayormente me preocupa —dictaminó el doctor Pros— es pensar que casi dos mil años de cristianismo no han hecho al mundo ni más justo ni más feliz, y que si Cristo volviera a la tierra quizá no tendría tanto trabajo porque la penicilina se lo ahorraría...

A punto de replicar al doctor como se merecía, me callé por un motivo ajeno a mi voluntad. Estábamos en la plaza de Cataluña, donde no cabía un alfiler, y a las órdenes de mosén Salvador Cebriá la multitud cantaba a pleno pulmón el eslogan «oficial» del congreso: «Cristo en todas las almas y en el mundo la paz.»

De vuelta al seminario, me dio tiempo a escuchar la alocución de don Vicente, el rector: «El jefe del Estado español, de acuerdo con sus convicciones católicas, ha puesto su interés personal y el de su Gobierno al servicio de las necesidades del congreso.»

Héctor, como siempre listo como una ardilla —conocía a los cojos cuando estaban sentados—, me llamó a su despacho, pulquérrimo y ordenado, pese a la barahúnda de papeles, casi todos en latín, y me hizo un rápido balance de la situación. El pregón de don Federico García Sanchiz había sido ya pronunciado, y faltaban pocas horas para que llegara por ferrocarril, procedente de Roma y cruzando la frontera de Port-Bou, el eminentísimo y reverendísimo señor cardenal doctor Federico Tedeschini. Anticipándosele, Barcelona, sin exagerar, había triplicado el número de sus habitantes, llegados por tierra, mar y aire. Tales «congresistas» de fuera abrían los ojos de par en par, debido al aislamiento en que España había vivido desde el término de la guerra civil. Su primera impresión era de deslumbramiento, debido a las galas con que se había adornado la ciudad; luego, poco a poco, iban descubriendo las casas desconchadas, las calles estrechas, los rincones sombríos y los trajes y sombreros de segunda mano. Pero más interesante que esto era la reacción de los autóctonos, de los indígenas, ante la invasión masiva de tales grupos extranjeros. España había vivido como en una cámara neumática desde 1939, y las gentes se maravillaban de que los franceses, los italianos, los alemanes, los suizos y demás fueran «seres de carne y hueso», sin cuernos, sin rabos, sin olor a azufre, sin un adarme de deshonestidad, con un aire más alegre y espontáneo que el que podían ofrecer los españoles.

Tal espontaneidad se manifestaba en mil detalles, desde la indumentaria, mucho más libre y variada —casquetes y viseras de vivos colores—, hasta la naturalidad con que comían en los puestos de *self service* repartidos por la ciudad.

—Para mí ha sido un descubrimiento —admitió Héctor con voz levemente dolida—. Aunque —añadió de inmediato—, ¡qué voy a contarte a ti, que te pateas las calles mucho más que yo!

Asentí con la cabeza. También a mí me habían hecho tilín el aspecto externo y la educación de que daban muestras los recién «importados». Especialmente los norteños de Europa, los escandinavos, gesticulaban poco, hablaban en voz baja, no tiraban ningún papel al suelo, se comportaban con exquisitez, cediendo el sitio, procurando no abrirse paso a codazos y cantando con disciplina ejemplar.

—¡Ay, mi querido Héctor! Por lo visto las democracias no están tan corrompidas como nuestro querido y dictatorial régimen quiere hacernos creer. Mira por dónde estas fiestas habrán significado una apertura que nadie, hace un año, y sin este congreso, hubiera podido imaginar.

Se reunió con nosotros *el Tontorrón*, quien llegaba desesperado porque los altavoces instalados delante del templo de la Sagrada Familia no funcionaban como era debido, siendo así que, según el programa, iban a cantar allí un tedeum ocho mil niños, acompañados de sus familiares. «No tenemos vergüenza. La famosa pirámide compuesta por patronos, técnicos y obreros falla por abajo. Los obreros, cansados de oír discursos, boicotean nuestra labor.»

Para calmar al *Tontorrón* fue necesario que entrara en el despacho el mismísimo mosén Salvador Cebriá, quien había oído las quejas del muchacho gordinflón. «Anda, no seas zoquete... Los altavoces de la Sagrada Familia funcionarán. En realidad, tu queja es la primera que oigo a lo largo de tantos meses de esforzado trabajo.»

Cada pieza ocupó su lugar. Llegaron los tres esperados transatlánticos, *El conde Biancamano*, *L'Île de France* y *El*

Constitution, llevando a bordo millares de «congresistas», entre los que se contaba Paul Claudel, de quien iba a representarse en el teatro Comedia *L'annonce faite à Marie*. La «fauna» hispanoamericana —calificativo acuñado por el doctor Pros—, variopintó todavía más la ciudad, con sus abalorios, su colorido y su apariencia un tanto carnavalesca. Pero quien, por espacio de unas horas, se llevó el gato al agua fue el cardenal Spellman, de Nueva York, quien al desembarcar en los muelles gritó: «¡O comunión o comunismo!», desafío de carácter político que fue muy comentado.

El día 27 de mayo llegó, tal como estaba previsto, por ferrocarril y a la estación de Francia, el legado pontificio monseñor Tedeschini. Le resultó difícil apearse del tren, pues, aparte de la presencia de todas las autoridades civiles y militares de la ciudad, incluidos los caballeros de las órdenes del Santo Sepulcro, de Malta, y el Cuerpo de la Nobleza de Cataluña, la multitud se apiñó frente a la ventanilla del tren, sepultando al monseñor bajo una lluvia de flores, queriendo besar su anillo y cantando *Benedictus qui venit in nomine Domini*. Apenas si nadie se enteró de que el cardenal, alto, sonriente y de porte visiblemente autoritario, gritaba: «¡La Eucaristía es el sol de España!», pues en aquel momento sonaron las sirenas de los barcos y de las fábricas, repicaron todas las campanas de la ciudad y en el castillo de Montjuich fueron disparadas las salvas de ordenanza. Se le rindieron honores de jefe de Estado y cuando, en coche descubierto, se dirigió primero a la Puerta de la Paz y luego a la catedral, en medio de cánticos y vítores, él iba bendiciendo al gentío y repitiendo la satisfacción que sentía «por pasar unos días en una tierra tan querida». El doctor Gregorio Modrego había designado para la personal instalación de monseñor Tedeschini el Palacio Nacional de Montjuich, cuyas estancias, sin olvidar el magnífico órgano, habían sido restauradas.

Cualquier filósofo, sociólogo o experto en psicología de masas hubiera tenido, aquel 27 de mayo, materia bastante para cualquier tipo de especulación. En el seminario se calculaba que el número de personas que aplaudieron a monseñor Tedeschini rebasaba los dos millones. Yo me las arreglé por mi cuenta y casi me acerqué a la tesis del doctor Pros: el Vaticano era el máximo conocedor de los reflejos de las muchedumbres, primero por su dilatada experiencia —san Pedro, según nuestro profesor Daniel Planellas, había llegado a bautizar por aspersión y todos a la vez a tres mil conversos o catecúmenos—, y segundo porque el «carisma» dimanante de cualquier jefe religioso sería siempre superior a la fascinación que pudiera ejercer un jefe político o militar. Y la explicación era sencilla: Dios. El jefe religioso hablaba, sonreía y bendecía en nombre de Dios. El cardenal Tedeschini había llegado a Barcelona en nombre de Dios y era su representación visible. Ello contenía un ingrediente único: la posibilidad de que los ciegos viesen —¡Joaquín Valls dirigía el complejo dispositivo de las «traducciones simultáneas»!—, de que los sordos oyesen, de que los paralíticos abandonasen su silla de ruedas y de que los «infieles» sintiesen muy adentro la llamada del Señor...

Lo cierto era que, primero en la Puerta de la Paz, y luego en la catedral, yo no pude, ni lo pretendí, escapar del multitudinario contagio y noté en lo más hondo la presencia de lo sagrado. «Sí creo, y lo creo firmemente, que Cristo fundó la Iglesia, de la que yo formo parte, el cardenal Tedeschini es un enviado de Dios y tiene cumplida autoridad para perdonar mis pecados y elevarme a la categoría de preángel.» Por consiguiente, todos los cardenales, arzobispos y prelados que acababan de concentrarse en Barcelona tenían la oportunidad de cumplir con la misión que Jesús encargó a sus apóstoles: «Id y evangelizad la tierra...» Aquello no debía ser un arrebato pasajero. Y a ello se refirió el legado pontificio cuando, a la salida del acto de inauguración oficial del congreso, que tuvo lugar en la catedral, vio elevarse hacia el cielo una nube de palomas cuya suelta había sido organizada por la Sociedad Colombófila de Barcelona.

En plena euforia ante la presencia del cardenal Tedeschini, cuya resistencia física estaba resultando admirable —la Adoración Nocturna organizó una vigilia solemne en el templo expiatorio del Sagrado Corazón de Jesús en el

Tibidabo—, se anunció la llegada por mar de Su Excelencia el jefe del Estado y señora. Eran las diez de la mañana —día 28 de mayo— y la multitud esperaba enardecida, ocupando por completo los muelles próximos al canal de entrada y toda la longitud del paseo de la Escollera de Levante.

Un arco triunfal allí erigido ostentaba la inscripción «Bien venido, Caudillo de España». En el cielo, varios aviones de escuela oteaban el horizonte para ser los primeros en recibir al jefe del Estado, quien procedía de Valencia a bordo del crucero *Miguel de Cervantes*, escoltado por la flotilla de destructores de la Segunda Flota del Mediterráneo. El Gobierno en pleno, y muchos prelados, encabezados por el primado de España doctor Pla y Deniel, aguardaban con ansia el desembarco del Generalísimo, quien vestía su uniforme de capitán general de la Armada, luciendo sobre su pecho la Gran Cruz Laureada de San Fernando.

Se oyeron las salvas de ordenanza, indicadoras de que el Caudillo entraba en la bocana del puerto, desbordándose el entusiasmo. La banda de la compañía que le rendía honores interpretó el *Himno nacional*, mientras las fuerzas presentaban armas y el Gobierno se situaba en el pasillo de acceso a la tribuna. Cuando el Caudillo, a bordo de la gasolinera *Ada*, pasó frente a la réplica exacta de la carabela *Santa María*, cuyos tripulantes vestían a la usanza del siglo XV, éstos, siguiendo la tradición del Almirantazgo de Castilla, gritaron por siete veces consecutivas «Viva España». Y luego, entre el ensordecedor sonido de las sirenas, los vítores de la multitud, el revolotear de los aviones, las notas del *Himno nacional* y las voces de mando de las fuerzas que le rendían honores, la comitiva se puso en marcha hacia el Palacio de Pedralbes, elegido como sede del jefe del Estado y su «egregia» esposa. Dicha comitiva iba escoltada por la vistosa Guardia Mora, cuya hípica presencia hechizó más aún a la población.

Un dato a señalar, digno también de un análisis por parte de los expertos en la psicología de masas: de los diez mil reclusos que habían sido indultados y que habían ya abandonado la prisión, cerca de la mitad, agrupados en el paseo de Gracia, entonaron vítores al hombre providencial que había tenido a bien concederles la libertad.

A partir de la llegada del general Franco —alguien sugirió que debía ser invitado al seminario—, podía decirse que el congreso estaba en su apogeo. Todo el mundo ocupaba su lugar, desde los transatlánticos procedentes de Oriente —el obispo de Calcuta y el de Sydney—, hasta los exiliados polacos, católicos a machamartillo, al mando del general Anders. Y millares y millares de gentes humildes con su pequeño equipaje y que no sabían dónde encontrarían cobijo. Tocante al Ejército español, su adhesión fue tan masiva que pudieron contabilizarse cien generales y cuatro mil jefes y oficiales. Barcelona se había vestido de caqui, de pájaro tropical, del color blanco de los niños cantores, del azul de los falangistas, del batiburrillo de quinientos mil productores y de un considerable número de atletas, cada uno con la indumentaria de su especialidad. Entre éstos destacaron, además de los esquiadores, por su boyante atuendo, los cinco mil ciclistas que descendieron de Montserrat escoltando y llevando en andas la Moreneta, imagen que iba a ser instalada en la plaza de Pío XII, donde se clausuraría el congreso. Por cierto que Fermín y Dolores, al enterarse de esto, comentaron:

—Hubiéramos podido ahorrarnos el viaje a Montserrat...

—Claro que de momento *Tritón* sigue vivito y coleando —musitó Dolores.

Todo funcionó a pedir de boca, como había pronosticado mosén Salvador Cebriá. Ni siquiera se produjeron retrasos en los horarios. Se representó *L'annonce faite à Marie*, de Paul Claudel, con un lleno a rebosar y unas palabras del poeta ensalzando el milagro de la Eucaristía. Se celebró la comunión de enfermos e impedidos —la cifra de estos últimos era inesperadamente alta—, subiendo los sacerdotes, y a veces los propios obispos, a los hogares pertinentes. Asimismo recibieron la comunión los internos en hospitales, clínicas, sanatorios y casas de beneficencia, detalle que puso de buen humor al *Tontorrón*. En esos centros todo el mundo llevaba la insignia de «congresista», desde los cirujanos hasta las enfermeras, camilleros y mujeres de la limpieza. En los hospitales pedían la comunión los pacientes que tenían que ser intervenidos quirúrgicamente. Antes de recibir la anestesia total querían comulgar.

Pero el verdadero contagio colectivo —el doctor Pros lo llamó «virus»— fue, en la ciudad, el deseo de confesarse. Los confesonarios de toda la urbe estaban abiertos, algunos de ellos, como los de la catedral, día y noche y las colas que se formaban traían el recuerdo de aquellas otras colas que, al final de la guerra, tenían por objeto poder llevar a casa un poco de aceite, un poco de azúcar, lentejas o pan. Mi padre no quiso perderse el espectáculo y recorrió todas las iglesias del barrio —pese a que su vista había empeorado—, sacando incluso fotografías, lo que en él era inhabitual. Algunos sacerdotes, según novedosa primicia contada por *el Tontorrón*, habían descubierto una especie de trampa para que los pecadores recibieran una mayor sanción por sus culpas. «Ponte tú mismo la penitencia, la que te parezca —le decían al arrepentido—. Y debes saber que yo la acepto de antemano y que te daré la absolución.» Los penitentes, desconcertados, se autoimponían un confiteor, una expiación, mucho más grave que la que el cura les hubiera asignado.

También pudieron contabilizarse algunas docenas de borrachos —alguien afirmó, sin aportar pruebas, que eran requetés de Navarra—, los cuales deambulaban sin rumbo y sin dejar de cantar: «Tres jueves hay en España que relumbran más que el sol: Jueves Santo, Corpus Christi y el día de la Ascensión.»

A las ocho de la tarde del día 30 de mayo tuvo lugar un paréntesis. Una solemne Hora Santa en la basílica de San Pedro Oriol para los diáconos que al día siguiente íbamos a ser ordenados en el estadio de Montjuich. El número de ordenandos —Héctor facilitó la lista— alcanzaría exactamente el de 820, procedentes de más de quince países. Fue una Hora Santa ejemplar, ante la Custodia, ante el Santísimo, durante la cual, además de una prédica en voz baja, casi susurrante, del obispo doctor Modrego, tuvimos una media hora de introspección. Arrodillados en los bancos de la iglesia, con la cabeza gacha sostenida por ambas manos, yo tuve ocasión de repasar mi vida, como si se tratara de una película, como se cuenta que repasan su vida entera los moribundos en los instantes de la agonía. Lo mío, sin embargo, no era agonía, sino todo lo contrario. Era una resurrección. A lo largo de aquella Hora Santa, en medio de un silencio que permitía oír el chisporroteo de los cirios, evoqué mi infancia, bien atendido por mis padres, mi adolescencia, mi juventud —en estas últimas destacaba un nombre: Rocío—, mi estancia en Mas Carbó, mis tropelías en el seminario, mi bautizo de dos gitanillos en Somorrostro... Recordé aspectos curiosos de mi personalidad infantil: la primera vez que oficié de monaguillo en un viático, en Arenys de Munt, se me cayó la campanilla al suelo y al recogerla se plegó el paraguas con el que cubría al sacerdote; un año, al escribir mi carta a los Reyes Magos, pedí que la estatua de Clavé, situada frente mi casa, se convirtiese en fosforescente al llegar la noche; con la primera bicicleta que tuve me estrellé, sin mayores consecuencias, contra la valla de Piscinas y Deportes; el día que me enteré de que las mujeres menstruaban noté en los genitales un dolor insoportable; etc. Retazos inconexos, con gamberradas, con raptos místicos, con zonas de sombra —no podía recordar las facciones, el rostro, de tío Dionisio—, y con zonas de luz, como mi amistad permanente con Héctor y *el Tontorrón*.

Por supuesto, no olvidé las visitas con Héctor a la gruta de Lourdes próxima a Mas Carbó, y tampoco la fascinación que Victoria ejercía sobre mí, comparable a la de las teclas de un piano. Tampoco olvidé mis dudas y vacilaciones a lo largo de la carrera —sobre todo, en filosofía y más aún en teología—, por encima de las cuales, sin embargo, emergía como un Himalaya tantálico e inasequible la figura de Cristo, mi guía, mi norte, mi valedor.

¿Por qué inasequible?, pensé, mirando la Sagrada Custodia reluciente en el altar. Precisamente, a partir del día siguiente podría «crearlo», «recrearlo», «transustanciarlo» con mis propias manos siempre y cuando se me antojara. Éste era, tal vez, el mayor de los milagros que se operarían gracias al congreso, más importante que la facultad de ver, de oír, de caminar prescindiendo de las muletas.

En aquella hora solemne, rodeado de ordenandos coreanos, filipinos, canadienses, mozambiqueños, etc., apreté con una mano aquella caja de cerillas que siempre llevaba conmigo, dentro de la cual había un diminuto crucifijo, que mi padre me regaló una tarde en Mas Carbó. Juré una vez más que dicho crucifijo no me abandonaría nunca: «hasta que la muerte nos separe». Ante tamaño recuerdo estuve a punto de sonreír; pero a mi lado estaban Héctor y *el Tontorrón*, flanqueándome, cada cual inmerso en su personal recapitulación, y volví a mirar la Custodia en un estado colindante con la embriaguez.

Aquella noche dormí como un lirón. Limpia la conciencia, limpia el alma —me había confesado en unas condiciones de emotividad muy superiores a las normales—, al llegar a mi celda, después de haber abrazado, casi con lágrimas en los ojos, a Héctor y al *Tontorrón* y de haber recibido la amistosa visita de mosén Salvador Cebriá, cerré la puerta por dentro y me encontré a solas con Dios, solo ante Dios. La jornada me había dejado exhausto, especialmente la Hora Santa. Me desnudé con un extraño pudor. De ser ello posible, me hubiera convertido en espíritu, prescindiendo de la envoltura carnal. Me puse el pijama amorosamente planchado por mi madre y apenas recosté la cabeza en la almohada me quedé dormido, soñando intermitentemente situaciones inconexas relacionadas con el funcionamiento de los altavoces de la ciudad y con la majestuosa presencia de la carabela *Santa María*.

Al día siguiente, 31 de mayo, el horario impuesto por el rector se mostró inflexible. Nos levantamos con las primeras luces del alba y a las ocho y media en punto pudimos ver, delante del seminario, una fila de autobuses que se prolongaba indefinidamente por toda la calle Diputación, autobuses que pronto se pusieron en marcha rumbo al estadio de Montjuich. Me hubiera gustado contemplar desde arriba, desde algún helicóptero o tejado, tal comitiva, cuya finalidad era, ni más ni menos, la ordenación más numerosa que se recordaba de la historia de la Iglesia.

El Tontorrón había visitado la víspera el estadio de Montjuich, comprobando el buen funcionamiento de los micrófonos. «Sobre el césped se han erigido catorce altares, cada uno de ellos provisto de una gran alfombra de color granate. Oficiarán once prelados, y la distribución de los ordenandos se hará según afinidades de procedencia y de lengua. El legado pontificio presidirá la ceremonia y a nosotros nos *ungirá*, nos *impondrá* las manos, el obispo que nos corresponde, es decir, el doctor Modrego.»

Así fue. La caravana de autobuses se puso en marcha a la hora señalada. Por fortuna, el día había amanecido con una luz mediterránea que todo el mundo, excepto Joaquín Valls, pudo captar. La metáfora de monseñor Tedeschini: «La Eucaristía es el sol de España» adquiría aquella mañana una particular vigencia. El sol se estrellaba contra los cristales de nuestro autobús y arrancaba destellos metálicos de escaparates, de rótulos, de faroles y, por supuesto, de los *posters* del congreso colocados en las paredes. Por lo visto el prefecto no había pegado ojo temiendo que la naturaleza nos jugara una mala pasada. Temor gratuito, temor inútil. «Este sol se parece al de Fátima», declaró, ante el estupor de los presentes.

Ignoro lo que ocurriría en los restantes vehículos. En el nuestro, rostros jubilosos, rostros preocupados, pero por encima de todo un silencio sobrecogedor. El paso que íbamos a dar era tan grande y decisivo que no podía traducirse en palabras. Al embocar la gran avenida del Palacio de Montjuich, donde monseñor Tedeschini se instaló desde su llegada, el silencio se vio interrumpido por la interpretación conjunta de seis coblas de sardanas —¡el detalle me hizo feliz!—, y, un poco más arriba, por el canto del *Pange lingua* en boca del disciplinado orfeón Laudate.

Fuimos ascendiendo poco a poco. De acuerdo con la liturgia del día, todos los ordenandos íbamos revestidos con ornamentos encarnados. Unos procedíamos del clero secular, otros de las órdenes y congregaciones religiosas más dispares. La multitud no cesaba de aclamarnos y de lanzar flores a nuestro paso. Vi a Héctor saludando con la mano fuera de la ventanilla y *el Tontorrón* y yo le imitamos. Mosén Salvador Cebriá era el más tranquilo. Permanecía callado en su asiento y hubiérase dicho que la cosa no iba con él. En cambio, el vicerrector, el *Bon Vivant*, que con toda certeza en el transcurso de aquellas jornadas había perdido peso, sentado al lado del conductor, no podía disimular su entusiasmo, lo que nos sorprendió gratamente.

Al llegar al estadio nos apeamos de los autocares y nos alineamos a las órdenes del maestro de ceremonias. El cortejo iba presidido por veintiún prelados. Entramos en el rectángulo de juego —esta vez convertido en rectángulo *sagrado*— por la puerta de Marathon y al instante tronó en el espacio el «¡Hurra!» de más de cien mil personas que llenaban por completo la tribuna y los graderíos. Imposible localizar a los familiares; ellos, en cambio, a buen seguro que podían identificarnos con facilidad. El «gol» que íbamos a meter era transmitido por una enfervorizada red de locutores, cuyas voces, a través de las ondas, llegarían hasta quién sabe dónde, pasando, por descontado, por Mas Carbó.

Cada uno de los prelados, con sus respectivos ordenandos y asistentes, se encaminó al altar que previamente se le había asignado. Empezadas acto seguido las misas —el silencio a la sazón era absoluto—, se practicaron con orden perfecto y exacta simultaneidad todos y cada uno de los ritos y ceremonias de la ordenación sacerdotal. Puede decirse que, en los minutos subsiguientes, el mundo entero desapareció para mí. Otra vez me encontré a solas con Dios. Ni siquiera me percaté de la presencia de monseñor Tedeschini en el altar de preferencia. No tenía otros ojos más que los necesarios para contemplar los copones con las hostias santas. Ejecutaba todos los movimientos —ya ensayados— como un autómata. ¡Ah, pero de pronto el panorama se alteró en mi interior! Vi delante de mí la voluminosa cabeza y las grandes orejas de monseñor Gregorio Modrego, quien me ordenaba sacerdote imponiendo su diestra en mi frente, atándome las manos y diciéndome: «Para que cualquier cosa que bendigas con estas manos quede bendecido, y cualquier cosa que consagres quede consagrada y santificada.» Estas palabras resonaron en mi pecho como un tambor capaz de tatuar el *Magnificat* en el alma. Agaché la cabeza. Aquello era el resumen, la culminación —y no sé si el testamento— de toda una vida. Mi pensamiento se trasladó a Jerusalén, al Cenáculo, donde Cristo, dirigiéndose a sus apóstoles, les repartió el pan y el vino diciéndoles que aquéllos eran su cuerpo y su sangre, «sangre que sería derramada por todos vosotros en remisión de vuestros pecados». Las manos atadas me procuraron una sensación agradable. No era una cadena de delincuente; por el contrario, lo era para que el Mal —del que había hablado con el doctor Pros— no tuviera con ellas el menor contacto. Ya era sacerdote. Ya era el gran solitario y el gran desconocido. A partir de ese momento tal vez nadie estuviera dispuesto a comprenderme, sino a exigirme. Pero yo estaba alerta, preparado. La gran cabeza del doctor Modrego no se me olvidaría jamás.

La ceremonia prosiguió, pero ya la viví como enajenado. Ninguna sensación de prepotencia —acaso ésta llegara más tarde—, sino todo lo contrario. Humildad. Acababan de hacerme entrega de un tesoro inmerecido. Los cien mil ocupantes de la tribuna y los graderíos entonaron el *Himno del congreso*, hasta que monseñor Tedeschini reclamó silencio para leer un telegrama que acababa de recibir del Vaticano. Era una bendición para todos los presentes, especialmente para los «nuevos presbíteros». Terminada la lectura del texto pontificio, la multitud abandonó sus puestos y se precipitó sobre el césped del estadio dispuesta a besar las manos de los nuevos ministros de Dios. Enrojecí como un colegial pillado en falta. Hasta que ante mí se presentaron mis padres, Victoria y el doctor Pros. Me fundí con mis padres en un abrazo vibrante, emocionado, y luego abracé a Victoria y también al doctor Pros, quien —eso me pareció— tenía una sonrisa ligeramente irónica.

Al día siguiente, 1 de junio, tuvo lugar la clausura del congreso, en la plaza de Pío XII —el altar «mayor» del mundo—, con las jerarquías en pleno, la presencia del jefe del Estado, los trescientos obispos y quince mil sacerdotes, entre los cuales «nosotros», los recién ordenados, ocupábamos un lugar preferente. La multitud, calculada en millón y medio de personas, ocupaba la plaza, la avenida del Generalísimo y las calles adyacentes. La clausura coincidió con la gran solemnidad litúrgica de Pentecostés. «Ningún día podía ser mejor que éste —manifestó el rector del seminario—, estremecido por el Espíritu Santo, del cual pueden partir los mejores propósitos de vida eucarística hecha apostolado.»

Monseñor Tedeschini celebró la misa y el número de personas que comulgaron se calculó en trescientas mil, lo que obligó a varias escuadras de motoristas a reponer aquí y allá las hostias de los copones. El sol que caía era implacable y abundaban los desmayos. Yo mismo estuve a punto de desfallecer, pero la visión de la incomparable custodia de la catedral de Toledo me infundió el ánimo suficiente, o eso me pareció. Antes de la misa habían actuado un conjunto de orfeones, con más de mil voces, las seis coblas de sardanas y grupos de niñas con los trajes regionales habían bailado con singular perfección. Simultáneamente se celebró también una misa especial para los sordomudos y otra en la Prisión de Mujeres.

El jefe del Estado, situado frente al cardenal Tedeschini, fue el encargado de hacer la ofrenda de la nación al papa, y lo hizo con estas palabras: «No somos belicosos, Señor; por amaros, los españoles aman la paz y unen sus preces a las de nuestro sumo pontífice y de toda la cristiandad en esta hora. Mas si llegase el día de la prueba, España, sin ninguna duda, volvería a estar en la vanguardia de vuestro servicio.»

La multitud se estremeció y el cardenal Tedeschini contestó, con voz emocionada: «Cuando dentro de pocos días vuelva a la casa del Padre Común, le expondré que la España que sirvió a la unidad católica en Trento y en las Indias está de nuevo gloriosamente en pie, sirviendo a la unidad de la Iglesia, proclamando la divinidad de Jesucristo y amando a su vicario con la misma intensidad que en las mayores ocasiones de su historia. España está por el papa, y el papa, en nombre de Dios, está siempre por España.»

A continuación, ¡la voz del papa, en un radiomensaje destinado a España entera! ¡Y la bendición *urbi et orbe*! La multitud se hincó de rodillas. Aquélla fue la sorpresa que monseñor Tedeschini tenía preparada. Hubiérase dicho que la voz del papa, procedente de Roma, hacía estallar los altavoces e inundaba de una fe viva los corazones. El obispo Modrego parecía una estatua de alabastro; el cardenal Tedeschini sonreía con profunda satisfacción; el general Franco, en posición de firmes —más bajito de lo que yo había supuesto—, se mantuvo imperturbable.

EL XXXV Congreso Eucarístico de Barcelona quedó clausurado al atardecer, si bien al día siguiente todavía se celebrarían una serie de actos litúrgicos en Montserrat, a donde sería «devuelta» la Moreneta. Pero «nosotros» ya no asistiríamos a ellos. Viviríamos nuestra jornada de reflexión en el seminario y luego nos dispersaríamos hacia nuestros respectivos hogares, en espera de las órdenes que emanaran del Palacio Episcopal.

CAPÍTULO XI

EL MISACANTANO QUE ERA YO RECIBIÓ muchos regalos, como si de una boda se tratase: dos cálices, dos copones, varias patenas, plumas estilográficas, una máquina de escribir, pañuelos bordados, biblias, partituras de Bach adaptadas al armonio y al piano, etc. Los donantes fueron pocos, pero generosos: mis padres, Victoria, el doctor Camprubí, Fermín y Dolores, el doctor Pros, Mercedes y Rocío, el rector del seminario, los vicerrectores, mosén Salvador Cebriá, Héctor, *el Tontorrón* ¡y *el Grifo* y *el Mosquito*, de Somorrostro! También recibí un breviario con las tapas y el lomo dorados, exquisito obsequio del matrimonio de Julia Camprubí y Federico Roca, el banquero, esposos con los que yo me «estrené» de diácono en Pompeya y de cuya homilía todo el mundo guardaba un recuerdo vibrante.

Pero el mejor regalo provino, como era lógico, de mis padres. Éstos sabían que yo me pirraba por hacer un viaje a Lourdes —al Lourdes de verdad, al Lourdes de Francia— y a Roma, para pisar las augustas losas del Vaticano y, si ello era posible, ser recibido por el papa. Mosén Salvador Cebriá me dijo: «Ser recibido en audiencia privada es soñar despierto; pero Pío XII acostumbra a conceder audiencias "limitadas", de veinte o treinta personas, y eso sí os lo puedo conseguir.» Y me entregó una carta de recomendación para un sacerdote amigo suyo que trabajaba en la Biblioteca Vaticana, mosén Rafael Costafreda. «Ya le conocerás. Habla muy poco; pero es eficaz...»

Guardé la carta como si fuera un tesoro y a mitad de junio emprendimos el viaje. Antes el rector del seminario me dijo: «Deja una solicitud escrita, dirigida al señor obispo, monseñor Modrego, exponiendo adónde te gustaría ir destinado como vicario y las razones que te impulsan a ello. A la vuelta es probable que tengas ya la respuesta, y ojalá ésta sea acorde con tus deseos.» Obedecí. Escribí a máquina, en papel de barba, mi solicitud: Somorrostro, donde vivían los miembros de aquella comunidad abandonada de Dios y de los hombres y para los cuales intentaría recabar fondos, primero para conseguirles comida, ropa, un ambulatorio y una escuela, y luego para levantar en su área una modesta iglesia. El rector, don Vicente, al leer mi escrito frunció el ceño. «Dudo que accedan a tu petición —opinó—. El señor obispo cree que, en el plano social, le basta con levantar las Viviendas del Congreso, que, por supuesto, será una obra colosal. Dedica a esta misión todos sus esfuerzos y no creo que, de momento, piense en destinar un duro a ningún otro proyecto.»

Encomendé mi solicitud al Señor —por descontado, acataría cualquier resolución del Palacio Episcopal, a imitación de la actitud que *el Tontorrón* se había comprometido a adoptar—, y a primeras horas de la mañana del 15 de junio tomamos el tren en dirección a Port-Bou, dispuestos a visitar primero Lourdes y luego Roma. Nuestro equipaje era más bien modesto; yo, dentro de un maletín, llevaba todo mi «ajuar» sacerdotal, fruto de los obsequios de misacantano que había recibido en mi casa y en el seminario.

Una vez cruzada la frontera, ya en tierra francesa, mucho más rica y próspera que la que dejábamos atrás, miré por la ventanilla el desfile de viñedos, de caseríos, de pueblos —en algunos de éstos, con la sotana arremangada, curas jugando a las bochas—, y me acordé de la visita que rindieron al seminario aquellos «novicios» franceses que cantaron *La Marsellesa* y a los que nosotros correspondimos con *El Virolai*. Tal recuerdo me puso de buen humor y desfilaron por mi mente escenas jocosas vividas a lo largo de mi carrera, como cuando declinábamos *puto, putas, putare*, o pronunciábamos el *cognosco* a la italiana o nos referíamos al «seno» en trigonometría. Asimismo me acordé de los cigarrillos que *el Tontorrón* se fumó a escondidas en el water y de la cantidad de chocolate que Héctor se había comido, sobre todo en teología. Claro que el tren iba de prisa y que mis pensamientos le daban ciento y raya. De lo jocoso pasé a lo pintoresco, como lo que nos contó el profesor Daniel Planellas sobre el bautizo: «Antes se esperaba un tiempo a bautizar, porque sólo era válido el bautizo por inmersión y se temía que el recién nacido no tuviera fuerzas suficientes y se ahogara.» Y luego pensé en lo dramático, sobre todo en la ceguera de Joaquín Valls. Y luego en las impugnaciones contra la apologética ortodoxa: «La condenación eterna no puede ser, porque es infinita y la malicia humana no puede ser infinita.» Y luego en un verso de Héctor lanzado al aire como una jabalina: «¿Es necesaria una noche estrellada?»

Mis padres se entretuvieron leyendo revistas francesas, y de pronto nos encontramos en Lourdes. ¡Qué experiencia! Era media tarde. Nos costó Dios y ayuda —nunca mejor dicho— llegar ante la gruta, pues nos había precedido una peregrinación de enfermos procedentes de Córcega y Sicilia. Un borracho había gritado: «¡Milagro!», pero en seguida se descubrió que era un impostor. Clavamos tres cirios —el mayor, el de mi madre—, y nos arrodillamos en el santo suelo. Yo pedí a la Virgen las fuerzas necesarias para ejercer cumplidamente mi ministerio, ya que, según san Pablo, había sido «entresacado de entre los hombres». La Virgen era el elemento poético del catolicismo, la ternura indispensable, y sorprendía que los protestantes hubieran prescindido de ella y que, en cambio, en *El Corán* se la «echase repetidamente de menos». Juntas mis manos, como cuando me las ataron en el Congreso Eucarístico, palma contra palma, juré que mantendría el celibato contra cualquier tentación. Entonces me di cuenta de que acababa de pecar de soberbia y corregí mi súplica: «Virgen María, madre de Dios, ayúdame a mantener el celibato contra cualquier tentación.» Pedí mil cosas más; sobre todo, perseverancia. Que mi entusiasmo de neófito no se enfriase, no cayera en la rutina, como con frecuencia había detectado en la comunidad eclesial. También recordé a María, de forma especial, que me diera el ánimo indispensable para «confesar». Confesar a los penitentes, a los arrepentidos, gozar del poder de perdonar los pecados era una empresa turbadora, por lo menos para mí. ¿Y si llegara un día en que mi padre me pidiese que lo confesara? ¿Y si quien me lo pidiera —¡Jesús bendito!— fuese mi madre? ¿O Victoria? ¿O mosén Salvador Cebriá?... La vida era vida precisamente por eso, porque de pronto aparecía lo inesperado, lo insólito, lo que quedaba más allá del sentido común. Por ejemplo, era insólito que, entre tanta muchedumbre alrededor, se hubiera hecho el silencio que reinaba en aquellos momentos. Silencio que yo aproveché para oler el aire. El aire de Lourdes —la gruta de Arenys de Munt quedaba lejos—, del que tanto me habían hablado. Aire de santidad, de súplica, de ofertas de sacrificio, jamás de desesperación. Olor a musgo, a cera, a bosque cercano, al agua que brotaba por todas partes —qué cerca discurría el río—, en especial de unas fuentes próximas que manaban abundantemente llenando recipientes. ¿Cuántos milagros había *aceptado* la Iglesia? ¿Seis, catorce, veinte? No me importaba. Los hombres podían equivocarse; Dios —la Virgen— no. A lo mejor el gran milagro consistía en la peregrinación de millones de seres humanos dolientes. Y en las procesiones eucarísticas para inválidos y moribundos. ¡Morir en Lourdes! ¿Podía desearse una muerte mejor? A no ser por mis padres no me hubiera importado morir en aquel momento, confundido entre los peregrinos de Cerdeña y Sicilia.

Antes de que oscureciera del todo nos dio tiempo a recorrer el bazar de los *souvenirs*. Aquella incomprensible exhibición se me antojó fuera de lugar, casi blasfema. Mi padre, a pesar de todo, compró una pequeña imagen fosforescente; mi madre, en cambio, puso el grito en el cielo —¿en el cielo?— y su índice iba señalando los precios.

—¿En qué quedamos? ¿No dicen vuestros Evangelios que Jesús expulsó del templo a los mercaderes? ¿Por qué no se aparece aquí, una tarde calurosa como la de hoy, y manda al carajo a todos estos explotadores de la ignorancia?

Tuve que darle la razón, aunque lo de *ignorancia* podía ser en muchos casos *fe sencilla*.

—No magnifiques las acusaciones, madre. Entre Dios y los hombres siempre aparecen intermediarios que se dedican a expoliar los bolsillos. Pero si sólo prestas atención a lo negativo te equivocarás de todas todas y harás que mis manos tiemblen al levantar el cáliz.

Por fortuna, este último augurio se evidenció falso. Dormimos en un hotel modesto, de un tirón a causa del cansancio, y al día siguiente, muy temprano, celebré misa en uno de los muchos altares de la basílica cercana a la gruta. Mis padres ocupaban la primera fila, pero los oyentes eran muchos. En el momento de la consagración mis manos no temblaron. Levanté primero la hostia y luego el cáliz con un vigor que procedía de lo más íntimo de mi ser. Logré concentrarme, logré «transustanciarme». Yo estaba «creando» a Dios, metamorfoseando la materia. La hostia fue antes harina, la sangre fue antes vino. «Éste es el Cordero de Dios, que quita los pecados del mundo.» Lo menos cincuenta personas se acercaron a comulgar, entre ellas, mi padre. Sí, pude reafirmarme en lo que ya sabía: que el desfile de *lenguas* era repulsivo. Las había afiladas, las había breves, las había de color morado, y algunas bocas apestaban, ¡empezando por la de mi padre! Aquello fue un revulsivo para mí. ¿De qué le servían, pues, los dos dientes de oro? El culpable debía de ser el estreñimiento... Terminada la comunión permanecí un minuto en silencio, meditando, mientras en otros altares de la basílica los asistentes cantaban el *Sanctus* y también el *Pater Noster*.

Al día siguiente llegamos a Roma. La grandiosa estación, marmórea, de estilo mussoliniano, nos encandiló. Además, en la planta subterránea había una espléndida exposición de pájaros tropicales, cuyo lenguaje sólo resultaba asequible a los ornitólogos. Los portadores de equipaje nos persiguieron hasta depositarnos en el interior de un taxi, el cual nos condujo a un hotel, Albergo di Paradiso, sito enfrente de la iglesia de Sancta Andrea della Valle, y cuyas señas me había facilitado mosén Salvador Cebriá.

Y pronto nos encontramos en la gran plaza de San Pedro, también atestada de peregrinos, cuyas miradas atestiguaban júbilo y encantamiento. Muchas parejas de novios, al parecer, enlazadas las manos, contemplaban con emoción y curiosidad las columnatas de Bernini y la cúpula de la basílica, basílica-centro de la cristiandad. La multitud congregada difería mucho de la que nos conmovió en Lourdes. Ningún enfermo, por lo menos en apariencia. Mangas cortas y viseras de muchos colores: el sol era aplastante. Las máquinas fotográficas no dejaban de disparar. Padres llevando a hombros a sus chiquillos y un «hormiguero» de monjas reclamando que Pío XII abriera su ventanal, que extendiera los brazos como sólo él sabía hacerlo y las bendijera *urbi et orbe*. Pero Pío XII no aparecía —el Vaticano se regía por horarios estrictos— y yo me dedicaba a no perderme detalle y a una implacable labor de introspección.

Mi sensibilidad me vapuleaba de lo lindo, como de costumbre, pues por un lado me llevaba a *sentir* que, en efecto, me encontraba en la «roca» —*Petrus*— contra la cual las fuerzas del Mal no prevalecerían, y por otro me hacía prestar atención a la guardia suiza que montaba la guardia aquí y allá y entre cuyos miembros, según el doctor Pros, se infiltraba a menudo algún que otro homosexual. Este pensamiento me obsesionó y apenas si me percaté de que mi padre exclamaba: «¡Qué maravilla!», y de que mi madre se deleitaba jaleando a las palomas.

Por fin entramos en la basílica. Sorprendentemente estaba casi desierta. Cierto, había algo pétreo, agresivamente ostentoso en aquellas columnas y bóvedas, a excepción de *La Pietà*, de Miguel Ángel, escultura cálida, casi sangrante. Lo demás, riqueza, frialdad (un témpano sagrado, según mi madre). La nota humana la daban unas mujeres que barrían y fregaban los mosaicos del suelo y que nos obligaban a zigzaguear en nuestro itinerario. Muchos jóvenes sacerdotes cruzaban de un lado para otro con carpetas bajo el brazo y de pronto oímos un coro de niños cantando la *Salve Regina*, pero sin poder localizar su emplazamiento.

Mosén Salvador Cebriá me había vacunado contra el azoramiento, contra la perplejidad, repitiéndome lo ya sabido: que la Iglesia necesitaba también el soporte del poder temporal. En la cripta en la que estaban enterrados los santos padres me di cuenta de que aquello era verdad.

«Los protestantes querrían que la Iglesia se instalara en un garaje porque saben que de este modo desaparecería al primer soplo.» Los papas muertos continuaban viviendo allí, probablemente sin gusanos. Cabía que también estuviese allí el mismísimo san Pedro, que en Roma fundó el pontificado y sufrió atroz martirio. Como tantas veces en los últimos tiempos, recé con hondura, silabeando, masticando casi, mi oración preferida: el padrenuestro. Mi padre se santiguó varias veces consecutivas y mi madre contemplaba con expresión impenetrable las pinturas del techo.

Claro que aquello no tenía nada que ver con Belén, con el pesebre y el asno y el buey, con los pastores y con la estrella de plata. Pero desde un pesebre no se podía gobernar a casi mil millones de fieles —la cristiandad—, ni edificar universidades, ni cuidar de las misiones, ni fundar y conservar tan diversas órdenes religiosas, ni resistir los embates del ateísmo y de la masonería. A esto último le daba yo mucha importancia, porque conocía el libro del padre Tusquets. ¿Habría algún masón entre la muchedumbre reunida en la plaza, dispuesto a disparar? No, no, de ningún modo. Ellos trabajaban en sus logias, en secreto, con juramentos por parte de los iniciados que remedaban los de organizaciones brujeriles muy antiguas y cruentas. Para un misacantano como yo, nombrar las misas negras era mentar el Diablo.

Antes de abandonar la basílica nos detuvimos otra vez ante *La Pietà* de Miguel Ángel. La expresión de la Virgen y la del Cristo yacente en su regazo consiguieron que mis ojos se llenaran de lágrimas.

La carta de recomendación que me dio mosén Salvador Cebriá para su amigo Rafael Costafreda, quien ampliaba estudios en la Biblioteca Vaticana, tuvo un efecto mágico. Nos abrió todas las puertas. Mosén Rafael Costafreda era barcelonés, políglota, de físico escuchimizado, pero con una energía interior que desbordaba cualquier previsión. Poder hablar en catalán le supo a gloria. Nos contó muchas interioridades del Vaticano, el más pequeño Estado del mundo —724 habitantes—, pero el de ma-

Roma Vaticano

yor proyección espiritual. «Barrio de Trastevere, en la manga derecha del Tíber, ¿comprendéis?» Gracias a él pudimos visitar en varias ocasiones, fuera de horario —permanecimos en Roma una semana entera— la Capilla Sixtina y los museos —¡ah, mi admirado Rafael!—, y recorrer también las galerías de la biblioteca, que contaba con 53 000 manuscritos, 7 000 incunables y 700 000 volúmenes. Prácticamente, allí estaba salvaguardada la mitad de la sabiduría atesorada por los hombres en la tierra a lo largo de los siglos. Y mosén Rafael Costafreda confiaba plenamente en que seguiría siendo así, por la voluntad de Dios y la invocación de san Pedro, hasta el final de los tiempos.

A decir verdad, todo en Roma era conmovedor, que por algo era llamada el *alma mater* de la cristiandad. San Juan de Letrán, la Via Apia, las plazas recoletas —ocre y rosa— con las fuentes manando sin cesar agua tan «sagrada» como la de Lourdes. Recorrer Roma de noche era una embriaguez. Lástima que no nos pillara la luna llena, sino la luna en cuarto menguante, cuya silueta recordaba el islam y no el rostro providencial del emperador Constantino. De las esquinas brotaba música, las pisadas resonaban como campanas. Mi padre decía: «Todo esto habría que recorrerlo con sandalias.» Mi madre se enamoró de Roma hasta el tuétano —por sus estudios, el esplendor y el declive del imperio romano le resultaban muy familiares—, y decía, con sorna: «Yo no vuelvo este verano a Mas Carbó. Yo no me muevo de aquí.» Todos los días yo celebraba misa frente al Albergo di Paradiso, en Sancta Andrea della Valle, cuyo párroco, ya entrado en años, me llamaba «*il giovane hispanus*». Era una vieja iglesia, con telarañas en los altares, confesonarios a la antigua y a la que —así se lo hice saber a Rafael Costafreda— habría que echar una mano. ¡Oh, claro, no todo era esplendoroso en la Ciudad Eterna! Había mucho polvo y submundos, como en todas partes. Pero Rafael Costafreda repetía una y otra vez que el gran milagro de Roma, y en particular del Vaticano, era que hubiera sobrevivido a los bombardeos de la segunda guerra mundial.

Ahora bien, lo que hacía palpitar aceleradamente mi corazón era el Coliseo. Allí sufrieron martirio los primeros cristianos, discípulos de Pedro y Pablo. Antes que renegar de su fe, prefirieron morir en las garras de los leones —o crucificados—, en presencia de ochenta mil espectadores que vociferaban y pedían más sangre, y más y más. Desde entonces, dicha sangre por Cristo había corrido a raudales, entroncados, sin apenas interrupción, con los «Caídos por Dios y por España» inscritos en la lápida del seminario. Recordé aquellas palabras enigmáticas de Jesús: «Yo no he venido a traer la paz, sino la guerra.» Sentado en las gradas del Coliseo, entre las cuales deambulaban los turistas con sombreros estrafalarios o pañuelos de cuatro nudos en la cabeza, meditaba sobre el premio eterno prometido a los mártires. Ser mártir —acostumbraba a decir el profesor Daniel Planellas, que estuvo en la checa de la calle de San Elías— debía de ser la culminación, el súmmum, deseable a todas luces. Un disparo a quemarropa, la horca, la guillotina —el bocado de un león— y, como recompensa, la eternidad feliz. ¿A santo de qué nuestro apego a esta vida de constante lucha, de ambiciones sin cuento, de sentido tribal? ¿Y desde cuándo yo era líder de algo? ¿De qué podía presumir? ¿De facilidad de palabra, de cierto empaque, de teclear brillantemente el piano? ¿Y san Pedro, pues? Era un pescador, probablemente analfabeto y todavía hoy era venerado por la cuarta parte de la humanidad. Recordé la primera epístola de san Pablo a los romanos: «Ante todo doy gracias a mi Dios por Jesucristo, por todos vosotros, de que vuestra fe es celebrada en todo el mundo [...]. Me debo tanto a los griegos como a los bárbaros, tanto a los sabios como a los ignorantes. Así que, en cuanto en mí está, pronto estoy a evangelizaros también a vosotros los de Roma.»

Si ésta era la voluntad del Señor, yo estaba presto a evangelizar a los habitantes de Somorrostro, los cuales iban siendo comidos poco a poco, bocado tras bocado, por sus conciudadanos opulentos, entre los que podía contabilizarse el mismísimo doctor Pros.

El viernes por la mañana tuvo lugar la audiencia «limitada» del papa, a la que, gracias a Rafael Costafreda, habíamos sido admitidos. En la sala de espera de Pío XII nos encontramos reunidas una treintena de personas, alineadas en semicírculo. Mullidas alfombras, cortinajes rojos, una preciosa lámpara colgante del techo. La orden o consigna era: «Por favor, esperen un momento, el Sumo Pontífice estará con ustedes en seguida.» La decoración me desconcertó. También me desconcertaron tres monjas carmelitas que no parecían impresionadas en absoluto y que parloteaban entre sí como risueñas colegialas. A mi lado, un sacerdote joven, polaco —¡había sido ordenado en el congreso!—, con el que intercambié un apretón de manos. Un enorme crucifijo de marfil presidía la estancia, y por unos ventanales a la izquierda penetraban oblicuamente los rayos del sol. Yo llevaba conmigo mi breviario dorado, confiando en que el papa se dignaría bendecirlo.

A los diez minutos exactos apareció, por una puerta disimulada a la izquierda del crucifijo, Pío XII, enteramente vestido de blanco, sobre el fondo rojo de los cortinajes. En aquel momento comprendí por qué le llamaban *el Altísimo*. Su silueta frágil, ascética, casi distorsionada como una figura del Greco y sus manos abiertas de par en par, nos obligaron a doblar las rodillas hasta el suelo. Él hizo ademán de que nos levantáramos y empezó, con extrema cordialidad, la ronda de los diálogos. En primer término estábamos los sacerdotes, luego las monjas, después los matrimonios adultos, más tarde los recién casados y al final los solteros. Fue el suyo un itinerario premioso y reflexionante. A cada cual le habló en su respectivo idioma. Con el joven polaco empleó mucho tiempo, acaso porque pertenecía a la Iglesia del Este, a la Iglesia del Silencio. A un sacerdote francés, ya entrado en años, le dijo que «Francia continuaba siendo la niña de sus ojos, la niña de los ojos de la Iglesia». Entonces me tocó el turno a mí. Hice la consabida genuflexión, le besé el anillo y le presenté el breviario, sobre el cual trazó el signo de la cruz. Entonces me preguntó, en correcto castellano, desde cuándo era sacerdote.

—Desde hace veinte días —le contesté—. Fui ordenado en el Congreso Eucarístico.

Sus ojos resplandecieron.

—¡Ah, el Congreso! Monseñor Tedeschini...

Asentí con la cabeza. Luego le pedí una bendición especial para conseguir ser fiel a mi ministerio hasta la muerte. El papa —no sonreía jamás— puso su diestra sobre mi cabeza y me dijo:

—Hijo mío, persevera. Y no olvides nunca la eficacia de la oración.

Dicho esto, prosiguió su ronda —las monjitas dejaron de hablar y reírse—, hasta llegar al lugar que ocupaban mis padres. Mi madre me proporcionó la gran sorpresa: dobló la rodilla hasta el suelo y le besó el anillo con aparente devoción. Sólo Dios sabía lo que en aquellos momentos estaría pensando.

Terminada la gira por el semicírculo de invitados, Pío XII volvió sobre sus pasos, se subió al estrado y nos bendijo a todos colectivamente, trazando en el aire una gran cruz y permaneciendo unos instantes con los brazos abiertos de par en par, en actitud peculiar y conocida en el mundo entero. Era verdaderamente el Pastor que abrazaba a su rebaño. A mí no me importaba ser oveja, si a donde el pastor me conducía era al aprisco de la primera y última Verdad. Por fin el Sumo Pontífice desapareció por la puerta disimulada y nosotros aguardamos, sin movernos, en espera de instrucciones. A los pocos minutos reapareció el canónigo de tez rosada que, lista en mano, había cuidado de las presentaciones de todos y cada uno, y con un gesto cortés nos acompañó a la puerta de salida y luego hasta la escalinata que conducía a la calle.

Ya en la escalinata —yo bajaba los peldaños con el corazón en un puño—, mi madre me apretó el antebrazo, sin duda para conectar con mi estado de ánimo. Pero en ese momento exacto surgió la sorpresa, que corrió a cargo de las monjas carmelitas. No sólo volvían a reírse sino que la más pequeña comentó, en pintoresco italiano, que *il papa* había envejecido mucho «desde la vez anterior». «Está un poco chocho», le respondió la hermana mayor. Y desaparecieron alegres como las palomas de la plaza. ¿Qué ocurría? Rafael Costafreda nos había advertido que los «romanos» estaban tan familiarizados con el Vaticano que siempre bromeaban a su costa. Claro, seguro que aquellas tres monjas conocían aquello mejor que yo. Tal vez Pío XII les pareciera teatral... Yo, en cambio, reaccioné a la inversa. Tuve la impresión de que jamás en la vida olvidaría aquella figura blanca, estilizada, que apareció sobre fondo rojo, abiertos los brazos y que puso la mano sobre mi cabeza invitándome al rezo y a la perseveración.

CAPÍTULO XII

ALGUNOS BARRIOS DE BARCELONA habían experimentado notables cambios a raíz del congreso. La avenida de la Diagonal hasta Pedralbes y la plaza de Pío XII, de nuevo cuño; las zonas donde pronto empezarían a levantarse las Viviendas del Congreso; bolsas de miseria, como la de Somorrostro, que pronto fueron habitadas otra vez por un nuevo alud de inmigrantes; el aseo y el remozamiento del distrito antiguo en torno a la catedral, que por el momento parecía que era respetado por los visitantes; las fuentes luminosas de Montjuich, obra magna del ingeniero Carlos Buigas, reparadas para la ocasión y cuyos cambios de forma y color embrujaban a grandes y a chicos; más luces de neón en los comercios, como en vísperas de Reyes; el Turó Park, zona hasta entonces silvestre y que se prolongaba hasta el estadio del Real Club Deportivo Español, empezaba a acotarse, a urbanizarse, por la parte de Piscinas y Deportes, con el propósito de convertir aquellos solares en bloques-colmena o en edificios destinados a la clase media, etcétera.

¿El clima religioso...? Mosén Salvador Cebriá, que continuaba hablando sin apenas mover los labios, se encogía de hombros. Seguro que aquella apoteosis de fe habría repercutido favorablemente en el interior de un notable número de almas; pero para la mayoría —y se refería, naturalmente, a la población autóctona— lo más probable era: si te he visto no me acuerdo. Vivir en perpetua comunicación con Dios, el Invisible, era muy difícil. Era una empresa espiritualmente titánica. Quince días después de la marcha de monseñor Tedeschini, superada la emotividad del momento, lo más probable era que la gente volviera a la rutina, como habían vuelto a sus «antros de corrupción» los macarras y las prostitutas. «Por desgracia, nuestra religiosidad se basa en los signos externos.»

El prefecto Jaime Prieto, del que se rumoreaba que pronto sería nombrado rector del seminario, sustituyendo al diabético don Vicente, era menos pesimista. Para él el congreso había sido una lluvia de gracia —y la gracia era un don gratuito— caída sobre la ciudad y sobre el país entero y que germinaría por encima de cualquier obstáculo o defecto social. «Esto salta a la vista. Las familias se sienten más unidas; las gentes se quieren más entre sí y son menos envidiosas; se oyen menos blasfemias; las iglesias, atestadas; las ocho mil misas celebradas no pueden caer en saco roto... Claro que, como dice el profeta, "el justo peca siete veces al día"; pero para eso está el sacramento de la penitencia.»

Yo no sabía qué pensar. Me faltaba experiencia. Había vivido —opinión del doctor Pros— excesivamente encerrado en una «concha», sin el debido contacto con la realidad, y ello sólo se subsanaría cuando supiera a qué atenerme con respecto a mi destino sacerdotal.

—¡Ay, tu destino! —había exclamado mosén Salvador Cebriá—. Las cosas de palacio van despacio. No hay respuesta todavía, aunque te repito que veo casi imposible que accedan a tu petición de irte a Somorrostro.

—Y entretanto, ¿qué hago? —le pregunté.

—Habla con don Vicente y pídele permiso para esperar dicha respuesta en Mas Carbó.

Acepté la sugerencia. Nos fuimos a Mas Carbó —también mis padres necesitaban descansar—, y Fermín y Dolores nos recibieron con el mayor afecto.

—¡Espera, espera! —me espetó Fermín—. Ya te irás dando cuenta. Desde nuestra famosa subida a Montserrat, doña Dolores, que así la llamo yo ahora, se ha convertido en una comesantos. Se santigua al acostarse y lo mismo al levantarse. Esto no se había visto nunca en Mas Carbó.

Una novedad en la masía: *Vesubio* tenía sustituto. Un caballo «árabe» llamado *Galopín*, tan potente que hacía olvidar a su predecesor. Otra novedad: Fermín había aumentado el salario de sus jornaleros, respaldando con ello la refrescante tesis del prefecto Jaime Prieto con respecto a los frutos del congreso. Y el día 1 de julio, coincidiendo con la llegada de Victoria, el mazazo en carne viva: el viejo Tomeu murió. Fermín lo encontró muerto en el suelo, abiertos los ojos, amoratado el semblante. Probablemente llevaba allí más de veinticuatro horas, junto a la inseparable chistera con la que había recorrido la región y a la vez imaginarios espacios siderales. El médico de Arenys de Munt, Jorge Tristany, firmó el acta de defunción: fallo cardíaco. Y el entierro fue penoso, sobre todo para mí, no sólo porque quería mucho al viejo Tomeu, sino porque su cadáver sería el primero por el que yo rezaría un responso.

En la iglesia del pueblo, con el féretro al pie del presbiterio y Fermín y Dolores endomingados, dediqué mi plática a las personas humildes, sencillas, marginadas por los hombres pero no por el Creador. El párroco estuvo mirándome de soslayo, temiendo sin duda algún arrebato mío juvenil, pero al final respiró tranquilo. Y acto seguido iniciamos la subida de la empinada cuesta que conducía al cementerio. La comitiva, a la hora del crepúsculo, debía de tener un aspecto solanesco. Llegados arriba —Fermín había cedido el nicho de su propiedad—, los albañiles procedieron a emparedar el féretro en el interior y a taponarlo con ladrillos y argamasa. Varias coronas de flores brotaron de no se sabía dónde —una de ellas, con toda certeza, debía de figurar en el haber de Victoria—, y una vez terminada la «operación» invité a todos a rezar un padrenuestro. Dicha oración, en lo alto de la colina solitaria, repleta de zarzales y con algún que otro ciprés, resonó solemnemente. Hasta que de pronto me distraje... ¿Por qué mi mente debía sufrir tales fugas? Comparé aquel cementerio y aquel nicho con la cripta romana en la que estaban enterrados los papas, y por un momento respiré con dificultad. Y me ruboricé. Y me acordé de algo que me había dicho confidencialmente Rafael Costafreda: que Pío XII le tenía un miedo cerval a la muerte. ¿Sería posible? Por lo visto no sólo le atendía su médico de cabecera sino que acudía también a curanderos y matasanos. ¿Quién sabe si le hubiera tranquilizado el viejo

Tomeu, recetándole o facilitándole algunos de sus mejunjes de zahorí compuestos de hierbas y que le habían permitido llegar a los ochenta y cinco años.

El descenso hacia el pueblo fue silencioso. Al pasar frente a la iglesia el párroco me invitó a entrar un momento en la rectoría.

—Me gustaría hablar contigo.

Le acompañé y me propuso sin ambages:

—¿Por qué no pides al señor obispo que te mande aquí de vicario? Estoy solo... Empiezo a ser mayor. Me siento fatigado. Y no he conseguido, *mea culpa*, por supuesto, conectar con la juventud. Sólo vienen a confesarse conmigo unas cuantas beatas que siempre repiten lo mismo y con las que todos los días rezo las tres partes del rosario.

Echando mano de mi mejor sonrisa, para no ofenderle, respondí con la verdad: había llegado tarde.

—Al día siguiente de mi ordenación en Montjuich, envié al Palacio Episcopal una solicitud para ser destinado al barrio infrahumano de Somorrostro. Estoy esperando la respuesta...

El párroco, que se llamaba Manuel Fuentes, se restregó los ojos con la punta del pañuelo. Sufría de glaucoma y de un principio de cataratas. No se atrevían a operarle.

—De acuerdo, hijo, de acuerdo. La voluntad de Dios está clara: debo quedarme aquí hasta que me muera. No es que me importe la muerte. Podría decirse que envidio al viejo Tomeu. Pero lo que sí me duele es que vaya muriéndose la parroquia...

Mosén Salvador Cebriá tuvo razón; me denegaron el permiso para ir a Somorrostro, sin darme mayores explicaciones. «Por lo visto los marginados pueden quedarse sin sacerdote», pensé para mis adentros. Me destinaron de vicario a la parroquia de Santa Brígida, situada en la avenida del General Goded, entre la plaza de Calvo Sotelo y el Turó Park, en la planta baja de un bloque-colmena.

Lo primero que hice fue enterarme de quién fue santa Brígida. Quedé estupefacto: una incansable mujer, sin duda enamorada del número 8, puesto que dio al mundo ocho hijos en un castillo de Suecia, que escribió ocho libros de «revelaciones», que fundó la orden de San Salvador, que peregrinó a Compostela y a Jerusalén, que murió incidentalmente en Roma y cuya onomástica se celebraba el 8 de octubre.

En segundo lugar visité de matute la parroquia. Quedé más estupefacto aún. No era una iglesia en el sentido literal de la palabra. Era un antiguo garaje habilitado funcionalmente para tal menester, como se habilitaron muchos locales al término de la contienda civil. Nada de campanario, pues, nada de altares laterales. Un «garaje». El altar mayor con una imagen de santa Brígida en la parte superior, la custodia —el Santísimo— en el centro, expuesto día y noche y en las paredes las catorce estaciones del Vía Crucis, tan deslustradas e inelegantes que descorazonaban al más pintado. Un mísero ramo de flores a los pies de un crucifijo que parecía de latón. En cambio, *dos* confesonarios... Y por supuesto, una puerta a la izquierda del altar que debía de comunicar con la sacristía.

Asistí, de incógnito, a la misa que el párroco celebró al día siguiente, a las ocho de la mañana. ¡El párroco, el reverendo Martí Gifreu! Mosén Salvador Cebriá me había puesto en antecedentes. Aparentaba unos cincuenta años, alto, imponente, con una nariz voluminosa y roja como solían tenerla los bebedores de vino tinto. Celebró la misa con unción, concentrado, sin nada que objetar. Una veintena de fieles, casi todo mujeres, como ocurría en la parroquia de Arenys de Munt. Un rapazuelo avispado actuaba de monaguillo y se le veía feliz tocando la campanilla y sosteniendo la patena en el momento de la comunión. La casulla que exhibía mosén Martí era impecable, gracias a una hermana suya que se ocupaba de él, que se llamaba Eugenia y que era una beata de tomo y lomo. Vivían muy cerca del «garaje», en el número 2 de la calle de Fernando Agulló, justo enfrente del Turó Park. Mosén Salvador Cebriá me había dicho: «Él y su hermana ocupan el principal; el resto del inmueble, hasta el cuarto piso, lo ocupan señoritas "entretenidas", que actúan con discreción, pero que en lenguaje vulgar llamaríamos prostitutas.»

Estaba escrito que iría de asombro en asombro. Porque resultó que el doctor Camprubí era el médico de cabecera del reverendo Martí Gifreu, quien tenía los pulmones un poco «tocados». Oriundo del Ampurdán, del pueblo de Agullana, había cursado sus estudios en el seminario de Gerona y fue durante diez años vicario en la parroquia de Figueras. Durante la guerra civil se pasó los dos primeros años en Barcelona, oculto en un armario en casa de un primo hermano suyo, Antonio Gifreu, conocido vendedor de sombreros. De aquel encierro guardaba un ingrato recuerdo, y lo que más le gustó del Congreso Eucarístico fue la armonía existente entre la Iglesia y el Estado. Cuando, en la misa, le pedía al cielo especial protección para «Francisco, Caudillo de España», elevaba el tono de la voz como cuando su hermana Eugenia tardaba un poco más de lo debido en servirle la merienda. «Mosén Martí tiene una hernia de hiatus —me informó el doctor Camprubí—, por lo que cada dos o tres horas necesita comer algo. Por lo demás, es un santo varón, presidente de la Asociación de Pesebristas (tiene la casa llena de belenes iluminados) y sus únicas distracciones son el *Kempis*, la lectura de santo Tomás y un gato llamado *Chispita* que le acompaña en las horas solitarias.»

No supe qué pensar. Algún defecto debía de tener mosén Martí para que no consiguiera sacar adelante la parroquia, puesto que su barrio era un barrio de «clase media más bien alta», dato que me dio a todos los diablos, que me disgustó profundamente. Tuve que humillarme, que agachar la cabeza ante la resolución del Palacio Episcopal. Y disponerme a convivir con mosén Martí Gifreu, quien sería mi superior jerárquico ante Dios y ante los hombres. *Convivir*... Es decir, vivir con él y con su hermana, Eugenia —y con el gato *Chispita*— en el número 2 de la calle de Fernando Agulló, en cuyos pisos altos ejercían su oficio unas cuantas «prostitutas de postín», las cuales, siguiendo la costumbre, debían de llevar medallas en el cuello y en las temporadas bajas pedirle a san Pancracio salud y trabajo.

Mosén Salvador Cebriá me repitió una vez más que en todas partes se podía servir al Señor y que el alma de un rico no valía menos que la de un pobre.

—Es posible que te resulte difícil congeniar con mosén Martí, quien en ciertos aspectos es un cabezota y que al terminar la guerra se filtró, disfrazado de miliciano, en un campo de prisioneros y se dedicó a denunciar a los comisarios políticos. Pero haz de tripas corazón. Esto es agua pasada. Y no olvides que hiciste el voto de obediencia.

Tardé unos instantes en reaccionar.

—¿Ha dicho usted...? ¿Y qué les ocurría a esos comisarios?

—Pues que al día siguiente los llevaban al paredón.

Tampoco Héctor estaba satisfecho del todo. Su ideal hubiera sido que lo enviaran a ampliar estudios teológicos en alguna universidad alemana, pero el obispado se opuso. «Eso se queda para los jesuitas...» Le destinaron como profesor de latín en el propio seminario. «Recuerda los fallos de quienes fueron tus profesores al inicio de la carrera, y procura enmendarlos. Al tiempo que les enseñas latín, forma a tus alumnos en la piedad y en la caridad fraternas.»

Héctor se mordió la lengua y contestó para sus adentros: «De acuerdo.» Prefería lo suyo a lo que a mí me había tocado en suerte. Por lo demás, mi condiscípulo predilecto había ido evolucionando con el tiempo. Ahora no se trataba de comer chocolate y de pergeñar de vez en cuando un soneto a lo san Juan de la Cruz. Su vocación literaria se había manifestado aparatosamente. Se sentía capaz de escribir sus *Memorias* ¡a los veinticinco años! «Esto podría ser una forma de apostolado como otra cualquiera. No estoy dotado como tú para ser orador de masas; pero con un libro puedes alcanzar a millares de personas. Fíjate en Balmes, en Donoso Cortés, en el padre Coloma, en Ramiro de Maeztu... ¡Ah, sí, en mis horas libres voy a dedicarme a escribir!»

Le di la enhorabuena. Su proyecto me pareció excelente. Creía a pie juntillas en el talento literario del «hijo del coronel», como a veces le llamaba, en broma, *el Tontorrón*. Además, Raventós, el barbero del seminario, que también hacía sus pinitos alistando anécdotas en un cuaderno de colegial, le animaba en esa dirección.

—Tú tienes mucha facundia —le decía, poniendo énfasis en esta última palabra—. Podrías llegar a ser un Lope de Vega, un Calderón...

Héctor simulaba enfadarse.

—Anda, Raventós... Aféitame esta tonsura como Dios manda.

Antes de iniciarse el curso, Héctor se encariñó con el puesto que le habían asignado. Su operación psicológica fue fácil: el seminario era su «casa». Lo había sido durante doce años y continuaría siéndolo. Contempló los claustros, los muros, los pasillos, los dormitorios, las aulas, el diplodocus, como si formaran parte de su tesoro personal.

—Por lo demás —me dijo—, estaremos bastante cerca el uno del otro... Por cierto, ¿quién fue santa Brígida?

Sonreí. Le conté que era una mujer que había tenido ocho hijos en un castillo de Suecia, y que por lo tanto nada tenía que ver con la castidad. Héctor sonrió a su vez.

—Vete con cuidado —me dijo luego—, ya que, según informes, el reverendo Martí Gifreu detesta la música...

Aquello me sentó como un tiro. Precisamente mis padres me habían prometido un flamante piano, un Pleyel, para cuando estuviera aposentado en Fernando Agulló, 2, principal.

El nuevo director del seminario, Jaime Prieto —por fin le había llegado el nombramiento al ex prefecto—, tenía en alta estima a Héctor. Nunca lo negó. «Es sincero. Es noble. No juega con dos barajas. No gasta las energías en vano. No me extrañaría que dentro de un par de años el obispo le reclamara para algún cargo de confianza en el Palacio Episcopal.» Héctor, en la sacristía del seminario —acababa de celebrar misa—, puso el grito en el cielo.

—¡No, eso no! ¡Que no me jueguen esa mala pasada! Yo no serviría ni para acólito del papa... —Me miró intencionadamente, se despojó de la casulla y añadió—: Lo único que aborrezco de la religión es la burocracia...

Me abstuve de recordarle que durante el congreso ejerció precisamente, ¡y hasta qué punto!, de burócrata.

—¿Con quién jugarás ahora al ping-pong?

—Con las monjas —contestó rápidamente.

Y se me acercó y me dio un abrazo.

De *Los tres mosqueteros*, el único que vio cumplidos sus deseos —«bienaventurdos los pobres de espíritu»— fue *el Tontorrón*. Quería atender a enfermos y a moribundos en un hospital y lo consiguió. Fue nombrado capellán del complejo sanitario de San Benito, en la «Rotonda», la parte alta de la ciudad. Un total de setecientas camas, siempre ocupadas, distribuidas en pabellones especializados y con un servicio de urgencias que durante el congreso funcionó a tope y que normalmente recibía a diario de veinte a treinta ambulancias. «Paros cardíacos, hemorragias cerebrales, accidentes de tráfico, etc. ¿Para qué le voy a contar a usted? —le informó el doctor Campmany, responsable del centro hospitalario—. En cuanto me descuido, los médicos coquetean con las enfermeras y se escabullen hacia la cafetería.»

Espléndida, austera, reluciente, la capilla del hospital con san Benito en el altar mayor, al lado del Santísimo. El bienhechor había sido un fabricante de quesos al que le salvaron la vida en el hospital.

El Tontorrón no esperó ni siquiera a que llegara el 1 de agosto, fecha señalada para su toma de posesión, y se incorporó al equipo del doctor Campmany el 15 de julio. Todo el mundo esperaba de él lo mejor. Con sólo verle celebrar misa en la capilla la superiora de las monjas dictaminó: «Me parece que nos ha tocado la lotería.» El doctor Campmany quiso ponerle en guardia. «No todo va a ser para usted, aquí, agua de rosas... Habrá enfermos que le recibirán de mala manera. En el pabellón de los alcohólicos, puede incluso que le tiren algún trasto a la cabeza —el doctor tamborileó los dedos en la mesa—. En fin —concluyó, modificando el tono de voz—. Todo depende de su vocación para el martirio.»

No se arredró *el Tontorrón*. Nos explicó esto, a Héctor y a mí, como quien cuenta un chiste. «Si me tiran un trasto a la cabeza, lo sentiré por el trasto», comentó. Le preocupaba un aspecto de la cuestión: tendría que acostumbrarse al espectáculo de la sangre y al olor del cloroformo y del éter. Uno y otro le mareaban. En cierta ocasión entró en el matadero de Berga, y casi se desmayó. «Y ahora se tratará de seres humanos...» Por fortuna, su devoción por la Virgen seguía intacta y confiaba en su ayuda. Parodiando la famosa frase bromeó: «Todo lo puedo en aquella que me conforta.»

Súbitamente, *el Tontorrón* nos preguntó si conocíamos el destino de Joaquín Valls, el ciego.

—¿Qué puede hacer? ¿Adónde puede ir?

Héctor estaba informado.

—Ha sido un problema para el obispado, puesto que se trata de un caso único... Finalmente han decidido nombrarle capellán de un convento de clausura, el de Santa Clara. Las monjas cuidarán de él, y él se sentirá útil. Una excelente solución.

Entretanto, mi madre, a punto de iniciarse el nuevo curso, fue nombrada, por fin, directora de la academia Ausiàs March, sin que en esta ocasión nadie le vetara el cargo. Victoria la felicitó efusivamente y mi padre propuso festejar el éxito con champán. Invitamos a Mercedes y a Rocío para el momento del brindis, en el que yo improvisé unas palabras que conmovieron al pequeño auditorio. Y he aquí que la réplica de Mercedes, al cabo de unos minutos, fue de lo más inesperado. Existía otro motivo para brindar: Rocío estaba embarazada de Evaristo, esperaba un hijo de él, y la pareja quería casarse de verdad, es decir, pasando por la sacristía...

—Pasando por la sacristía —puntualizó Mercedes, dirigiéndose a mí—. Cuando tú lo decidas.

La noticia me pilló tan a trasmano que, al pronto, no supe qué contestar. Fugaces recuerdos pasaron por mi mente, al igual que me ocurriera en la Hora Santa la víspera de la ordenación.

—Sí, claro... —balbucí. Luego me dirigí directamente a Rocío—: A partir del uno de agosto la parroquia de Santa Brígida estará a vuestra disposición.

—¡Hurra! —brindó Victoria.

—¡Hurra! —brindó mi padre.

Seis copas hicieron *chin-chin*, mientras a Rocío se le humedecían los ojos.

—Conste que aquí la sacrificada soy yo —se lamentó

Mercedes—. En la portería necesito a alguien que me ayude. ¿Y a quién encontraré que se parezca a Rocío? ¿Dónde hallar esa perla?

Rocío se limitó a sonreír, se pasó, como siempre, la lengua por los labios y replicó que no había problema.

—En la Casa de Andalucía llegan a diario chicas jóvenes como yo, dispuestas a servir. Yo me ocuparé de encontrar ese mirlo blanco.

Sorprendentemente, yo tuve un arrebato de celos. ¿Quién era ese Evaristo? No le conocía. Sabía de él que era mecánico de un taller de reparación de automóviles y que, al igual que Victoria, era muy aficionado al frontón. La velada terminó con otro brindis, como si la boda debiera celebrarse al día siguiente.

El piso de mosén Martí Gifreu era espacioso, o por lo menos así me lo pareció. Más espacioso que el nuestro de la Rambla. Cierto, tenía enfrente el Turó Park, en vez de la estatua de Clavé. El Turó Park, recién arreglado por el ayuntamiento, era un jardín bien dotado, con canalillos de agua entre las flores y los árboles, con bancos para tomar el sol, toboganes y otros artilugios para que jugaran los críos. La clientela se componía en su mayor parte de jóvenes esposas burguesas residentes en el barrio —poco a poco trabaría amistad con ellas—, que iban a hacer ganchillo, a lucir sus trapitos, a chismorrear y a esperar a que llegaran a este mundo más bebés. Había un guardián uniformado, con un pito en la boca y autoridad. Cuidado con el césped. Cuidado con las sillas plegables, que eran de pago. Cuidado con el quiosco de la puerta de entrada —quiosco que pertenecía a su mujer—, en el que se vendían periódicos, caramelos, regaliz y toda clase de chucherías infantiles. El guarda se llamaba Tomás. «Tomás, ¿quiere tirarme esto a la papelera?» «Tomás, ¿quiere abrirme el parasol?» Sin Tomás no habría Turó Park. Así lo aseguraban los viejos, casi siempre los mismos, que aprovechaban el buen tiempo para sentarse en los bancos y descansar.

Mosén Martí, que desde que recibió la notificación del

obispado me esperaba como a un ahijado, estuvo, de entrada, de lo más amable conmigo. Llamó a su hermana:

—Aquí tienes a mosén Anselmo Romeu, tu nuevo huésped.

Llamó al gato:

—*Chispita*, aquí tienes a tu amo número dos. Sé cariñoso con él.

A continuación, me enseñó el piso que iba a ser mi nuevo hogar y que, efectivamente, era digno del presidente de la Asociación de Pesebristas. Un museo. Más de cien belenes, de países muy distintos, de diversos tamaños y características. Ocupaban materialmente todos los espacios, desde el vestíbulo, pasando por el comedor, los dormitorios —conté hasta tres— y una preciosa capillita en honor de santa Eugenia. Sólo se salvaban la cocina y una habitación cerrada, misteriosa, que mosén Martí se abstuvo de enseñarme —¿qué podía contener?—, y en cuya puerta de entrada se veía dibujada una calavera.

Tal y como me había advertido el doctor Camprubí, dichos belenes estaban iluminados en el interior de sólidas vitrinas, y mosén Martí se paseaba de un lado para otro con una lupa en la mano, indispensable para calibrar el valor intrínseco de las figuras.

—Tiempo tendrás para conocerlos uno por uno —dijo mosén Martí, poniéndome la mano en el hombro—. Verás que los hay hasta del Congo y del Japón. ¡Pse! Una manía como otra cualquiera.

Me fue asignado el dormitorio que daba a la calle. ¿Dónde pondría mis libros? ¿Dónde colocaría el piano que mis padres me habían prometido? Debería estudiar, y dormir, y soñar, rodeado de belenes. ¡Un acuario! A primera vista, tal era mi embrujo, lo confundí con un belén. Pero no. Allí estaban los peces de colores y las burbujitas, peces que se movían alegremente como dándome la bienvenida. Me encantó el acuario. A veces, en el seminario, había soñado con tener uno. Héctor tenía el suyo en Castelldefels y siempre me decía: «Lo malo de los acuarios es que los peces se mueren en seguida.»

—Con buena voluntad, todo se arregla... —dijo mosén Martí.

Y así fue. A los ocho días tenía instalados en el dormitorio no sólo mis libros —un centenar—, sino también la mesa-escritorio y el piano, el Pleyel. Los belenes sobrantes fueron a parar al vestíbulo, donde quedaba todavía un poco de espacio.

En cuanto al piano, de momento no supuso ningún obstáculo. O no era cierto que mosén Martí detestaba la música, o el hombre sabía fingir hasta el límite.

—Anda —me invitó—. Toca cualquier cosa. A ver qué opina *Chispita*, que tiene un oído muy fino.

En honor de mosén Martí y de su tierra natal toqué la sardana *L'Empordà*.

—¡Bravo, bravo!

Chispita no se movió; en cambio, Eugenia, que había entreabierto la puerta, aplaudió tímidamente.

Yo no podía olvidar que mosén Martí, con su enorme y roja nariz, ejerció de chivato en un campo de prisioneros. A partir de este dato, había momentos en que me inspiraba viva repugnancia. Me di cuenta de que me vería obligado a librar una dura batalla, sobre todo porque me repugnaban también su manera de comer —similar a la de Fermín—, sus torpes modales, el tono autoritario de sus sermones en Santa Brígida y su cortedad intelectual. Era monolítico, nada flexible y, por descontado, en el confesonario debía de imponer duras penitencias. Era hombre de media docena de libros, nada más. Inútil ensayar con él carambolas verbales o hablarle de las «otras» religiones, de los agnósticos, de los gnósticos, de los protestantes, de los ateos. Su divisa era: «Fuera de la Iglesia no hay salud.» Pronto comprendí que no me quedaba más que un camino: rebajar el listón de mi dialéctica y atacarle por el flanco de las muestras de afecto. La adulación hubiera fracasado, porque era pesimista, porque el hombre provenía del polvo y al polvo volvería.

Llevábamos ocho días de tira y afloja —vigilándonos como animales en celo—, cuando se me ocurrió una idea peregrina: poner las cartas sobre la mesa. Yo tardaría mucho en conocerle a él, él tardaría muy poco en conocerme a mí, puesto que le pedí ser recibido en confesión.

—Una confesión general, reverendo... De toda mi vida. Quiero estar a su servicio con la seguridad de tener las manos completamente limpias.

Mosén Martí enarcó las cejas, como siempre que se le pillaba por sorpresa.

—¡No faltaba más, hijo! Ahora mismo, si quieres.

—Por mí, estoy dispuesto. Toda esta semana me he preparado haciendo examen de conciencia...

La confesión tuvo lugar en mi dormitorio, aprovechando que Eugenia había salido de compras por el barrio. Él se sentó en mi butaca, con la estola sobre los hombros, yo me arrodillé a sus pies. La habitación estaba en penumbra, puesto que habíamos semicerrado los postigos. El charol del piano relucía y los peces de colores cumplían con su deber de no intentar introducirse en el alma de los hombres.

Vomité todos mis pecados. Ésta era la palabra: vomitar. Empecé con cierta frialdad, como quien recita un catálogo. Fueron los minutos que dediqué a las triquiñuelas de la infancia. Pero poco a poco fui entrando en materia, al contar en voz alta mis primeras masturbaciones, mis poluciones nocturnas, mis obsesiones sexuales y, por fin, mis dos copulaciones con Rocío, cuyo nombre, naturalmente, me reservé. Luego me referí a mi vanidad; a mi convicción de ser un líder; a mi excesivo amor por mis padres; a mis envidias en el seminario, sobre todo en teología; a mis «fugas» con el pensamiento en los momentos que requerían concentración; etc. Fue algo así como las tres partes del rosario, en el supuesto de que todos los misterios fueran de dolor. Y no se me escaparon las contracciones de mi párroco según la gravedad de la culpa.

Su reacción fue aparatosa. En vez de ponerme la mano en el hombro, se repantigó en el sillón, uniendo los índices y llevándoselos a los labios. Luego dio rienda suelta a su lengua. Centró su perorata en la vanidad y, sobre todo, en el sexo. Apañados estaban quienes querían restarle importancia a la lujuria. Ahí tenían un ejemplo. Su filípica, con léxico muy restringido, seguramente hubiera estremecido al *Tontorrón*, pero no a mí. Yo estaba acostumbrado. Mosén Salvador Cebriá había llegado a hablarme de cilicios y aquella lejana tarde en que fui a confesarme a la catedral el confesor anónimo me habló de la predestinación...

Diez minutos lo menos de sermoneo, con intervalos en que mosén Martí levantaba con exceso la voz, cantando las excelencias del celibato, refiriéndose a Juan, el discípulo amado, a san Agustín, que fue un gran pecador pero que luego se redimió, a los anacoretas, al hecho objetivo de que Cristo *no conoció mujer*. Y luego, la asombrosa penitencia: debería llevar durante quince días un grano de arena en el zapato derecho.

—Te resultará molesto, ya lo sé; pero debes acostumbrarte a despreciar tu cuerpo.

Despreciar mi cuerpo... El eterno sonsonete, que no tenía ninguna base teológica, puesto que Cristo asumió la naturaleza *humana* y se sometió a sus leyes humillantes, incluida la muerte. Mosén Martí me habló luego —ya sentados los dos, frente a frente— de las señoritas «entretenidas» que vivían arriba y que, dado mi temperamento, constituirían para mí una constante tentación.

—Eres joven, eres apuesto, llevas sotana... Te perseguirán. No se te ocurra nunca tomar el ascensor.

Yo solté una carcajada, lo que sorprendió una vez más a mi interlocutor.

—Perdóneme, reverendo... No es que me tome a broma sus palabras; pero es que las enfermedades venéreas me horrorizan. Deben de ser mucho más molestas que el grano de arena en el zapato derecho.

La reacción de mosén Martí volvió a ser aparatosa y volvió a unir sus índices y a llevárselos a los labios. Luego me vapuleó de lo lindo, argumentando que mi compromiso de castidad no debía obedecer al miedo a la blenorragia o a la sífilis.

—Hiciste un voto y lo hiciste voluntariamente. Y la Iglesia exige de ti, como lo exige de mí, este sacrificio. —De improviso se levantó y yo hice lo propio. Me puso la mano en el hombro y echó a andar hacia la capillita de Santa Eugenia—. Ándate con cuidado. En el confesonario oirás cosas terribles. No caigas en la tentación de pedir demasiados detalles... Y con las chicas de Acción Católica, que desde ahora te confío, estáte siempre a la defensiva.

El hecho de que mosén Martí tuviera que disimular en

cuanto al íntimo conocimiento que tenía de mi pasado —secreto de confesión—, creó entre ambos una situación un tanto pintoresca. Para estar a la par, él hubiera tenido que confesarse equitativamente conmigo, lo cual era inimaginable, pues el párroco tenía su propio director espiritual, que era, ¡quién pudo predecirlo!, un condiscípulo suyo, mosén Salvador Fábregas, a la sazón capellán de la Cárcel Modelo.

Si alguna vez se le escapaba alguna alusión algo indiscreta y él se daba cuenta, inmediatamente daba un giro al diálogo y se ponía a hablar de los peces de colores o de su pintor favorito, que era Murillo. Si no se daba cuenta, yo no tenía más remedio que levantarme y andar a la patacoja con el grano de arena en el zapato que, por cierto, me dolía muchísimo. Eugenia había presenciado más de una vez ese brusco cambio de tema y ponía una cara estúpida, de incomprensión.

Nuestros coloquios más largos, por lo menos de momento, tenían lugar durante los almuerzos y las consabidas sobremesas. Mosén Martí comía despacio y masticaba mucho —la hernia de hiatus—, y yo me adapté pronto a su ritmo. Entonces comentábamos las noticias de los periódicos y de la radio y era raro que nuestras respectivas interpretaciones coincidieran. Mosén Martí era un sacerdote chapado a la antigua. Pese a su buena voluntad, no sólo no había conectado con la juventud, como me habían informado, sino que tampoco lo había hecho con los mayores. El consejo parroquial, la sección masculina de Acción Católica, los enfermos del barrio que necesitaban visitas a domicilio, se hartaban de esperar. Santa Brígida se caía de pura rutina y requería con urgencia un revulsivo, que evidentemente tenía que ser yo.

Algunas veces nuestras discusiones subían de tono, mientras mosén Martí se rascaba con el dedo meñique el fondo del oído izquierdo. Recuerdo una sobremesa en la que él defendió la tesis de que la desigualdad en el mundo era forzosa, y que consideraba criminales a los revolucionarios que pretendían cortar la cabeza a quienes sobresalían.

—Durante la guerra, desde mi armario, vi a quienes se dedicaban con fervor a esa tarea. No necesito más.

Procuré matizar, y le hablé del Somorrostro que yo conocía y de los otros muchos que existían por ahí, por el ancho mundo.

—¿Sabe usted que, en la propia Barcelona, hay familias que se alimentan de gatos y de ratones?

Mosén Martí replicó:

—Brrrrrrrr... Siempre ha habido pobres y siempre los habrá; y en todo caso, no le incumbe a la Iglesia convertirse en una casa de beneficencia.

En otra sobremesa le hablé de las «primeras comuniones». Se habían convertido en actos ostentosos. Se hacían banquetes, con abundancia de regalos y de fotos en color. Le enseñé un recordatorio que decía: «Primera comunión de la niña Gloria Torres Espinás. Restaurante *Las tres llaves*. Se ruega traje de etiqueta.»

—¿Se da cuenta, mosén Martí? ¿No le parece que esto clama al cielo?

Asintió con la cabeza y respiró hondo; pero luego añadió que la sociedad era un engranaje muy complicado y que estaba escrito que, en definitiva, *los últimos serían los primeros*.

A veces quien atacaba era mosén Martí. El ejemplo más notable tuvo por escenario la sacristía de Santa Brígida. La homilía que yo había pronunciado —era domingo— no le había gustado a mi superior. En ella me había referido a la parábola evangélica del amo y los jornaleros, admitiendo que para la feligresía tenía difícil explicación. Mosén Martí, como de costumbre, me atacó formulándome una pregunta:

—Imagínate, por ejemplo, que en un momento dado, con sólo apretar un botón, resuelves todos los problemas de los Somorrostros y de los jornaleros que te preocupan. Pero sucede que a la misma hora debes realizar un ministerio espiritual: administrar la comunión a una pobre vieja de estas que llamamos beatas. ¿Qué escogerías? ¿Apretarías el botón? ¡Pues no! Vale infinitamente más esa comunión que solventar los problemas de un millar o de un millón de personas.

Diálogo —diálogos— de sordos. Mosén Martí me doblaba la edad. A lo largo de su infancia, en Agullana, pueblo taponero, el párroco no les habló más que del infierno, del purgatorio, de Satanás, utilizando el catecismo del padre Astete. La religión, en sus manos, era una amenaza constante. Me envidiaba porque había estado en Roma y había sido recibido por Pío XII, a quien consideraba el Pastor Angélico. Me envidiaba que fuera joven, que no tuviera «tocados» los pulmones y que pudiera celebrar, sin antes haberme desayunado, la misa de doce. Todo ello lo radicalizaba más aún, lo que a veces atemorizaba a Eugenia, su hermana, e incluso a *Chispita*. Por lo demás, resultó falso que detestara la música. Odiaba los bailes, los ritmos modernos, pero de ningún modo los conciertos al piano de Chopin, de aquel tuberculoso que murió en París, pero cuyo corazón estaba enterrado en Varsovia, en la iglesia de la Santa Cruz.

Sí, el revulsivo tenía que ser yo. Me costó algo más de dos años llevar adelante mis proyectos en Santa Brígida, ante el contento de mis padres —mi padre era ahora el presidente de la Acción Católica de Hombres—, y el de Victoria, cuyo doctor Pros se había vuelto a Suiza a especializarse en psiquiatría. En ese lapso de tiempo casé a Evaristo y Rocío; Mercedes encontró una sustituta de ésta en la Casa de Andalucía —se llamaba Trini y era limpia como una patena—; mi madre había convertido la academia Ausiàs March en la más prestigiosa de la ciudad; mosén Salvador Cebriá había sufrido un infarto, pero se recuperó lozanamente; Héctor estaba un poco cansado de ser profesor de latín en el seminario y de no haber salido ganador en dos concursos literarios a los que se presentó; *el Tontorrón* era el Ángel Consolador del hospital de San Benito; en Mas Carbó todo seguía igual, a excepción del pobre *Tritón*, que se murió de puro viejo, como el viejo Tomeu y que Fermín enterró justo al lado de la tumba de *Vesubio*.

Conseguí mucho dinero de las familias burguesas del barrio, entre las que se contaban la de Julia Camprubí y el banquero Roca, contrayentes en la boda que celebré en Pompeya. Limpiamos la faz del garaje-parroquia, encalando las paredes, cambiando las deslustradas estaciones del Vía Crucis. Por lo demás, ampliamos la sacristía y acondicionamos, en la parte trasera, un espacio al aire libre donde los niños de la catequesis pudieran jugar a fútbol, a baloncesto, patinaje sobre ruedas y a cuanto se les antojara. También adquirimos un armonio, con el que yo deleitaba a la concurrencia, ¡y una Vespa, revolucionario invento que me permitía, arremangándome la sotana, desplazarme a toda velocidad!

¿Qué me pidió a cambio la burguesía? Poca cosa. Que aceptase algunas tardes ir a tomar en sus casas una taza de chocolate; que entrara en el Turó Park a saludar a las jóvenes mamás, elogiando el sano aspecto de sus rorros; que en las homilías no hiciera demagogia; que en el confesonario no les impusiera demasiada penitencia; que de vez en cuando visitara el Círculo Ecuestre, donde se reunían los pudientes, ninguno de los cuales podía conmigo jugando al ajedrez; que organizara, en la parroquia, ciclos de conferencias, especialmente sobre temas bíblicos y médicos, para lo que contaba con la siempre fervorosa ayuda del doctor Camprubí.

Santa Brígida, en fin, pegaba fuerte, era una entidad viva, ante la perplejidad de mosén Martí, quien estaba lejos de aprobar mi acción —¡el coro mixto, la Vespa (sotana arremangada)!—, pero que a veces tenía que rendirse a la evidencia. «Creo que estás eligiendo la vía fácil, el halago, y como sigas así me veré obligado a pararte los pies.» Había enviado al Palacio Episcopal algún que otro informe desfavorable, pero yo debía de tener allí alguna hada protectora —¿mosén Salvador Cebriá?—, pues el señor obispo acababa siempre por darme la razón. Esto, en vez de desanimar a mosén Martí, le colocaba a la defensiva. «¡Hala, hijo, hala!... Tíralo todo por la borda. ¿Por qué no organizamos una sesión de baile ante el Santísimo? ¿Por qué no eliges el día de Navidad?» Citaba la Navidad porque por aquellas fechas él actuaba a sus anchas, montando en la iglesia un belén colosal, con figuras de enorme tamaño que había encargado al escultor Enrique Monjo.

Por supuesto, a menudo yo claudicaba. ¡Era tan difícil deslindar lo sagrado de lo profano! Por ejemplo, ¿era sagrado o profano que con frecuencia viniera a confesarse conmigo una de las «señoritas entretenidas» que vivían en los pisos altos de nuestra casa? Era una muchacha rubia, guapa hasta decir basta, que se llamaba Cristina y que para lograr mi absolución me prometía siempre «cambiar de vida» en cuanto encontrara un trabajo honorable. Yo no estaba seguro de su arrepentimiento. Por un lado parecía sincera, por otro sospechaba que andaba provocándome, al igual que en otros tiempos lo había hecho Rocío.

La oposición de mosén Martí era la cruz que debía soportar. Y el mal aliento y la constante irritación de su hernia de hiatus, que le reclamaba comida cada vez con mayor frecuencia. Por mi gusto hubiera celebrado una tercera misa a las ocho de la tarde —en Francia habían empezado ya con tan escandalosa innovación—, pero en esto mosén Martí no transigía. «¿Y por qué? —le objetaba yo—. La Eucaristía dio comienzo precisamente en una cena, en un cenáculo...» Mosén Martí no sabía si santiguarse o si hurgarse de nuevo con el meñique en el oído izquierdo.

¿Y qué ocurría, entretanto, en mi lago más profundo, en mi sustrato interior? Pues, alegría... El júbilo de la auténtica vocación. Puede decirse que, apoyándome en mi juventud, no daba abasto. El peligro de la rutina no asomaba por ninguna parte, antes al contrario. La fe sostenía mis actos, infundiéndome entusiasmo. Me gustaban los bautizos —¡ay, aquel bautizo de Somorrostro!—; me gustaban las primeras comuniones —a condición de no celebrarse en un restaurante—; me gustaba, ¡cómo no!, decir misa; me gustaba administrar la extremaunción... En aquellos dos años había visto nacer y morir a muchos feligreses. Y había llegado a la conclusión de que lo único que me traumatizaba era confesar. «Yo te absuelvo...» ¿Cómo era posible que mi persona reemplazara a Dios, que tuviera el poder de perdonar los pecados? Bien, ésa era la prerrogativa que me había ganado aquella gloriosa mañana en Montjuich. Lo que ocurría era que en mi confesonario había cola, y casi nadie en el de mosén Martí. A gusto le hubiera traspasado la mitad de mi clientela, pero quien debía escoger era el alma de cada cual. Era lógico suponer que tamaña división debía de poner a mosén Martí de un humor de perros, en vez de invitarle a un replanteamiento de su estilo, de su forma y manera. ¡La mismísima Eugenia, su hermana, se arrodilló el día de Jueves Santo en mi confesonario, lo que me incomodó sobremanera! Y resultó que aquella mujer aparentemente sumisa, sencilla y absorbida por la personalidad de su hermano, tenía vida propia y era capaz de emitir juicios de valor. Se confesó conmigo de lo más inesperado: era más supersticiosa aún que Fermín y acudía incluso, desde hacía muchos años, a la consulta de una vidente del barrio que leía el porvenir en una bola de cristal...

La pregunta era: ¿qué porvenir le esperaba a Eugenia? Novenas, triduos, mes de María, cuaresma y morir el mismo día y a la misma hora en que muriera mosén Martí. Ahora bien, el confesonario me proporcionó otras muchas sorpresas, y sobre todo se convirtió para mí en un venero de enseñanzas. Quienquiera que desee conocer a fondo el corazón del hombre, que se ordene sacerdote y se meta en un confesonario. ¡Qué débil era la carne —y a veces, qué fuerte—, y cuántos submundos yacen debajo de la piel! Rencores, envidias, adulterios, deseos de venganza, deseos de morir o de matar. El odio planeaba sobre los espíritus, también la ambición desmedida, el deseo de lo ajeno, la calumnia, la falta de caridad, las más hediondas corrupciones del sexo. Nunca imaginé que el lecho diera lugar a semejantes aberraciones. Abundaban los homosexuales, las lesbianas, y quienes convertían en prostituta a la propia esposa. A su lado, el pecado de Cristina era menor. De vez en cuando, un incesto. De vez en cuando, una violación. ¿Y cómo medir la pena que debía imponerse en cada caso? Un padre que violaba a su hija debía llevar por lo menos media docena de granos de arena en cada zapato y verse obligado a subir de esa guisa, a pie, a la cima de Montserrat.

Recibí confesiones insólitas, como la de un hombre que diez años antes había asesinado a su mujer. Me preguntó si debía entregarse a la policía y le dije que sí. Asimismo, un chaval me trajo una talla del siglo XVI que había robado del museo Marés. La llevé a su destino, y el hecho me procuró viva satisfacción. ¡Las monjas! Las monjas eran cápsulas cerradas, que podían contener lo mejor y lo peor. Almas cercanas a Cristo a través del misticismo, almas insatisfechas que se amaban entre sí y se masturbaban. Y, destacando sobre el resto, la lucha de los adolescentes al descubrir su propio cuerpo. Los pecados solían ser siempre los mismos, pero no las circunstancias, por lo cual me resultaba difícil seguir aquel consejo de «no pedir demasiados detalles...». Tenía que hacerme una composición de lugar y obrar en consecuencia. Claro que había mujeres que gozaban desahogándose, *vomitando* sus concupiscencias, lo que en ocasiones me ponía al borde de la excitación. El día en que Victoria se arrodilló en mi confesonario culpándose de haber hecho muchas veces el amor con el doctor Pros, sentí perfectamente el latido de mis sienes y el alboroto de mi corazón. ¿Por qué se le ocurrió confesarse, siendo atea, y por qué me eligió a mí? Mosén Martí hubiera dictaminado sin más: «La mujer es una serpiente...» Yo no estaba seguro de que Victoria fuera una serpiente, pero en adelante me resultaría difícil mirarla serenamente a los ojos.

En lo posible, Cáritas tenía en mí un valedor. En las correspondientes colectas, si yo era el celebrante, la recaudación solía ser copiosa; si el celebrante era mosén Martí, ínfima. Hecho incontestable, pese a que algunos matrimonios se quejaban de que, en la catequesis, yo intentaba reclutar alumnos para el seminario... Éste era el caso de un nieto del doctor Camprubí, Javier de nombre, que ejercía de monaguillo, de sacristán, que en cuanto podía se pegaba a mi sotana. El muchacho, sin que entre los dos mediara una sílaba al respecto, con sus catorce años ya cumplidos y una sensibilidad a flor de piel, un buen día, el día del Corpus Christi, me dijo que llevaba mucho notando en sus adentros la llamada del Señor. Le puse a prueba y me pareció que era sincero. Hablé con sus padres y éstos palidecieron de indignación. Me responsabilizaron de la decisión de su hijo y en un principio optaron por negarse a concederle el permiso necesario; hasta que el llanto del muchacho los convenció y Javier entró en el seminario, donde puso sus estudios y su vida en manos de Héctor.

Por lo demás, yo no había perdido contacto con mi amado Somorrostro, a donde iban a parar la mayoría de los envíos alimenticios de Mas Carbó. Por si fuera poco, *el*

Grifo y *el Mosquito* todos los domingos se apostaban en la entrada de la parroquia con una boina en la mano pidiendo limosna, haciendo caso omiso de la prohibición oficial que existía sobre la mendicidad. Mosén Martí ponía el grito en el cielo, pero yo le tapaba la boca diciendo: «Son mis amigos.» Una vez *el Mosquito* me pidió permiso para dar una vuelta con mi Vespa. Se lo concedí, y el hombre, durante un cuarto de hora, fue feliz.

¿Y la habitación cerrada de mosén Martí, junto al comedor, en cuya puerta aparecía pintada una calavera? Un buen día el párroco cedió a mis reiteradas súplicas y la abrió para mí. Eugenia pegó un grito, pero se calló al instante y se encerró en la cocina; en cuanto a *Chispita*, en el fondo de los ojos asomó, como le sucedía de vez en cuando, el *felino* peligroso que llevaba dentro.

Nunca pude imaginar nada igual, y admití para mi capote que mosén Martí no era tan monolítico como yo pretendía. Era una habitación fúnebre, macabra, necrofílica. Todos los muebles y objetos instalados en ella se relacionaban con la muerte. Desde el ataúd destinado a mosén Martí —llevaba ya sus iniciales—, hasta una botellita de un licor que contenía veneno. Había dos veladores con sendas lápidas mortuorias. Uno de los epitafios decía: «Aquí yace Jacobo Sans Portabella, que murió contra su voluntad»; el otro decía: «Aquí yace Agustín Fluviá Guardiola, que de pronto se quedó indiferente.» Junto a las lápidas, coronas mortuorias, ramos de flores marchitas, un cuadro conteniendo una mata de pelo perteneciente a una mujer que murió el año 1812. Y dos diminutos ataúdes. Levanté la tapa del primero y saltó al aire un esqueleto mondo y lirondo; levanté la tapa del segundo y saltó al aire otro esqueleto dotado de un falo enorme. Mi respiración se agitaba al compás de aquel muestrario. Mosén Martí, con impávido aspecto, me permitió hojear una serie de álbumes repletos de esquelas, con fotografías de muertos, de nichos, de cementerios, empezando por el cementerio de Agullana, su pueblo, en el que quería ser enterrado. Junto al ventanal, una enorme guillotina y otra, muy pequeña, que servía para cortar la puntera de los cigarros puros. Y una guadaña; y un óleo representando *La danza de la muerte*. Etcétera.

Todo aquello olía a mortaja y a Semana Santa. No faltaban ni la corona de espinas, ni la cruz, ni el nombre hebreo del Cireneo ni el lavabo en el que Pilato pudo lavarse las manos. La Pasión en versión plástica: la esponja de la hiel y el vinagre, los dados de la túnica de Cristo, las siete espadas de la Dolorosa y un gran velo —el velo del templo— rasgado por la mitad.

Mosén Martí me preguntó:

—¿Satisfecha tu curiosidad?

—Desde luego... —respondí, aturullándome.

Y abandonamos la estancia y él volvió a cerrarla por fuera y a guardarse la llave.

Poco después nos encontramos frente a frente en el comedor, cómodamente sentados, ante una suculenta merienda que Eugenia nos había preparado. Como en otras ocasiones solemnes, le pedí permiso para fumar; él no podía hacerlo a causa de los pulmones. Lancé círculos al espacio, mientras mosén Martí tosía y se llevaba el pañuelo a la boca.

Entonces me soltó un discurso tremendista, sin asomo de ingenuidad. Se veía a la larga que tenía aquello archimeditado. El hombre que estaba sentado frente a mí, alto, fornido y con la nariz roja, vivía pensando en la muerte. Leyendo el *Kempis* la cosa estaba clara: esta vida era un suspiro, y lo único que tenía importancia era la eternidad. Y también era diáfano el libro de Job: «Déjame, que mi vida es un soplo. ¿Qué es el hombre para que en tanto le tengas y pongas en él tu atención, para que le visites cada día y a cada momento le pruebes?» *Dies irae, dies illa*... Después de la consagración, los funerales eran la más auténtica ceremonia ministerial. Los frailes de la Trapa se sabían esto de memoria y de ahí sus calaveras y sus «*Morir habemus*». Lo natural era estar muerto; lo excepcional, estar vivo. Analizando con perspectiva, ya no se hablaba de nombres muertos sino de civilizaciones muertas, de culturas, de edades... Él vivía siempre pendiente del Día del Juicio, del particular y del universal. Sabía que si, al término de una vida santa, en el último instante sucumbía al pecado, le esperaba el castigo eterno. De ahí su ataúd con las iniciales, la guadaña, los esqueletos —el del falo representaba la muerte por lujuria—, las esquelas y el símbolo de la guillotina. El día en que cantó misa depositó en el obispado su testamento, porque consideraba que un ser muerto era mucho más importante que un ser vivo. Un ser vivo era modificable, no había terminado su ciclo; un ser muerto, sí. Por ello negaba él el descanso en tierra sagrada a los suicidas, que, con su arrogancia, creían haber adelantado por cuenta propia el momento de la expiración. *La danza de la muerte*, siempre y cuando no representara el culto al Demonio, era elogiable. Los ángeles danzaban en torno al Señor, y también los querubines y los serafines. En América había docenas y docenas de sectas dispuestas a salvar al mundo con ayuda de una banda de saxofones y combatiendo contra el tabaco y las bebidas alcohólicas. Más eficaz era hacer penitencia, sufrir y rezar. Si el hombre se ponía en manos de Dios, no podía ocurrirle nada malo. Teresa de Ávila era el paradigma: se reía a carcajadas y lloraba hasta morir. Él, que no era ningún santo sino un pecador cualquiera, raramente se reía, como yo habría tenido ocasión de comprobar. Y es que, existiendo la muerte, la risa sonaba a blasfemia. Morirse de risa —había precedentes— era una tragedia impar. El mismo Cristo murió llorando y entregando al Padre su espíritu. Por eso, a veces, en Santa Brígida se ponía nervioso; porque yo estaba convirtiendo la parroquia en una colmena alegre, siendo así que Jesús no contó jamás un chiste, ni dejó nada escrito sobre sus juegos infantiles, y habló, más que de otra cosa, de la muerte, de volver a la Casa del Padre, de que «no quedaría piedra sobre piedra» y de que se cumplirían las profecías... Y, por supuesto, habló de la *paz*.

—Yo, querido Anselmo, a lo que aspiro es a esto: a vivir en paz en la parroquia, y aquí con Eugenia, contigo y con *Chispita*, y, sobre todo, a vivir en paz conmigo mismo, lo cual logro muy raras veces, a excepción del momento de decir misa...

Escuché a mosén Martí con tanta atención que se me olvidó mirar el reloj. No sé si estuvo hablando una hora o unos minutos tan sólo. Como siempre, reaccioné de un modo antagónico. Por un lado admiré la fe a ultranza de mi superior, el cual *vivía* ya en el otro mundo, por otro lado me rebelé contra su sentimiento trágico y contra la cámara de torturas que había montado detrás de la puerta. Como fuere, ya no podría mirarle como a un ser de una sola pieza. Entre otras razones porque tenía un acuario —visión jovial— y un centenar de belenes que representaban no la Muerte, sino el Nacimiento. El nacimiento de aquel que vino a vencer a la muerte y lo consiguió.

CAPÍTULO XIII

VICTORIA, ENTRETANTO, había sido nombrada subdirectora del Liceo Francés. Estaba en tercer curso de filología —se defendía muy bien en latín y mejor aún en griego—, y ganaba lo suficiente para independizarse, para alquilar un apartamento en el que vivir, estudiar, dar clases particulares y gozar. Pero mis padres le pidieron con tanta insistencia que se quedara con ellos —hacía ya muchos años que me habían perdido a mí—, que la muchacha se rindió. Los quería mucho, sobre todo a mi madre, en la que reencontraba a la suya que perdió en la niñez. «Me quedaré con ustedes, primero por gratitud y luego porque me conceden plena libertad.» Era cierto. Victoria entraba y salía cuando le daba la gana, recibía a sus amistades, a los alumnos y la que fue mi habitación se convirtió poco a poco en su concha, en su «leonera», donde se sentía a gusto, junto a sus Van Gogh y Rousseau, a su rigurosa selección de libros y a su acordeón.

Victoria era ahora una mujer de rompe y rasga, también guapa hasta decir basta. Casi tan alta como yo, el cabello teñido de rubio de oro, espléndidos ojos azules —ojos de miope—, labios sensuales y mentón puntiagudo. Se vestía en una *boutique* de la Diagonal y por lo menos en apariencia no se acordaba de las luchas de su padre contra el capitalismo. Cuando, dos veces a la semana, entraba en cualquiera de los frontones de las Ramblas el público se la quedaba mirando como a una intrusa de postín, «posiblemente enamorada de los pelotaris». Llevaba dos pendientes diseñados por Dalí y un collar de perlas de tres vueltas. Y calzaba tacón alto. No era raro que en las

Ramblas le dijeran: «A ver si te roban los *pendentifs*, chata...»

No provocaba a nadie. Era su manera de ser. Quería subir peldaños en la escala social, vengándose de tantos sinsabores infantiles sufridos en el exilio en Perpiñán. En el fondo se sentía sola —el doctor Pros continuaba en Suiza, especializándose en psiquiatría—, y cada año se pasaba el mes de agosto en Mas Carbó, donde se tostaba al sol y se bañaba casi en cueros en la balsa, junto al algarrobo. Fermín y Dolores la atiborraban de comida, por lo que indefectiblemente engordaba de dos a tres kilos, que luego, en Barcelona, a base de sauna y masajes, lograba rebajar. Mas Carbó, al morir el viejo Tomeu, había perdido un punto de misterio; pero ahí estaba *Galopín*, el sustituto de *Vesubio*, al que Victoria montaba con brío, látigo y casquete de amazona, en dirección a los Tres Turons. Algunas veces bajaba a Arenys de Mar, en cuya playa —secuelas del congreso— se bañaban algunos turistas alemanes ligeros de ropa, sin que los guardia civiles se decidiesen a intervenir.

Las relaciones entre Victoria y yo fueron bastante relajadas hasta que a la muchacha se le ocurrió venir a confesarse a Santa Brígida. ¿Qué pretendió? ¿Darme celos? Me habló de sus «actos íntimos» con el doctor Pros... ¡De acuerdo, era libre! Más tarde le encontré una posible explicación. Victoria, una semana antes, había tomado el tren para visitar en Suiza al galeno de sus amores. Por lo visto deseaba con toda el alma formalizar con él sus relaciones y casarse; pero el doctor Pros se escabulló. Mejor dicho, le dio con la puerta en las narices. «Perdona, Victoria, pero yo no nací para el matrimonio... Además, te sería infiel. Por lo menos te sería infiel con mi profesión, que cada día me chifla más. De modo que me quedo en Suiza (en España no hay posibilidades de investigación), en plan soltero y egoísta. No tengo vocación ni de marido ni de padre. Perdona mi brusquedad, pero es que deseo que lo entiendas de una vez.»

Todo esto me lo contó Victoria, casi con lágrimas en los ojos, a raíz de un acuerdo al que llegamos, no sin ciertas dificultades. Yo quería leer mucho y libros muy heterogéneos, pues no me bastaba con el *Kempis* y santo Tomás. Y quería estudiar francés. «No quiero anquilosarme, ¿comprendes, Victoria? En Lourdes me dio mucha rabia no poder dirigirme a los fieles en francés.» Nadie mejor que ella para darme clase, en aquella «su» habitación que antes fue mía, en el piso de la Rambla. De pasada, ella me prestaría su biblioteca personal, que constaba de unos doscientos volúmenes, entre los que figuraban los clásicos franceses, los novelistas rusos, las obras de Thomas Mann, de Quevedo, de Pío Baroja, de Galdós, etc. «Eso me impedirá convertirme en un analfabeto de segundo grado.»

Iniciamos las clases. Debido a la incompatibilidad de horarios, mis padres estaban casi siempre fuera. De modo que nos encontrábamos solos en el piso. La verdad es que nos tratábamos con un respeto solemne, sin que ninguno de los dos se atreviera a romper la armonía. Empecé a llamarla *mademoiselle*, ella me llamaba *garçon*. El fantasma del doctor Pros flotaba en el ambiente, pero no por ello dejábamos de bromear. Le conté que de lo que más se confesaban mis alumnos de catequesis era del uso de «malas palabras»: coño, hijo de puta, cojones, cabrón, maricón...; ella me contó que la primera palabra francesa que sus discípulos aprendían en el Liceo era «*merde*». Le regalé un despertador que tenía dibujada en la esfera la cara de Popeye, ella me regaló un pisapapeles que representaba un pueblo nevado. Todo puro: puro como la cara de Popeye, puro como la nieve del pisapapeles. De vez en cuando, ¿cómo no?, cuando nuestras manos coincidían sobre la gramática francesa, un escalofrío me recorría la espina dorsal. De ahí que procurase evitar en lo posible cualquier contacto físico con Victoria, y que ella, alertada por el instinto, me ayudara a que esto fuera así. Mercedes, la portera, estaba sobre ascuas... Se le notaba en la manera de saludarme lo mismo al entrar que al salir. En cuanto a Trini, la sustituta de Rocío, estaba en babia. Yo era un cura y un cura no debía acostarse con una mujer... Si coincidíamos en el vestíbulo, la muchacha se me acercaba a besarme la mano. Toda su infancia se la pasó pidiendo limosna, asistiendo a las romerías y cantando saetas a la Macarena. En cuanto a Rocío, a la que yo casé como Dios manda con Evaristo en Santa Brígida, había dado a

Victoria mi mujer

luz sin dificultades a un varón al que bautizaron con el nombre de Anselmo...

Nunca, por aquel entonces, podía yo soñar con que andando el tiempo Victoria se convertiría en mi mujer, y que tendría con ella dos hijos, uno llamado Eduardo, «flautista por afición y por culpa de Mozart», y la otra, llamada Laura, «estudiante de biología y a la que sólo le interesaban los Beatles».

No puede decirse que Héctor se aburriera en el seminario, pero poco le faltaba. Le gustaba enseñar latín. Además, comparándose con los otros profesores, la mayoría de los cuales habían sucumbido a la rutina, creía haber nacido para misiones de más altos vuelos. Estimaba, y yo compartía su criterio, que muchas de las cosas aprendidas en el seminario no servían para nada, pero que por lo menos habían puesto en nuestras manos valiosas herramientas intelectuales, que nos habían enseñado a razonar con lógica, a pensar con rigor y solidez. «Mentes geométricas, capaces de sacar conclusiones coherentes.»

El nuevo rector, don Jaime Prieto, le nombró algo así como su secretario particular, creyendo que con ello rendía honor a su talento. Héctor se sulfuró. «Más burocracia —me dijo—. Lo mismo que me ocurrió durante el congreso.» Naturalmente, no había dejado de escribir. Ahora escribía relatos cortos, fantásticos, de ciencia ficción y se presentaba a todos los premios literarios sin que jamás le acompañara la suerte. A mí me encandilaba su estilo, directo y breve: «Sólo aquel que anda es capaz de salirse del camino.» «Si cierro los ojos desaparecen los colores.» «Mi dolor es un dolor que toca a Dios, Dios es un dolor que me toca.»

A cada fracaso escribía una cuarteta jocosa, pues no quería de ningún modo perder el sentido del humor. La última que me leyó decía, aludiendo a la pésima calidad del pan que les servían en el seminario:

Recibid mil parabienes,
¡oh dulcísima María!

Recibid mil panes de Viena,
¡oh purísima María!

Héctor era indulgente con los alumnos, recordando nuestras propias travesuras. En aquellos dos años que él vivió de hoz en coz, los «novicios» pusieron de moda, cuando salían de paseo los jueves, el tocar los timbres de las puertas que decían: «Llamad.» Luego se daban a la fuga y se desternillaban de risa como si el barbero Raventós les hubiera contado alguno de sus chismes punzantes o escatológicos. También se mofaban de las monjas, que llevaban en la cabeza alas almidonadas, lo que las obligaba a colocarse de perfil para trasponer las puertas o sortear cualquier obstáculo.

Mi amigo hacía las veces de director espiritual de algunos de sus catecúmenos. La mayoría, siguiendo con ello los pasos del *Tontorrón*, procedía del campo y se engolosinaba con la versión idealizada de la parroquia rural, del rebaño entrañable en torno a su pastor, tal como el cura de Ars o «don Segundo». Otros, como a mí me había ocurrido, soñaban con irse a misiones... El más fiel, el más adicto, era precisamente Javier Camprubí —«entresacado» de mi parroquia—, el cual, por las muestras, iba para santo y sabio. Héctor le llamaba san Tarsicio, porque le veía capaz de desear el martirio. Su padre, Emilio Camprubí, recibía con irritación las «buenas» noticias acerca de su hijo. «Todos mis antepasados han sido, como yo mismo, fabricantes de tejidos en Tarrasa; y ahora me sale Javier dispuesto a fabricar inquilinos celestiales.» Héctor, siguiendo su costumbre, hacía botar en el suelo una pelota de ping-pong. «Tómese en serio a su hijo, don Emilio, que con el tiempo verá usted su biografía en las enciclopedias.»

La gran virtud de Héctor era la tenacidad. No se daba nunca por vencido. No sólo consiguió que mosén Martí Gifreu le encargara una columna cada semana en la hoja parroquial que publicábamos los domingos, sino que, a través de mosén Salvador Cebriá, obtuvo el encargo, nada más y nada menos, de llevar a cabo una nueva traducción de los Salmos, del gran libro de la Biblia situado entre el de Job y el de los Proverbios. Se lanzó a tamaña empresa con ímpetu renovador. Empezó por renovarse a sí mismo y para ello se apuntó a unos ejercicios espirituales que tenían lugar en el monasterio de Poblet. Luego puso manos a la obra y, robándole horas al sueño, empezó con las primeras estrofas. «Bienaventurado el varón que no anda en consejo de impíos, ni en las sendas de los pecadores se detiene, ni se sienta en la tertulia de los mofadores.» Aquel encargo había de dar un nuevo rumbo a la existencia de Héctor. Se identificó de tal modo con los Salmos que iba tarareándolos por los pasillos del seminario. Ante cualquier objeción abría los ojos de par en par y declamaba: «¡Oh Yahvé, cómo se han multiplicado mis enemigos! ¡Muchos son los que se alzaron contra mí!» En cierta ocasión en que me quejé de que en mi parroquia se pecaba mucho —se habían inaugurado nuevos *meublés*—, levantó los brazos y clamó: «Que no pueda decir mi enemigo: Le vencí. ¡Mis enemigos se regocijarían si yo cayese! Pero yo espero, Yahvé, en tu piedad. Mi corazón se alegrará en tu salvación; cantaré a Yahvé, que me colmó de bienes.»

El padre de Héctor, que por fin ascendió a general, hizo muy buenas migas con el nuevo rector del seminario, don Jaime Prieto, a quien invitó a pasar un fin de semana veraniego a su torre de Castelldefels. Resultó que la tal torre disponía de piscina de agua azulada y de varias hectárea de bosque.

—No puede decirse que la vocación de su hijo la haya motivado la pobreza —comentó don Jaime Prieto.

—Al contrario —repuso el general—. Urbanizando esto en pocos años amasaría una gran fortuna.

El Tontorrón, en el centro sanitario de San Benito, en la «Rotonda» —setecientas camas, pabellones especializados, servicio de urgencias y demás—, podría decirse que se sentía feliz. Es preciso repetirlo: el más feliz de *Los tres mosqueteros*. En palabras de la madre superiora: «Nunca un corpachón tan grasiento ha albergado un espíritu tan sutil.» «Tan sutil y tan eficaz», corregía el director del centro, doctor Campmany.

El Tontorrón, a las siete de la mañana, previa ducha escocesa, celebraba misa para las monjas. Luego se desayunaba con tostadas, mantequilla y un vaso de leche y a las ocho iniciaba su recorrido, habitación por habitación, de los enfermos que tenía anotados en una agenda. Prefería con mucho las habitaciones individuales, porque el trato era más íntimo y propicio a la confesión o charla amistosa, pero lo que abundaban eran las habitaciones comunes —de cuatro camas, de seis—, y ahí se amontonaban las dificultades. Por un enfermo que necesitara del sacerdote y le recibiera como agua de mayo, tres le trataban con respeto y dos le volvían la espalda. En este último caso administraba la comunión a quien se la había pedido, saludaba al resto y se retiraba deseándoles lo mejor.

Disponía de un arsenal de pequeños crucifijos y de estampitas de la Virgen —la *Moreneta*, la del Pilar, la del Rocío, etc.—, y las repartía acá y allá según el origen del enfermo. Le sorprendió que para tomar la temperatura pudiera ponerse el termómetro debajo de la lengua, en la axila o en el ano. ¡Hum! ¡Aprendió tantas cosas *el Tontorrón*!... San Benito era una colmena de vidas y muertes. El estrépito de las ambulancias continuaba dejando impertérritos al doctor Campmany y a la mayoría de médicos, pero no al *Tontorrón*. Éste pensaba en seguida que a lo mejor «otra» criatura estaba a punto de presentarse ante Dios. Había superado la etapa de los desmayos ante el espectáculo de la sangre o de los olores de los anestésicos, pero no se acostumbraba ni a la visión aséptica de los quirófanos ni a la mirada de los moribundos. «Hay miradas de moribundos que no se pueden olvidar. El cuerpo se desvanece y dicen adiós con el alma.» Para *el Tontorrón* el centro sanitario de San Benito —por cierto, que este santo al sentirse morir pidió que lo llevaran a los pies del altar— no era un hospital de cuerpos sino de almas. No soportaba el despego o la indiferencia del personal. «El de la 214 está cascado.» «Despídeme del 515, que mañana ya no estará.» En los pasillos había cola esperando una cama libre. La gente deseaba que alguien muriera para ocupar su lugar. En pediatría, niños con el mal de Pot, poliomielitis, mongolismo. En geriatría, demencia senil, Parkinson, sillones de ruedas. En urgencias —la pesadilla del *Tontorrón*—, cuerpos destrozados por accidentes de tráfico o frustrados intentos de suicidio. En maternidad, cabecitas que venían al mundo gloriosamente vivas, otras que nacían muertas, ante el pasmo y el espanto del *Tontorrón*, quien no se explicaba la necesidad de aquel inútil proceso de meses en el vientre de la mujer. Las mujeres «le dolían» más que los hombres, sin saber por qué. Su entrega, en fin, era total, y a veces afeitaba a los enfermos, o les llevaba botellas de agua caliente o, sentado en la cama, jugaba con ellos al parchís... Por supuesto, se sulfuraba cuando advertía que algunos médicos o enfermeras mentían «generosamente» sobre la verdadera situación del paciente. *El Tontorrón* estimaba que, a partir de cierto estado de gravedad, dicho paciente le correspondía a él. «Déjelo de mi cuenta, que más necesita de la misericordia de Dios que de falsas promesas de curación.» ¿Y cómo avisar a la familia de la irreversibilidad de una dolencia? Nadie como él servía para tal menester. En cada caso se le partía el corazón. Pronunciar ante los deudos las palabras «tumor maligno», metástasis, hemorragia cerebral o equivalentes, era tarea sobrehumana, para la que se necesitaba o mucho valor o mucha frialdad. Tocante a él mismo, su salud era «insultante». No le dolía nada y las periódicas revisiones a que le sometía su gran amigo el doctor Campmany daban siempre resultado negativo. «Nada, mosén, está usted como un chaval.»

Se rumoreaba que el doctor Campmany había sido —o era— masón. ¿Cómo saberlo? Desde luego era imposible verle franquear la puerta de la capilla de San Benito. Otros médicos, en cambio, sobre todo desde la llegada del *Tontorrón*, antes de establecer un delicado diagnóstico o de practicar una arriesgada intervención quirúrgica, se arrodillaban ante el Santísimo y se encomendaban a él.

El doctor Campmany sorprendía siempre al *Tontorrón* con alguna primicia que afectaba a la medicina o a la cirugía. Últimamente le pronosticó que a no tardar se iniciaría la era de los «trasplantes». Se empezaría por el trasplante de córnea, de corazón, de riñón... «Cuando esto sea un realidad, ¿cómo se las arreglará su señor Dios el día de la resurrección de la carne? Tendrá que recomponer los cuerpos como si se tratara de un rompecabezas...»

En mayo de 1955 —llevaba ya tres años de sacerdocio— ocurrió algo que jamás pude predecir y que repercutió de forma negativa sobre mi futuro. Otra vez el pecado carnal. Mosén Martí y Eugenia se habían ido a Agullana a enterrar al último de sus parientes, fallecido a consecuencia de una trombosis. Me encontraba solo en el piso tocando al piano, una vez más, el Concierto número 1 de Chopin, aquel ilustre polaco al que, desde París, le «trasplantaron» el corazón para depositarlo en Varsovia, su población natal. Sonó el timbre: era Cristina, la joven prostituta que de vez en cuando se confesaba conmigo en Santa Brígida y que sin la menor duda consideraba mi celibato como un fracaso personal.

Sin saber cómo ni por qué, a los diez minutos nos encontrábamos en mi dormitorio contemplando los peces del acuario y los belenes que decoraban la habitación. Belenes heterogéneos, pues en uno las figuras eran de paja, en otro de barro, o de yeso, o de plata —belén finlandés—, que hasta el momento habían significado para mí la más sólida protección.

Abrí la ventana para que entrara el aire y al instante un rayo de sol se proyectó sobre el cuerpo de Cristina, la cual, pretextando calor, se había abierto el escote. Parpadeé, y por el momento no me moví de la ventana, en posición de firmes. Pero Cristina avanzó unos pasos y, procurando no ser vista desde el exterior, estiró la mano y semicerró los postigos, creando en la habitación un ambiente de penumbra y de intimidad.

Podría decirse que los botones de mi sotana saltaron por sí solos. Perdí la noción del tiempo. Cristina se desnudó en un santiamén —la ropa caída a sus pies—, dejando al descubierto un cuerpo milagrosamente «intacto» habida cuenta su profesión. Parecía una adolescente, con los pechos tan erguidos como los de Rocío. Avanzó más todavía, hasta plantarse junto a mí, enfrente de mí, moviendo sensualmente los labios. Nada pudo impedir que yo sucumbiera al desafío. Por mi mente desfilaron confusas escenas entrevistas en el confesonario, cuyas protagonistas eran mujeres de la edad de Cristina. Ella me ayudó a desnudarme del todo, puesto que mis manos temblaban con torpeza. Y nos precipitamos sobre el lecho como dos hambrientos, aunque Cristina encontró el modo de enfundarme un preservativo.

El acto se consumó como se consuma la cópula desde el principio de los tiempos, y mientras que Cristina de un salto se ponía en pie e iba en busca de su ropa, yo dejé caer los brazos con una placentera sensación de infinito cansancio. ¡Qué maravilla! Oía la voz de Cristina que me llamaba «Anselmo», «cariño», «te has portado estupendamente», «eres un veterano»; yo no tenía ganas de moverme hasta que, de pronto, abrí los ojos. Y me asaltaron como garras en relieve las vitrinas de los belenes y la del acuario. Sentí miedo. Jamás pude imaginar escenario semejante.

—¡Vete, por Dios! ¡Vete...! —grité.

—Ya me voy, no chilles... —contestó la muchacha, ajustándose la falda y abotonándose la blusa.

Y después de acercarse de nuevo a la cama y estampar un beso en mi frente salió de la habitación y oí el ruido de la puerta del piso al cerrarse.

Solo ante el acuario, ante los belenes, ante mis libros, ante el piano y debajo del crucifijo que presidía la pared de la cabecera —incliné el torso atrás para contemplarlo de abajo arriba—, estallé en un sollozo incontenible. ¿Cómo era posible que la Virgen me hubiera abandonado ante la embestida del diablo? ¿Y el crucifijo? Llevaba tres años contemplándolo, rezándole, ofreciéndole cada pensamiento y los actos de cada día. Y había bastado la irrupción de un pedazo de carne joven para tirar por la borda tanto sacrificio y tanta programación espiritual. Ahora no me quedaba más remedio que irme a la ducha, vestirme, ¡ponerme otra vez la sotana!, y aguardar el retorno de mosén Martí Gifreu para postrarme a sus pies.

Aunque, pensándolo bien, no me confesaría con mi superior. Le colocaría de nuevo en una situación embarazosa, puesto que en nuestra convivencia no podría hacer uso del conocimiento de mi falta. Mejor confesarme con mosén Salvador Cebriá... O con el sacerdote anónimo que estaba siempre de guardia en la catedral y que ya en una ocasión me dio —rutinariamente— la absolución. O con Héctor. O con *el Tontorrón*.

Me entró un hambre atroz. Necesitaba comer algo; si no, la mente no llegaba a despejarse. Fui a la cocina y me preparé un emparedado de jamón y queso y una taza de café caliente. El estómago se enteró a una velocidad de vértigo. Me reconfortó. A partir de entonces mi biorritmo se modificó sustancialmente. Tuve plena conciencia de la gravedad de mi acto, hasta el extremo de desear que la puerta de la «cámara necrofílica» de mosén Martí estuviera abierta dejándome libre paso para meterme en el interior de «su» ataúd. Bien que, por otro lado, me aligeró de refilón el recuerdo de aquel versículo: «El justo peca siete veces por día.» Yo sólo había pecado una vez a lo largo de tres años... Nada que hacer. Los fantasmas me abrumaron de nuevo, caí a los pies de la cama y mirando el crucifijo rompí a llorar desconsoladamente.

CAPÍTULO XIV

ME CONFESÉ CON MOSÉN SALVADOR CEBRIÁ, quien se mostró comprensivo. Él siempre creyó que mis más tercos enemigos serían la soberbia y la lujuria. Me impuso como penitencia rezar cada día una salve a lo largo del mes de María; mis pies, por lo tanto, no deberían pisar granos de arena.

Sin embargo, me dio un consejo: que hiciera las gestiones necesarias cerca de las autoridades para que las prostitutas de la calle de Fernando Agulló fueran desalojadas. La proximidad de Cristina continuaría siendo un peligro. «Tienes un tanto a tu favor: la ley te ampara.» En efecto, así se demostró. La acción conjunta del padre de Héctor, el general, y del obispo Modrego obligaron al gobernador civil a dar la orden pertinente. Y las prostitutas tuvieron que dispersarse por la ciudad. Dispersión que no fue tan dramática como podría pensarse, puesto que cada una de ellas tenía su amante fijo que cuidaría de encontrarle un techo. El amante de Cristina se llamaba Jorge Saumells y era, precisamente, corredor de fincas. Jorge Saumells, además de fumarse grandes puros habanos y ser del Barça, era el marido de un bombón llamado Rosa María, muy conocida en la capital porque escribía los «Ecos de sociedad» en el *Diario de Barcelona* y porque corría a su cargo el popular programa radiofónico «Consultorio de amor». Mujer de vastas lecturas, era alumna de Victoria en el Liceo Francés.

Por supuesto, Cristina sospechó en seguida que detrás de aquella «operación de limpieza» me encontraba yo, de suerte que, al marcharse, en vez de tomar el ascensor bajó la escalera y pulsó el timbre de nuestro piso, el principal. Eugenia abrió y ella irrumpió decidida en el vestíbulo y al verme en el comedor, desayunándome junto a mosén Martí, se limitó a señalarme con el índice y a gritar: «¡Me las pagarás!», ante el estupor de Eugenia y de mi querido párroco. Dicho esto dio media vuelta y continuó escaleras abajo, hasta que se esfumó.

Mosén Martí me miró con un signo de interrogación. No obstante, viendo mi encogimiento de hombros, se limitó a comentar:

—Esas serpientes son de cuidado.

—Desde luego —asentí, con aire indiferente, después de secarme los labios con la servilleta.

Pasé una época de confusión, que me llevó al borde del abatimiento. Por fortuna, mi amistad con Héctor y con *el Tontorrón* me ayudaron a superar la crisis. Héctor estaba exultante porque, habiendo terminado la traducción de los Salmos, no sólo recibió aplausos sino que el obispado le encargó la traducción de los Proverbios. De modo que en cuanto me veía cariacontecido me espetaba: «El amigo ama en todo tiempo; es un hermano para el día de la desventura.» O bien: «Contenta bien a tu grey, y pon atención a tus rebaños.» En cuanto al *Tontorrón*, estaba igualmente exultante porque le habían concedido permiso para peregrinar primero a Lourdes y luego a Fátima. A Lourdes en tren, a Fátima en autocar, llevándose consigo a una hilera de enfermos.

Recapacitando ante los belenes de mi dormitorio, que ahora parecían manchados por mi «necedad», me di cuenta de que, habiendo conseguido la paz con Dios, gracias a la absolución de mosén Salvador Cebriá, ahora sólo me faltaba ponerme en paz con la Iglesia. Debía hacer algo, y algo grande. Por ejemplo, levantar en el barrio un templo, un templo de verdad, que sustituyera al «garaje» con que nos desenvolvíamos en Santa Brígida. La idea me vino a la mente tras enterarme de que un joven misacantano llamado Ignacio había conseguido construir en Somorrostro una capilla.

El espectacular crecimiento del barrio me ayudó a

transformar en realidad mi hipotética idea. Por el este del Turó Park, la calle de Fernando Agulló, nuestra calle, se prolongó hasta el número 20; al oeste del parque había nacido la calle de Pérez Cabrero, paralela también a aquel espléndido jardín de la infancia del que el guarda Tomás, el uniformado, el hombre del pito y la disciplina, era el amo y el rey. Jardín cada vez más frecuentado por las jóvenes madres, por los críos, por los ancianos —contemplaban las flores, o los canalillos del agua, o quién sabe si sus pensamientos—, y que acaso fuera el único lugar de Barcelona donde las papeleras se mostraban útiles. Naturalmente, el barrio duplicó el número de habitantes, se abrieron comercios, un bar llamado Lino, una farmacia, una droguería, ¡una escuela de idiomas!, una gasolinera en la esquina, una pastelería, etc. Todo el mundo estaba encantado: «el barrio del Turó Park». Era una nota de distinción, a la que a veces mosén Martí, que daba por sentado que mi empeño sería un fracaso, dedicaba alguna que otra sonrisa complaciente.

La primera victoria fue la compra del solar, situado entre la flamante calle de Pérez Cabrero y Piscinas y Deportes. La segunda fueron los planos de la iglesia, que sería redonda, circular —una innovación—, de modo que los fieles confluirían en torno al altar como en un anfiteatro. El aforo sería de unas quinientas personas (de unas quinientas almas). El campanario, discreto, el rosetón y las vidrieras policromadas representando escenas de la vida de Jesús. Líneas vanguardistas, que a mosén Martí le sentaron fatal, diseñadas por un arquitecto que se había venido a vivir a Fernando Agulló, encima de la farmacia.

El dinero salió del Consejo Parroquial, del obispado, del ambiente reinante por el congreso, de mis gestiones casa por casa; y básicamente, del Estado, siempre dispuesto a ayudar. En cuanto se hubo desbrozado y limpiado el terreno y empezaron a aflorar los cimientos, yo recliné la cabeza en la almohada y soñé con que en el plazo de tres o cuatro años vería terminada la obra. Por lo demás, fuimos, desde el comienzo, creadores de vida. Empleamos a mucha gente —Constructora Núñez, S. A.—, entre la que pude meter de cabeza, en calidad de peones, al *Grifo* y *el Mosquito*, quienes cumplieron a gusto de todos. También pude emplear allí a Evaristo, el marido de Rocío, que se había dado a la bebida, lo que le costó verse despedido del taller mecánico.

A veces, viendo crecer, alzarse, los muros de la parroquia, me hinchaba de vanidad, lo que no gustaba ni pizca a mosén Salvador Cebriá y menos aún al misacantano Ignacio, de Somorrostro. Conocí a este joven sacerdote, de mirada inteligente y desarmante franqueza, y cierto sentimiento de culpabilidad se removió en mis entrañas. Preguntado por los motivos que le llevaron a elegir aquellas chabolas inmundas para ejercer su ministerio, me contó que procedía de una familia de inmigrantes y que, por tanto, había conocido la miseria; pero que lo que le decidió a dicha elección fue una frase leída en un libro moralista de un obispo francés del siglo pasado, llamado Hilario Dubois: «No es conveniente que el sacerdote visite de forma habitual, asidua y casi exclusiva a la clase inferior del rebaño, ni elegir a los amigos íntimos o comunes en esa clase. Si lo hace así, el sacerdote perderá infaliblemente una buena parte de la consideración que merece.» Aquello le había sentado a Ignacio como un tiro, y no había para menos. Mosén Salvador Cebriá salió en mi defensa, como tantas veces. «No te hagas mala sangre. Al fin y al cabo tú estabas dispuesto a ir a Somorrostro, pero te denegaron la solicitud. Así pues, no es tuya la culpa.»

Algo más tranquilo volví a Santa Brígida. La última tienda en Fernando Agulló era de «abrigos de pieles». Se llamaba Chez Madame. Mosén Martí me dio una gran sorpresa: me confesó, ¡por fin!, que veía que mi proyecto era factible y que se alegraba de ello. «A esa gente les sobra el dinero, no saben en qué gastarlo. Has sabido explotar esa vena.» Pero yo simulaba, ante el Consejo Parroquial, que la primitiva idea fue del párroco. Y siempre advertía: «Debo consultarlo con él.» Con ello conseguí que mosén Martí se incorporara a la «obra» con entusiasmo y romper un poco con su vida rutinaria y que menguaran sus cada vez más frecuentes expectoraciones. En definitiva, empezó a sentirse a gusto entre los ricos y posiblemente hubiera suscrito de buen grado la miserable requisitoria del obispo francés Hilario Dubois.

Entretanto debía ocuparme de la iglesia-garaje, que reventaba de feligreses. Los recién llegados al barrio aceptaban las incomodidades porque sabían que eran algo provisional. Mosén Martí reclamaba de Eugenia ración doble. «Estamos hasta aquí de trabajo. A ver si nos sirves dos buenas tajadas de cordero asado...» Conseguí que de vez en cuando estallara en sonoras carcajadas, lo que no recordaban ni los más viejos del lugar. Hubiérase dicho que sólo se acordaba de la «cámara mortuoria» al llegar la noche, que era su hora baja. Leía el breviario arrodillado a los pies de la cama y a menudo se quedaba dormido con la cabeza reclinada sobre el colchón. Le regalé un aparato de radio, un Telefunken, que se evidenció eficaz. No sólo se enteraba de las noticias —apenas leía el periódico—, sino que iba acostumbrándose a escuchar música, lo que justificaba ante sus ojos mi devoción por el piano.

En cuanto a mí, no podía quejarme. Me trataban con respeto lo mismo los ricos que *el Grifo* y *el Mosquito*. Pero mi mayor éxito lo obtenía, mes tras mes, en la catequesis, entre los niños. Les caía bien, y ya está. No necesitaba en absoluto tratados de psicología infantil. Les bastaba con que me arremangara la sotana y jugase con ellos, con que les alborotara el pelo y les consintiera llamarse cabrón. Sin embargo, mi obra de arte fue el orfeón *mixto* —me costó Dios y ayuda conseguir el permiso de mosén Martí—, al que bautizamos con el nombre de Laudate. El orfeón Laudate se hizo enormemente popular. Nos reclamaban de todas partes. De las parroquias colindantes, de las parroquias periféricas, de la catedral, ¡del Palacio de la Música! Nos comparaban con las voces blancas de los Cantores de Viena. Fuimos invitados incluso a cantar en Montserrat, a competir con la Escolanía. Era evidente que yo estaba dotado para la música, lo que, en Mas Carbó, Victoria había reconocido más de una vez. El Consejo Parroquial se encargaba de los gastos que dimanaban del orfeón y el doctor Camprubí, asiduo oyente, me regaló un diapasón espléndido, de construcción alemana.

Mi mayor problema, para llamarlo de algún modo, era

no poder ir al cine, «uno de los grandes inventos» de la época. Con la sotana no podía entrar; disfrazarme de paisano me daba apuro, me hubiera sentido un impostor. Jorge Saumells y Rosa María, a quienes había conocido a través de Victoria, me decían siempre que un sacerdote no estaría nunca al día mientras tuviera prohibido entrar en contacto con el cine. «El cine es la vida misma, es la realidad. Una inigualable fuente de información.» Imposible. El obispo decía nones una y otra vez. Y debíamos conformarnos con las sesiones de títeres que organizábamos en el Turó Park, a las cuales Mercedes y Trini asistían sin hacerse rogar.

La construcción de la nueva iglesia, que tomaría el nombre de San Gregorio —en honor del señor obispo—, iba para largo. Los optimistas hablaban, como yo mismo, de tres o cuatro años; el arquitecto, Néstor Soteras, hablaba del doble. Sin embargo, mi entusiasmo era tal que todos los días me las ingeniaba para plantarme a pie de obra y ver cómo los ladrillos trepaban cortando el aire. Al propio tiempo, y siguiendo los consejos de Héctor, le robé las horas al sueño para dedicarme a leer. El mundo futuro exigía sacerdotes santos, como siempre, pero, además, sabios. Las universidades estaban a tope, y si el clero se quedaba rezagado sólo podría recoger las migajas, como le ocurría al párroco de Arenys de Munt y, ¿por qué no decirlo?, al propio mosén Martí Gifreu.

¿Y qué libros escoger? Un batiburrillo. Todo lo que caía en mis manos: ensayos, novela, sociología y los poetas que Héctor me aconsejaba. Mosén Martí estaba un poco mosca con las novelas, porque suponía que, excepto Alarcón y el padre Coloma, todos los demás autores eran ateos y no hacían más que describir escenas de cama. Era inútil que yo intentase convencerle de que lo que hacían los rusos era ahondar en las zonas más sórdidas de la vida —todos ellos tocados por un profundo sentimiento religioso—; y que los franceses, por su claridad expositiva, enseñaban, por banda, cómo debía ser el lenguaje de las homilías; y que los ingleses destilaban un sentido del humor y de la paradoja inencontrable en otros lares; y que los españoles, si bien en su mayoría rezumaban anticlericalismo, invitaban precisamente por ello a la reflexión, ya que sería insensato eliminarlos de un plumazo sin preguntarse si tenían o no razón... Mosén Martí era una víctima de los seminarios de la preguerra y enviaba a los infiernos a un muy crecido porcentaje de creadores universales, sin descartar a Dante, del que no había leído una sola palabra. «La mayor parte de libros los ha escrito el diablo; en realidad, a los sacerdotes debería bastarnos con las Sagradas Escrituras y con los Evangelios.» ¡No, y mil veces no! Discutí con el párroco hasta secárseme la lengua. «Pues quédese usted coleccionando esquelas y déjeme que yo me desplace hacia otros horizontes...»

Lo hice así, y noté que me enriquecía. Sabía, desde mucho tiempo antes, que podía contar con los libros de mi madre y los de Victoria. Pero pronto se me encogió el corazón, porque, en cuestión de dos o tres años fallecieron una serie de los autores que yo había elegido. Ellos me lo dieron todo, y yo a ellos les di la muerte. Contabilicé el fallecimiento de Thomas Mann, de Giovanni Papini, de Pío Baroja, de José Ortega y Gasset, de Eugenio d'Ors, de Concha Espina, de Juan Ramón Jiménez y de otros de menor cuantía, a los que debía añadir, en el campo de la ciencia, a Fleming y a Einstein... ¿Qué significaba aquello? ¿Era yo un gafe peligroso, un vampiro anónimo, o se trataba simplemente de una nefasta coincidencia? Como fuere, leí con más fervor aún a esos autores, pues la muerte los magnificó. La *Historia de Cristo*, de Papini, y la *España invertebrada*, de Ortega, me marcaron para siempre. De Baroja me marcó su estilo cortante y seco, y de Eugenio d'Ors su *Glosario* enciclopédico. De todos y cada uno, en fin, arañé cuanto pude, sin percibir en modo alguno que se resquebrajara mi fe. Por el contrario, los «argumentos anti-Dios» que pudieran contener sus páginas —leí también a Voltaire, a Compte, a Goethe y a Rimbaud— me parecieron endebles estocadas al lado de las agudezas ortodoxas de Chesterton o de Léon Bloy. O yo no tenía más que un ojo o me enfrentaba a la lectura bien pertrechado debajo de una sólida coraza.

Esta coraza era la fe. La fe en la Santísima Trinidad, cuya existencia le iba a mi «mente geométrica» como anillo al dedo. Es decir, creía en un Dios Padre creador del universo, de la vida; en un Dios Hijo, llamado el Cristo, en quien aquél «había puesto su complacencia»; en el Espíritu Santo, que dirigía nuestras mentes por el camino de la Verdad, a la que teníamos derecho. Creía en la trascendencia, en la inmortalidad del alma, en «el cielo que nos tienes prometido».

Por supuesto, a partir de ahí se iniciaban ciertas dudas, que me llevaban a maltraer y que a menudo me asaltaban precisamente en el confesonario. Lo cierto era que nunca me sentí cómodo ante la idea del infierno —¡ay, el catecismo del padre Astete!—, la ígnea amenaza contra unos cuerpos sufrientes pero incombustibles. Prefería pensar, aun en contra de la opinión de mosén Salvador Cebriá, que se trataba de una metáfora... La Gehenna era el estercolero, el lugar en que, en Jerusalén, en tiempos de Jesús, eran quemadas las basuras. La malicia del hombre —me lo había repetido mil veces— no podía ser infinita; *ergo*, tampoco podía ser infinito el castigo. Castigo tenía que haber, porque éramos libres y habíamos elegido el camino del mal —los siete pecados capitales—, y yo había elegido, por ejemplo, a Rocío y a Cristina. Pero eran raptos inscritos en el código de la naturaleza. Además, ¿éramos realmente libres, mejor dicho, gozábamos de libre albedrío? Me sabía al respecto todo lo que aprendí en el seminario, basado en santo Tomás; pero a ráfagas sentía como si una fuerza ajena a mí, superior a mí, que venía de fuera —o quizá del hondón de mi ser—, me impulsaba como una ola gigante podía impulsar a una barquita de papel. Sí, en el confesonario oía cosas terribles en apariencia, expuestas entre sollozos, con voz suplicante hija del miedo, pero en cuanto el penitente se había marchado haciendo la señal de la cruz, ligero como un bailarín, llegaba otro penitente y contaba idéntica historia y con idéntico acento... La similitud de culpas y del dolor de las conciencias se estrellaba contra mis buenos deseos. *Ego te absolvo*. ¿Cabía osadía mayor?

Bandazos a uno y otro lado, bajo la atenta mirada de mosén Martí, enterado de que las penitencias que yo solía imponer eran mínimas, «motivo por el cual su confesonario estaba desierto y colmado el mío». También me interrogaba con fijeza mi padre. «Lo que te ocurre, hijo, es que hubieras preferido saltarte el escalafón y nacer directamente ángel. ¿No crees que hubiera sido una pena? Ni tu madre ni yo te hubiéramos conocido...»

Seguí con las lecturas. Sartre, Unamuno, Nietzsche, Valle-Inclán... Pero también los Proverbios que Héctor traducía: «Te parecerá estar acostado en medio del mar, y estar durmiendo en la punta de un mástil.» «Y tus ojos verán cosas extrañas, y hablarás sin concierto.»

Después de una etapa de cierta monotonía, en la que sólo podía destacarse el regreso del doctor Pros, cuyas intenciones con respecto a Victoria no habían variado, llegó el año 1958 cargado de acontecimientos. En primer lugar, murió Pío XII, después de una larga agonía presidida por sor Pasqualina, su *alter ego* doméstico. El mundo entero se conmovió, como siempre que fallecía un sucesor en el trono de Pedro. Corrieron toda suerte de versiones en torno al miedo que el Sumo Pontífice le tenía a morir, confirmándose los rumores de que, agotadas las posibilidades de la medicina oficial, llamó a su lado a curanderos, homeópatas, naturalistas, con la esperanza de que prolongaran su vida. No hubo nada que hacer. El 9 de octubre expiró, a la edad de ochenta y dos años, dejando escritas varias importantes encíclicas, entre las cuales cabía mencionar la *Evangelii Praecones*, sobre el espíritu misionero, la *Sempiternus Rex*, sobre el misterio de la Encarnación, y la *Saeculo exeunte*, dura condena del marxismo. La huella que dejó fue la de un hombre ascético, de vastísima cultura, tanto sagrada como profana, y espíritu evangelizador. Dos de sus actos más controvertidos de sus casi veinte años de pontificado fueron, por un lado, la firma, en 1953, del concordato con España y, por otro, cierta pasividad ante los crímenes de los nazis y de los fascistas.

Naturalmente, yo no pude olvidar, en tales circunstancias, nuestra visita al Vaticano, el abrazo que el papa me dio y su certero consejo: oración y perseverancia. ¿Había sido fiel a dicha consigna? A medias, por supuesto. Últimamente tenía la «oración» un poco descuidada, tal vez por soberbia. La burguesía en torno me mimaba y halagaba de tal modo que me creía inmune a cualquier treta del diablo. «Usted es un cura de los de verdad, mosén Anselmo. Un cura de los de verdad.»

En la misa *De profundis* que celebramos en Santa Brígida mosén Martí lloró. Para él, Pío XII había sido el norte, precisamente por su hieratismo y por su aparente impermeabilidad. No se casaba con nadie; sólo con Cristo. En medio de la confusión del mundo moderno, su blanca figura se elevaba sobre todas las demás. «Dura papeleta la que le espera a su sucesor. Le va a ser muy difícil alcanzar su nivel.» Santa Brígida estaba abarrotada de fieles. Más que nunca. Y era fácil leer en los rostros la aflicción. Cuando «mi» orfeón Laudate atacó el *Requiem aeternam dona eis, Domine,* los sollozos de mosén Martí se transmitieron a los asistentes. A la salida del templo, varios de los hijos del *Grifo* y *el Mosquito* vendían estampas y medallas del Pastor Angélico.

Como era costumbre, el universo católico, apenas estuvo reunido el Cónclave de cardenales, se mantuvo pendiente de la *fumata* blanca como si se jugase su porvenir. Por fin, el 28 de octubre salió elegido quien menos se esperaba: el cardenal italiano Angelo Giuseppe Roncalli, de setenta y siete años, patriarca de Venecia y que tomó el nombre de Juan XXIII. El rector del seminario, don Jaime Prieto, comentó: «Será un pontificado de transición.» Pocos días después la figura del nuevo papa, barrigudo, campechano, se difundió como un reguero consolador y su sonrisa significó un aliento para los desheredados de este mundo.

El 1 de abril de 1959, coincidiendo con la apertura de la cripta del Valle de los Caídos, se produjo el segundo acontecimiento, éste de orden casero: la consagración de «mi» parroquia, la parroquía mía y de mosén Martí, dedicada a san Gregorio, una de cuyas reliquias, enviada desde Roma, fue colocada en el sepulcro del ara del altar. Monseñor Gregorio Modrego, emocionado porque el nuevo templo llevaba su nombre, ofició el pontifical, con diácono y subdiácono, y bendijo con óleo la «nueva casa del Señor». Fue una ceremonia solemne, con asistencia de todas las autoridades civiles y militares, y en el transcurso de la cual cantó un coro de la Sección Femenina y «mi» coro, el Laudate. La forma del templo, redonda, circular, con los fieles situados como en un anfiteatro, provocó un visible desconcierto por parte de los asistentes, los cuales, con su actitud, respaldaron la postura que había adoptado mosén Martí con respecto a la obra del arquitecto vanguardista Néstor Soteras. No obstante, la novedad tuvo también sus adeptos, que no disimularon su adhesión y su fervor. Una corona de laurel en una pared lateral, flores por todas partes, olor a incienso, sermón intencionado de mi querido párroco, que no escamoteó citas que barrieran para su causa. La primera fue de san Agustín: «La belleza del templo no consiste en su forma o estilo, sino en su santidad.» La segunda fue de san Ambrosio: «Mejor es ofrecer a Dios almas que oro.» La tercera, de san Crisóstomo: «Convertir una alma es don más grande y agradable a Dios que erigirle un templo.»

Me hubiera gustado, por supuesto, poder impugnar allí mismo los argumentos y las citas de mosén Martí; pero, por obediencia, renuncié a ello. A más de esto, el señor obispo, llegado su turno, manifestó entusiásticamente que el templo era de su agrado, lo que zanjó la cuestión. Mosén Martí, exageradamente picado en su amor propio, se escabulló hacia la sacristía, donde seguramente expectoró hasta congestionarse.

Lógicamente, mis padres ocuparon un lugar de honor —en primera fila, al lado de cuatro paralíticos del barrio en sillas de ruedas—, y detrás de ellos mosén Salvador Cebriá, Victoria, Héctor y *el Tontorrón*. Al término de la ceremonia todos nos fundimos en un mismo abrazo, las felicitaciones me llegaban por doquier, mientras el señor obispo, montado en un espléndido coche negro —que contrastaba con mi modesta Vespa—, regresaba al Palacio Episcopal. A última hora recibí también el abrazo del rector del seminario, humildemente mezclado entre los asistentes, así como el apretón de manos del doctor Camprubí. Hubiera jurado que, allá al fondo, asomaba la cabecita del doctor Pros, pero las vidrieras me deslumbraron y no pude dar fe de ello. En cambio, sí puedo darla de que asistieron, milagrosamente endomingados, *el Grifo* y *el*

Mosquito, cuyos hijos vendían ya a la salida estampas y medallas del nuevo papa, Juan XXIII.

¡Misión cumplida! San Gregorio se había asentado en aquella encrucijada burguesa y ya nadie lo movería de allí. Terminado el almuerzo festivo, que tuvo lugar en la rectoría, en Fernando Agulló, y durante el cual se brindó con champaña —obsequio de Jorge Saumells y Rosa María, amigos de Victoria—, me fui, solo, en emocionada peregrinación, al «garaje», a Santa Brígida, que había sido ya desmantelado y donde, al parecer, se instalaría una empresa editorial.

Ante la desnudez de aquellos muros, algo ennegrecidos por el humo de los cirios, rompí también a sollozar. ¡Cuántas horas había yo pasado en aquel rectángulo cuya «sacralidad» se podía ya dar por terminada! «Yo te absuelvo...» «Yo te bendigo...» «Yo te bautizo...» «Hasta que la muerte os separe...» Fórmulas provenientes del Nuevo Testamento, de la vida del Señor. Despedirse de todo aquello —despedirse para siempre— era chupar en una esponja hiel y vinagre. Santa Brígida significó mucho para mí. Mi entrenamiento sacerdotal, mis años de forzoso aprendizaje, mi afianzamiento de «hombre entresacado de los hombres». Veríamos qué me esperaba en San Gregorio, cuya sociedad opulenta —el barrio iba poblándose más aún— entrañaba una invitación a la molicie. Ahora había plazas por cubrir entre los obreros que emigraban, sobre todo a Francia y Alemania, con tantálicos y suculentos contratos de trabajo. Sin conocer el idioma, ¿quién cuidaría de su vida espiritual? Me enteré de que mosén Salvador Fábregas, capellán de la Cárcel Modelo, se había alistado, como otros muchos, para marcharse con dichos obreros y ejercer entre ellos su ministerio. ¿Sería yo capaz? ¿No habría elegido, sin darme cuenta, el camino fácil? Arrodillado en el santo suelo, en el «garaje» de Santa Brígida, ahuyenté tales pensamientos y recordé las palabras del cardenal Tedeschini en una de sus alocuciones durante el Congreso Eucarístico: «En todas partes se puede servir al Señor.»

El tercer acontecimiento tuvo lugar en nuestro piso de la Rambla. Mi padre cayó enfermo, y enfermo de cierta gravedad. Hepatitis —largo tiempo de reposo—, y un principio de cataratas en los dos ojos. El oftalmólogo entendió que, por el momento, no era oportuno operar; la hepatitis debía seguir su curso, y ahí estaba el inefable doctor Camprubí para visitar a diario a mi padre y controlar su situación.

Mi padre reaccionó de forma aparatosa. Hubiérase dicho que se iba a morir. Se lamentaba todo el santo día y daba la impresión de que no creía en la medicina sino en los triduos y novenas. Inclusó se tragó, de un sorbo, el resto de la «milagrosa» agua que trajimos de Lourdes a raíz de nuestra ya lejana peregrinación. Se parcheaba el cuerpo con todas las cataplasmas que llevaban nombres de santo o de santa. Mi madre se encalabrinó. Le llamó «quejica». Pero quien se enfureció de verdad fue Victoria, que ya desde tiempo atrás la tenía tomada con mi padre, a quien consideraba un «santurrón», egoísta por más señas. Con mi madre, en cambio, Victoria se entendía de maravilla y decía siempre que era «una señora de la cabeza a los pies».

Esta fisura familiar podía acarrear funestas consecuencias; por ejemplo, que Victoria insistiese en su afán de independizarse. Yo sabía, por experiencia, que estas cosas eran difícilmente superables. Por ello me volqué intentando disculpar a mi padre, quien entre otras cosas empezaba a notar las limitaciones y extravagancias propias de la edad. No así mi madre, que en la academia Ausiàs March había fundado una compañía teatral que llevaba el nombre de Santiago Rusiñol y que hacía furor en los ambientes universitarios de la ciudad.

Mi padre no podía soportar que, estando él en la cama, Victoria tocara con el acordeón canciones alegres; Victoria no podía soportar que, estando ella alegre, mi padre hiciera sonar una y otra vez la campanilla en demanda de auxilio. A los quince días no hubo más remedio que contratar a una monja que cuidara de él. Esta monja, sor Ángela, era de León, eficaz en extremo y hablaba un castellano perfecto. Ella fue la que nos alertó sobre la importancia que a no tardar tendría para los enfermos «el invento más revolucionario de la época»: la televisión. En Madrid se estaban haciendo los primeros ensayos y era de prever que en el plazo de un año las emisiones llegaran a Cataluña.

Las cosas estuvieron a punto de complicarse cuando mi padre manifestó su deseo de comulgar todos los días. «Arréglate como puedas, hijo, pero tráeme la comunión. Lo necesito, lo necesito...» A espaldas de mosén Martí gestioné personalmente el asunto en el obispado y no hubo pegas. De modo que cada mañana, a las siete y media, salía de mi casa con la Vespa, llevando la sagrada forma en una cajita de plata semejante a un reloj de bolsillo y sorteando a los transeúntes me dirigía al piso de la Rambla. Mercedes y Trini me esperaban en la portería y al oírme llegar encendían sendas velas. Al poco rato mi padre recitaba con voz quebrada: «Señor, yo no soy digno de que entres en mi morada, pero una palabra tuya bastará para sanarme.» A la salida del cuarto mi madre me comentaba: «Lo que le pide el muy cuco es que el Señor le cure la hepatitis.»

A veces el enfermo deliraba. Sobre todo de noche, cuando las estrellas de Mas Carbó debían de relucir con nitidez. Saltaba de la cama —padecía de insomnio—, y daba unas vueltas por el piso, llevando unas pantuflas que el doctor Pros le trajo de Suiza. Por cierto, que el doctor Pros entró a verle y advirtió en él, al margen de la hepatitis, ciertos síntomas que le llamaron la atención.

—Me gustaría hablar con el doctor Camprubí —me dijo—. Aquí hay algo que compete a la psiquiatría.

El doctor Camprubí dio su aprobación. Y al cabo de un mes el doctor Pros creyó estar en condiciones de emitir un diagnóstico: depresión con síndrome de angustia, debido a que el paciente creía estar siempre en pecado mortal.

—Y cuanto más comulga, más culpable se siente. Los psiquiatras estamos acostumbrados a esa anomalía: el paciente vive en un mundo de escrúpulos que no acierta a explicarse. La primera pista me la dio su constante necesidad de lavarse las manos. Considera que sus manos son impuras y que, por tanto, mancilla o profana todo cuanto toca.

El doctor Pros se extendió en toda clase de detalles. A su modo de ver, el constante martilleo religioso podía llevar a una extrema claridad mental (caso del nuevo papa, Juan XXIII, a juzgar por las primeras acciones del pontificado), o bien a insólitas contradicciones y luchas (caso del papa precedente, Pío XII).

—¿Qué puedo hacer?

—Conseguir que él mismo te cuente lo que yo acabo de revelarte. Dile que es hora de que se confiese y arráncale la verdad. Puede que no se sienta liberado al instante; pero mejorará a no tardar. Mejorará... milagrosamente.

Asentí con la cabeza.

—¿Debo entender que, en la actualidad, sufre mucho?

—Sufre lo indecible. Así que aprieta el acelerador...

Antes de marcharse, el doctor Pros me aconsejó que me andara con cuidado. Que, dada mi inestabilidad temperamental, cualquier día podía caer en idéntico abismo que mi padre.

Quedé estupefacto.

—¿Hablas en serio?

—Completamente... Te estuve observando el día de la consagración de San Gregorio. Y te había observado antes en Somorrostro. Cuidado con los escrúpulos... —Me miró con fijeza y añadió sonriendo—: Y ahora, ¿dónde podría lavarme las manos?

Mi padre mintió. Me dijo que se había confesado con mosén Salvador, quien con mucha frecuencia pasaba a verle, y no era cierto. De modo que al cabo de un mes no habíamos avanzado una pulgada, excepto en lo referente a la hepatitis, que empezaba a ceder. Ahora mi padre se paseaba por las noches con las manos enfundadas en un batín azul, de invierno, y cada vez que pasaba delante del crucifijo fosforescente que compramos en Lourdes y que presidía el comedor, hacía una genuflexión y se persignaba. Yo me había encargado de hablar con mi madre y con Victoria, comunicándoles el veredicto del doctor Pros. Desde entonces, mi madre suavizó su actitud, pese a que era la primera vez que oía hablar de «depresión con síndrome de angustia»; y en cuanto a Victoria, mostró también una mayor comprensión, ya que, siendo ella una niña, su madre había caído en aquel «pozo sin fondo», en expresión del doctor Camprubí.

Por fin, el día de mi santo, el 21 de abril, arranqué de mi padre la verdad. Dejé la habitación en penumbra y me senté a su vera, junto a la cama. Le hablé sin tapujos, transmitiéndole las palabras del doctor Pros. Le conminé a que me contara sus escrúpulos, so pena de no darle la absolución.

—Algo te ocurre, padre... Mosén Salvador Cebriá niega que te hayas confesado con él. Soy tu hijo, soy carne de tu carne. Cuéntame, por favor, los fantasmas que se han adueñado de tu cabeza.

Me costó Dios y ayuda vencer su resistencia. Pero al final vino la revelación. Era cierto. Vivía en un constante mundo de escrúpulos, porque —¡que Dios le perdonara!— le acuciaba el deseo de poseer a Trini, la moza de la portería.

—Es más fuerte que yo, hijo... Cada vez que la chica entra por esa puerta, el demonio se apodera de mí y en más de una ocasión he estado a punto de cometer un disparate... Y durante las horas que me paso aquí, solo, en esta habitación, le dedico mis más rastreros pensamientos, como si fuera un colegial. Supuse que comulgando todos los días iba a vacunarme contra el deseo, pero ha sido al revés. De modo que he actuado hipócritamente, primero con Dios y luego contigo. *Señor, yo no soy digno...* ¡Claro que no soy digno! Ni creo volver a serlo nunca más.

Mi asombro no tuvo límites. No ignoraba, por cierto, que a la edad de mi padre la libido podía reclamar aún su ración, sobre todo si no se había abusado de ella; pero nunca se me hubiera ocurrido pensar en Trini, más bien feúcha, aunque de arrolladora simpatía. Victoria hubiera sido más comprensible, ya que, debido a la convivencia, sobre todo los veranos en Mas Carbó, había tenido ocasión de verla casi desnuda. ¡Pero Trini! Era, por tanto, verdad que la lujuria era un ladrón que nos acechaba en las ocasiones más insospechadas...

—Me lavo las manos, sí... ¡Es horrible lo que tengo que decirte, hijo! Pero, pensando en Trini, me toco los genitales por debajo de las sábanas. ¡Que Dios me perdone! Me duele todo el cuerpo, pero más me duele el alma...

Intenté sosegar a mi padre diciéndole que todo el mundo, salvo excepciones que figuraban en el martirologio, había sucumbido a la tentación.

—Desde mosén Salvador Cebriá, ¿quién lo diría?, hasta Héctor, *el Tontorrón*... y yo mismo. ¡No, no te escandalices! Y no te creas que el demonio se ha enamorado especialmente de ti. Todos somos sus esclavos, a menos que el Señor nos salve. Domínate cuanto puedas, y deja el resto en manos de ese Cristo fosforescente que entronizaste en el comedor. Y ahora voy a darte la absolución, a condición, desde luego, de que tomes esas pastillas que me ha recetado para ti el doctor Pros...

¿Pastillas...? Ahora el asombrado era mi padre. ¿Podían las pastillas ser un antídoto más eficaz que el rezo y la comunión?

—Anda, deja ya de pensar por tu cuenta y obedece. Incorpórate en la cama, así, eso es..., y prepárate con un acto de contrición, como manda la Santa Madre Iglesia. Y ojalá a partir de ahora sólo tengas que lavarte las manos al despertarte por la mañana y antes y después de las comidas...

La terapéutica se mostró válida. Al llegar octubre la hepatitis había cedido del todo, al igual que la sensación de pecado, de modo que mi padre pudo reincorporarse de profesor a su feudo de los hermanos de la Salle, donde durante el verano un «hermano» había sido sorprendido corrompiendo a un menor.

CAPÍTULO XV

ASÍ LAS COSAS, llegamos a la década de los sesenta. Yo había cumplido los treinta y cinco años; mi padre, cincuenta y cuatro; mi madre, cincuenta; Victoria, los treinta y dos. Tiempo hacía, pues, que éramos dueños de nuestros propios actos.

Yo había madurado lo suficiente —diez años de sacerdocio— para saber a qué atenerme. Tenía dos fuentes de información inapreciable, directa: la sociedad opulenta del barrio, del Turó Park, y las reacciones de mosén Martí. La sociedad opulenta no me gustaba nada. El dinero que entregaban para la Iglesia les servía de bula para cometer toda clase de desmanes: robar en los negocios, dedicarse al mercado negro, tener queridas, conseguir permisos de importación en connivencia con ciertas autoridades sobornables, etc. Además, había empezado el alud de turistas —tímidamente iniciado a raíz del Congreso Eucarístico—, y en verano, en el litoral mediterráneo, en Mallorca y en Canarias podían verse mujeres nórdicas, unas jóvenes, otras no tanto, exhibiendo bikini. Cinco años antes aquello era impensable. La Guardia Civil se las hubiera llevado hacinadas en una furgoneta. El régimen español evolucionaba. Los turistas traían divisas; los obreros emigrantes las enviaban mensualmente, a porrillo; la economía nacional parecía estar en buenas manos —tecnócratas del Opus Dei— y se observaba un espectacular aumento del nivel de vida. Empezaba a decirse que el reinado de la alpargata había sido sustituido, en España, por el reinado del Seiscientos, coche utilitario, de consumo masivo. Yo mismo disponía de uno, que había desplazado a la Vespa y que fue un obsequio de Julia Camprubí y de su marido, el banquero Roca. Mis padres y Victoria, eufóricos con el Seiscientos, siempre me pedían que los llevara a Montjuich, al Tibidabo o a alguna excursión por el campo, que solía ser Mas Carbó.

Religión hipócrita, por tanto, que, paradójicamente, no parecía alarmar a mosén Martí, más preocupado por el hecho de que el Laudate fuera un coro *mixto* que por los continuos viajes que Jorge Saumells y Rosa María hacían a los bancos de Suiza. Y fue en este momento exacto cuando empezó a correr la noticia de que el papa Juan XXIII, «que debía ser de transición», se disponía a congregar nada menos que un concilio, el Concilio Vaticano II, puesto que, según él, «era preciso efectuar un buen barrido en el seno de la Iglesia, donde con el tiempo se habían acumulado muchas telarañas y mucho polvo».

Aquellas palabras eran fuertes y retumbaron negativamente lo mismo en los oídos de los jerarcas del seminario que en la «cabezota» de mosén Martí. Y era lo curioso que Juan XXIII había tomado tan insólita decisión sin abdicar ni por un momento de su campechanía y buen humor. Se rumoreaba que, a la intencionada pregunta de un cardenal de la curia romana: «¿Cómo es posible que Su Santidad congregue un concilio, si está a punto de cumplir los ochenta años?», el papa había contestado: «Razón de más para darme prisa. No voy a esperar a cumplir los noventa.»

Entre el clero joven la noticia cayó como agua de mayo. El concilio empezaría el año 1962 y se preveía que iba a durar mucho tiempo. Asistirían a él dos mil quinientos obispos llegados de todas partes —de Norteamérica, de Hispanoamérica, del África negra, del mundo árabe, de Asia—, y la totalidad de los cardenales. Por lo visto el Sumo Pontífice no quería hacer un alarde de poder, sino de «hermandad». Sin lujos innecesarios, como había ocurrido en el Concilio Vaticano I y, sobre todo, en el Concilio Laterano V, que «no cometió errores pero que no se mostró eficaz». Esta vez se trataría de un concilio «de abajo arriba y no de arriba abajo». El papa quería conocer la verdad de lo que sucedía en todas las capas sociales de la tierra y en el alma de los fieles, a quienes irían destinadas las sesiones. De ahí que la máxima preocupación de Juan XXIII sería *escuchar*. Y como objetivos primordiales, primero, el ecumenismo, el abrazo con todos los «hermanos separados» e incluso con las religiones no cristianas, y segundo, entablar diálogo con el marxismo, considerado, por su ateísmo militante, como el «Gran Enemigo». Naturalmente, no se obviaría la reforma de la liturgia —anquilosada—, del breviario —desfasado—, del lenguaje utilizado en las parroquias —el latín era minoritario—, etcétera.

«¡Hurra!», grité, desde el fondo de mi alma. Y me fundí en un abrazo con Héctor y *el Tontorrón*. En efecto, *Los tres mosqueteros* entramos en un bar de las Ramblas, sin quitarnos la sotana, y cada uno expuso libremente su pensamiento. Al *Tontorrón* lo que más le gustaba del programa era la atención predilecta que el papa quería prestar al mundo subdesarrollado, al mundo de los pobres. «Ahí, ahí está la madre del cordero, el meollo de la cuestión.» A Héctor le interesó especialmente la comparación que se establecería entre las traducciones de los Evangelios, teniendo en cuenta que tres de ellos habían sido escritos en hebreo. En cuanto a mí, me había bebido materialmente las precursoras palabras del papa: «El concilio no quiere condenar. No será un concilio de ataque, tampoco de defensa. Será un concilio de amor. En nuestro tiempo la Iglesia, la Esposa de Cristo, prefiere usar la medicina de la misericordia divina más que la de la severidad.»

Otras palabras del papa que pudimos registrar gracias a la televisión —puesta en marcha ya en varias zonas de España— fueron: «Dondequiera que yo esté, en cualquier parte del mundo, si alguno de vosotros pasa por delante de mi casa en condiciones angustiosas, aunque sea de noche, encontrará en mi ventana una luz encendida. ¡Que llame! ¡Que llame! No te preguntaré, hermano mío, si eres católico o no. Dos brazos fraternos te recibirán y el corazón caliente de un amigo te hará fiesta.»

Palabras inusuales, en homenaje a las cuales brindamos los tres en el café Moka de las Ramblas.

Mosén Martí estaba de un humor de perros. Aparte el anuncio del concilio, había leído en alguna parte que «el sacerdote era el gran solitario y el gran desconocido. Nadie estaba dispuesto a comprenderlo, sino a exigirle que lo arreglara todo, que lo hiciera todo, que lo supiera todo, pero al mismo tiempo considerándole como un farsante o un loco o un pobre imbécil que creía en cuentos de hadas. Que quería redimir el mundo sin tener en cuenta que el mundo no quería ser redimido».

Mi buen párroco estaba de un humor de perros. Primero porque de un tiempo a esta parte los peces del acuario se le morían con penosa facilidad, y segundo porque «ese chisme», la televisión, iba a ser una arma mortífera si no se hacía buen uso de ella. Nada tenía contra los noticiarios ni contra la retransmisión de actos religiosos o patrióticos —procesiones de Semana Santa, inauguración de embalses por parte del Generalísimo—, pero sí contra la retransmisión de ciertas obras de teatro y, sobre todo, de ciertas películas, casi todas provenientes de Estados Unidos. «El pueblo es mimético y se acostumbrará a beber continuamente whisky y a besarse por las calles como si fuera la cosa más natural. Por fortuna, la ley prohíbe llevar revólver, pero los jóvenes se habituarán a la violencia. Esas películas del Oeste, que parecen inofensivas, estimulan los instintos agresivos. Yo he empezado a notarlo en el confesonario, en el lenguaje que emplean los penitentes.»

Habíamos colocado el televisor encima de uno de los belenes que adornaban el comedor. El gato, *Chispita*, acostumbrado a saltar de uno a otro belén, adquirió ahora el hábito de sentarse encima del «nuevo aparato mágico», de suerte que, a menudo, su cola parecía hacerles cosquillas a los *bustos parlantes* o a los personajes que se asomaban a la pantalla. Pero quien de veras recibió el impacto de la nueva maravilla fue Eugenia, quien se pasaba horas succionando televisión. Se tragaba todo cuanto le suministraba el monitor, desde las corridas de toros hasta los dibujos animados, teóricamente dirigidos a los niños. De hecho, las costumbres cotidianas de la hermana de mosén Martí habían cambiado por completo, y lo mismo podía decirse de todas las familias del barrio. Era inútil que mosén Martí, desde el presbiterio de San Gregorio, advirtiese a los feligreses de los «peligros» que representaba el sentarse pasivamente, en actitud receptiva, ante el nuevo y universal juguete. Las antenas se alzaban cada día en mayor número en las azoteas, y a las horas de los seriales amorosos o importantes retransmisiones deportivas las calles quedaban desiertas. El fútbol, «cáncer de España», en opinión de mosén Salvador Cebriá, gracias a la televisión iba reclutando día tras día nuevos adeptos hasta formar una masa compacta que en vez de gritar: «¡Viva Cristo Rey!», como en el congreso, gritaba: «¡Viva Zarra!», «¡Viva Di Stéfano!»

Yo no sabía a qué carta quedarme. Las desventajas o peligros los veía al igual que mosén Martí. Pero, por otro lado, ¡qué maravilla, qué paso adelante para la humanidad! «Depende del uso que se haga de ella.» ¡Por descontado! Por un momento imaginé lo que hubiera supuesto que la televisión funcionase ya en tiempos de Jesús. Ahora no sólo sabríamos cómo era su rostro, cómo era su voz, cómo eran sus ademanes o qué claridad debían de despedir sus ojos, sino que podríamos reconstruir paso a paso sus andanzas por Galilea, Samaria y Judea, sus disputas con los doctores de la Ley, sus demostraciones de amor hacia sus padres, hacia sus discípulos —¿cómo debieron de ser, en realidad, Pedro y Pablo?— y, sobre todo, las secuencias heroicas de su Pasión. Ahora debíamos contentarnos con los Evangelios, sin duda incompletos, fragmentados, con la sábana de Turín y con la tradición de la Iglesia, que no era, por supuesto, para echarla en saco roto...

El doctor Pros, cáustico como siempre, decía:

—No te hagas mala sangre. El invento está ahí y gracias a él podréis registrar lo que ocurra al final de los tiempos...

—De acuerdo —contestaba yo—. Pero a mí me gusta conocer las historias desde su comienzo.

La suerte cayó del lado de Héctor. Se necesitaban periodistas españoles que se desplazaran a Roma para informar sobre la marcha del concilio, y el rector del seminario, previa consulta con el señor obispo, decretó que uno de ellos podía ser Héctor. Éste, que había finalizado ya la traducción —literariamente impecable— del Libro de los Proverbios, pegó un salto de alegría y me comunicó por teléfono la noticia. «Ya puedes imaginar lo que esto significa para mí. Cierro los ojos y no me lo creo. A veces las cosas se hilvanan de una manera que hace pensar en una hada bienhechora. Mi idea es, al margen de las crónicas oficiales que mande a la prensa, teneros al corriente, por carta, a ti y al *Tontorrón*, de todo lo que me parezca de interés... Sobre todo de las pequeñas anécdotas que pueda pellizcar en los pasillos.»

Le di la enhorabuena, aconsejándole, como lugar de estancia, el Albergo di Paradiso, de tan gratos recuerdos para mis padres y para mí, y Héctor se fue en tren hacia Roma, repleto el macuto de gramáticas y diccionarios italianos. Pronto recibí un telegrama suyo en el que me decía: «TODO BIEN STOP MAGNÍFICO ALBERGO STOP UN ABRAZO HÉCTOR.» Al propio tiempo, mosén Salvador Cebriá recibió una carta en la que Héctor le decía que la impresión que daba Juan XXIII, quien había invitado en audiencia separada a los «periodistas» acreditados en el Vaticano, era la de un anciano transparentemente evangélico, alegre, lleno de ternura, que consideraba que todos los hombres eran hermanos suyos. A un periodista italiano que le preguntó si dormía bien faltando tan pocos días para inaugurar el concilio, le contestó, de buen humor, que «dormía estupendamente, puesto que se limitaba a esperar serenamente que se cumpliera la voluntad de Dios». Añadió: «Dios es una buena persona (digamos que tres buenas personas, para que no se enfaden los teólogos) y va a hacerlo todo bien. Nosotros ayudaremos un poquito.»

En la carta que yo recibí poco después, Héctor me comunicaba que estaban ya en Roma los dos mil quinientos obispos —«y un voto más: el del Espíritu Santo»—, y que eran muy pocos los procedentes del Este, del otro lado del telón de acero, porque sus respectivos gobiernos les habían prohibido la asistencia, «temerosos de que ejercieran de espías». Al parecer, al obispo de Nanchang, de China, los comunistas le ofrecieron ser papa de la iglesia cismática de China si se separaba de Roma. A lo que aquél replicó: «Papa de China es poca cosa. Permaneciendo católico puedo llegar un día a ser papa del mundo. Y éste sí sería un honor para China, ¿no?»

Por su parte, *el Tontorrón* recibió otra carta de Héctor, según la cual, pese a la sobriedad impuesta por Juan XXIII, el concilio saldría carísimo. La adaptación del Vaticano, con sillones tapizados de verde para los obispos, de rojo para los cardenales y cortinajes del techo al suelo, debía de costar una fortuna, a la que cabía añadir la incorporación de salas suplementarias, comedores, desplazamientos, etc. «Roma está que hierve y todo el mundo ve la posibilidad de hacer negocio. Por ejemplo, la casa Hertz anuncia, en latín, el alquiler de automóviles, a precios módicos para los monseñores... Y una agencia de seguros ha calculado que, habida cuenta de la avanzada edad de muchos cardenales y prelados, podía preverse que en el plazo de un año morirían por lo menos una docena. Dicha agencia les ofrece un seguro mediante el cual en caso de fallecimiento trasladarán su cuerpo a su país de origen.»

Sin embargo, debo agregar que España vivía al margen del concilio —tal vez por causa de la censura— y que las crónicas de los periodistas, al igual que la radio y la televisión, informaban lo mínimo. La gente vivía tal cual, como siempre, charlando, reuniéndose en los bares, llenando los estadios de fútbol y huyendo de la ciudad con el Seiscientos. Los curas, por descontado, éramos la excepción, porque aquello iba a repercutir de modo directo y fulminante sobre nuestra misión al servicio de la Iglesia y del Señor. Bebíamos materialmente cualquier información, que comunicábamos a los fieles en las homilías de la misa. Se trataba, sobre todo, de deshacer los malentendidos. Por ejemplo, por el hecho de que el papa hubiera tendido la mano al Kremlin se le acusaba de «comunista». Y no era así. Simplemente, prefería dialogar con los comunistas a enfrentarse con ellos en una guerra abierta con odios y rencores. Mosén Martí se llevaba las manos a la cabeza, sin valorar siquiera que fuera el primer concilio que la Iglesia celebraba con plena libertad, sin que el Estado italiano tuviera allí ninguna representación.

¡El concilio! Héctor fue nuestro enlace entrañable, pues siempre se las ingeniaba, en sus crónicas y cartas, para aludir a nuestra amistad. Mis padres, Victoria y el mismísimo doctor Pros estaban encantados con él. Escribía con una amenidad desbordante y, por supuesto, el día de mañana la recopilación de sus textos sería de lectura obligada incluso para los expertos. Mosén Salvador Cebriá no pudo resistir la tentación de viajar a Roma, por segunda vez en su vida, y al regreso contó y no acabó sobre la personalidad del papa, quien tenía una manera especial de bendecir, «echando las manos adelante, como si tratase de empujar su bendición para que llegara más lejos». También le había impresionado que los tres ancianos hermanos del papa, Javier, Alfredo y José, hubieran llegado de Sotto il Monte, cerca de Bérgamo, lugar natal del Sumo Pontífice, con su humilde aspecto de agricultores y que al presentarse ante la basílica los guardas suizos les abrieran marcialmente el paso... «De verdad que este concilio es el concilio de los pobres, de los modestos, y que la trascendencia de tal afirmación se acrecentará más y más a medida que pase el tiempo.» Tocante a Héctor, según mosén Salvador Cebriá, vivía sin duda una de las épocas más esplendorosas que le depararía la vida, y gracias a su innata vivacidad y a su instinto para los idiomas, se había granjeado buen número de amistades.

Héctor continuó con su anecdotario, sabedor de nuestra insaciable curiosidad. En el concilio iban mostrándose dos tendencias, la conservadora y la progresista. Los conservadores llevaban las de perder, puesto que el papa, aunque con maneras suaves —*suave* era su adjetivo predilecto— mostraba su inclinación por los progresistas. «No podemos desperdiciar la ocasión que nos ofrece la Historia, ni desentendernos del mundo moderno. Vamos a obligar al Señor a que haga milagros; el primero de los cuales, realizado ya, es la presencia en el concilio de jerarquías ortodoxas y protestantes.» Ahí cabía añadir que el papa seguía las sesiones del cónclave desde su cuarto con un circuito cerrado de televisión, dato que asombró a mosén Martí.

Había puntos conflictivos, como el de la Revelación, cuya discusión duraba semanas o meses. Se sucedían, por tanto, períodos de monotonía y cansancio, aunque siempre «ocurrían cosas». Un obispo montaba en Vespa por las calles de Roma: monseñor Pedro Hirata, de Oita, Japón. Murió de un ataque cardíaco el obispo de Búfalo; el primer cliente de la agencia de seguros. El arzobispo de Quebec, monseñor Le Roy, perdió su anillo y ofreció por él una sustanciosa recompensa. A un padre altisonante, el cardenal Rufini, que presidía la sesión, le interrumpió diciendo: «A los predicadores no se les predica.» En el restaurante del Vaticano aparecieron menús especiales: «Truchas a lo cardenal», «Merluza al arzobispo», «Consomé camarlengo»... Los obispos descubrieron los bares y los bautizaron con nombres adecuados: «Bar Jona» («Hijo de Jonás», el nombre de san Pedro en hebreo), y «Bar...rabás». «Este concilio no sería nada sin el café.» Un obispo egipcio preguntó cómo podría traducir literalmente *Espíritu Santo*, «porque eso en egipcio quiere decir *fantasma*». Los obispos hacían cola para confesarse entre sí (esto agradó a mi querido párroco). Si hubiera que darse un premio a la simpatía, se lo llevarían sin duda los obispos negros, los cuales se movían con una especie de majestad cautivadora. Un obispo pidió que el bautismo se hiciera con agua caliente. Los obispos se retrataban ante la estatua de San Pedro, éste en bronce negro, revestido con una gran capa roja y dorada. «Que aparezcan en la foto los guardias suizos, que son muy decorativos.» El cardenal Lienart mostró su deseo de recortar «un poquito» el dogma de la infalibilidad, puesto que tal dogma era uno de los grandes obstáculos para la unión de las Iglesias. El gregoriano era más apto para los monasterios que para las parroquias. El presidente de la república italiana, Fanfani, había propuesto al papa, con talante humorístico, que en el credo introdujera una modificación: en vez de decir «sentado a la *derecha* del padre», debería decir «sentado a la *izquierda*». El papa había recibido a veintiocho monjes budistas, diciéndoles que él apreciaba mucho el budismo, por su alta moral y porque honraba a Dios y buscaba el bien de la humanidad. Los obispos indonesios habían obtenido el permiso necesario para que en la liturgia de sus misas tuvieran cabida las danzas aborígenes, lo que causó verdadero asombro. Monseñor

Botero Salazar, arzobispo de Medellín, dejó su palacio y se fue a vivir al más humilde barrio de la ciudad. En la plaza de San Pedro, una viuda explicaba a su hijito lo que era un concilio. «Ya no habrá nunca más una guerra —dijo—. Lo van a decidir ahí dentro.» Etcétera.

Terminó la primera etapa del concilio y la mayoría de los dignatarios de la Iglesia abandonaron Roma por unos meses, regresando a sus puntos de origen. La finalidad de ese intervalo era, por un lado, meditar a distancia sobre los esquemas presentados para su aprobación, y, por otro, reencontrar el calor de sus propios fieles. «No es bueno que el pastor abandone por mucho tiempo sus rebaños.»

En consecuencia, Héctor se tomó también sus vacaciones y se plantó en nuestro seminario. Su ausencia había durado exactamente trece meses, pero su aspecto apenas había cambiado. Tal vez su fonética y su ritmo al hablar delataran la influencia italiana, así como su gesticulación, exagerada pero asaz expresiva; sin embargo, era el Héctor de siempre, invadido por inmensas ganas de vivir. Él aseguraba haber cambiado *por dentro* y en sentido positivo. Más que nunca se había convencido de la grandeza de la Iglesia, contrariamente a lo que les ocurriera a otros «periodistas». Roma era, en efecto, una tentación y, por ejemplo, en el Albergo di Paradiso los dueños y los camareros se pasaban el día bromeando cruelmente sobre el concilio, sobre el papa y sus representantes y cantando canciones alusivas. No distinguían entre lo profano y lo sagrado, línea, por otra parte, de difícil fijación.

Al escribir las crónicas periodísticas —no en las cartas—, dudaba siempre mucho. Un adjetivo inadecuado podía dar lugar a equívocos irremediables. Personalmente abrigaba el temor de que el pueblo cristiano sólo prestara atención a la vertiente «anecdótica» del papa Juan —modesto, alegre, campechano, familiar, a la manera de san Carlos Borromeo y de san Pío X—, olvidando que debajo de cada una de sus palabras y de sus actos latía un vigor granítico, una fe inquebrantable y una sed «revolucionaria», sobre todo con respecto a la reforma litúrgica y a la unión de las Iglesias. «Quiere simplificar, y lo está consiguiendo. Su deseo es reemplazar, sobre todo en las misas, el uso del latín por el de la lengua vernácula. ¡Ahí es nada! Que se prepare mosén Martí... Desea adaptar la liturgia a las diversas culturas, como lo demostró al admitir las danzas indonésicas. Misa cara al público... ¡Ay, otra vez albañiles en San Gregorio, para colocar el altar en el centro! Acabar con el ayuno eucarístico (ahí mosén Martí debería mostrar su gratitud), y dar validez a las misas vespertinas. Reforma del breviario, parte del cual era caduca y rutinaria. Permiso para la concelebración y para la comunión bajo dos especies. Vestiduras menos barrocas, más sencillas. Iglesias menos recargadas, suprimiendo el exceso de imágenes, "que es donde se acumulan más telarañas y más polvo". En fin, su golpe de timón es de tal calibre que los ultratradicionalistas no dudan en llamarle *el Iconoclasta* e incluso *el Anticristo* o su precursor. Hasta el buen papa Juan la divisa de los pontífices era: "Me romperé, pero no me doblaré"; él prefiere lo contrario: "Me doblaré, pero no me romperé." ¿Qué os parece?»

Lo mismo *el Tontorrón* que yo exultábamos de alegría oyendo a Héctor. Nos habíamos reunido otra vez en el café Moka, de las Ramblas. Todo aquello ofrecía perspectivas inéditas a nuestro ministerio, el cual, una vez aprobados esos esquemas y otros similares, nos acercaría más que antes al pueblo, cumpliéndose el vaticinio del concilio «de abajo arriba» y no «de arriba abajo». La única observación que se permitió *el Tontorrón* fue la de no menoscabar la figura de Pío XII, el predecesor, puesto que precisamente se había significado por su amor a la Virgen, «que, como sabéis, es mi amor». Durante su pontificado se proclamó el dogma de la Asunción de María la Virgen y se invitó a los fieles a reconocer y venerar su realeza. Sin contar con la celebración del jubileo de Fátima, del Año Mariano y del centenario de las apariciones de Lourdes...

Al insistir sobre el problema del ecumenismo, pregunté a Héctor qué podía esperarse del concilio con respecto a las relaciones con los judíos. Y ahí llegó la revelación. «Si el Sacro Colegio hace caso a Juan XXIII, se exonerará a los judíos de la culpa de la crucifixión... ¿Os dais cuenta? Los judíos serán también hermanos y toda tentativa antisemita será condenada por la Iglesia.»

Mi reencuentro con mosén Martí adquirió caracteres de enfrentamiento. Desde el primer día Juan XXIII le había «olido a quemado». Y en cuanto le conté, en la mesa del comedor, ante un suculento plato de cordero asado con que nos había obsequiado Eugenia, todo lo dicho por Héctor, el hombre se encalabrinó. Sí, también él creía que Juan XXIII era «el Anticristo», o por lo menos su aproximación. ¡El altar en el centro de San Gregorio! Eso estaba por ver. ¡Deshielo de la liturgia...! «Habrá que hacerlo con prudencia, no se vaya a provocar una inundación.» Las mujeres en la iglesia, sin medias y sin velo... «¿Y por qué no en bikini, como las turistas en las playas?» En la Iglesia primitiva existían las diaconisas... «¡Hala, las veo en el seminario! ¡Veo a mi hermana Eugenia administrando la comunión! ¿Cómo...? ¿Que no será obligatorio depositar la hostia en la lengua, sino que podrá darse también en la mano? ¿Y por qué no guardarse la sagrada forma y llevársela a casa?» Misa de cara al público... ¡Anda, dándole la espalda al este, es decir, a la Luz, es decir, a Cristo! «Basta, Anselmo, por favor, que, como bien sabes, padezco de hernia de hiatus y este cordero asado se me indigestará...»

Defendí el concilio lo mejor que supe, pero en vano. En cambio, detecté en Eugenia cierto parpadeo ilusionado al oír «que a lo mejor ella podría un día administrar la comunión». Por lo demás, la mujer se había pasado horas viendo en la televisión escenas del concilio y la figura de Juan XXIII, quien «casi la había hipnotizado, por su sencillez». Me llamó aparte y me dijo: «Toma este rosario... Y si tu amigo el periodista vuelve a Roma, que me lo devuelva luego bendecido por el papa.»

Eugenia ignoraba que la muerte estaba al acecho del buen papa Juan, dispuesta a llevárselo cuanto antes.

El 3 de junio de 1963 murió el buen papa Juan, muerte que conmovió al mundo entero. Todas las emisoras de radio, toda la prensa, todas las televisiones, incluso las de países como Japón o la Unión Soviética, omnímodamente alejados de la órbita cristiana, estuvieron pendientes minuto a minuto de la larga agonía de aquel cuerpo barrigudo que se extinguía en el Vaticano. Era evidente que no moría un hombre, tampoco un pontífice, que moría un «santo». El mundo sufría algo así como una drástica amputación. La gente lloraba por las calles, los corazones se tiñeron de luto, y don Jaime Prieto, rector del seminario, calculó que si todos los afectados por aquella muerte pudieran desfilar ante el cadáver expuesto en San Pedro se alcanzaría una cifra muy superior a los mil millones de personas. Cifra inédita en la historia de la humanidad.

¿Qué explicación dar a semejante contagio colectivo? No había más que una: carisma y eficacia de los medios de comunicación. El doctor Pros, como siempre, se colocó a la defensiva. «La misma explicación que se da en Estados Unidos cuando se analiza el porqué Bing Crosby ha vendido en poco tiempo sesenta millones de discos de sus canciones.»

Tal vez el menos sorprendido, paradójicamente, fuera el propio Héctor, ya que, estando él en Roma, había corrido el rumor de que el papa sufría cáncer de próstata. Y aunque aparentemente se había recuperado, siempre corría el riesgo de la metástasis. «Y así ha ocurrido. ¡Qué desgracia, Señor!» «Señor, es evidente que vuestros caminos son torcidos e imprevisibles.»

Se celebraron las honras fúnebres tal y como se merecía su inabarcable personalidad. Y pronto se hicieron públicas algunas cláusulas de su testamento. «Quiero ser enterrado con la modesta cruz pectoral que compré en la tienda de un anticuario en 1926. A mis familiares les dejo una gran bendición por toda herencia.» Y otros textos: «No busquéis en mí al diplomático hábil ni al sabio sutil; soy sencillamente la sombra del buen Pastor.» «¿No sabéis que en la silla gestatoria me da vértigo? Me pongo a pensar en mi madre y en mi aldeana casa de Sotto il Monte, y me dan unas ganas enormes de llorar.» «Me producen un enorme respeto los cardenales. ¡Me impresiona ver cuánto saben! ¡Hablan con tanta pulcritud! Yo, sin embargo, les hablo de temas insignificantes y bien conocidos: les hablo, por ejemplo, de san José... y no falla: todo marcha sobre ruedas. ¡Ah, san José, un gran santo! Ya veis, ni siquiera era monseñor y... ¡vaya puesto el suyo! ¡Cuidar de Jesús y María!»

En Roma tuvo lugar el correspondiente cónclave para elegir al sucesor. Se barajaban muchos «papábiles»: salió el cardenal Juan Bautista Montini, secretario de Estado, quien tomó el nombre de Pablo VI. Héctor pegó un salto en la silla. «¡El cardenal Montini! ¡Aleluya!» Había tenido ocasión de conocerle e incluso de hablar con él en una rueda de prensa. «Es todo menos un extremista. Si algo destaca en él es el medidísimo equilibrio entre su inteligencia, enorme, y su corazón. No es un teórico, pero tampoco un temperamental. No es apasionado, pero tampoco frío. Le gusta el arte moderno, la literatura de hoy, en política ama la libertad del prójimo, en música le gustan los clásicos que se aproximan al romanticismo. Amigo siempre de la audacia, jamás de la imprudencia. Seguro que pensará mucho las cosas, que verá tantos *pros* y tantos contras que a veces dará la impresión de dubitativo y tembloroso. En fin, se ha dicho, y con justicia, que *todo nuevo papa es un enigma vestido de blanco.*»

El más perentorio enigma por resolver era si congelaría el concilio —tenía potestad para hacerlo—, o si daría la orden de continuar. Dio la orden de continuar —segunda etapa—, y Héctor respiró hondo, lleno de satisfacción, porque ello significaba que volvería a Roma, al Albergo di Paradiso, y que la «revolución» emprendida por Juan XXIII seguiría su camino hasta llegar a las conclusiones que pusieran al día la perennidad de la Iglesia.

No hubo opción para mosén Martí: tuvo que claudicar. Imposible dar un paso atrás. El altar de San Gregorio se colocó en el centro —misa cara al público—, por decisión del Consejo Parroquial, cuyo presidente era ahora el doctor Camprubí, más encorvado que nunca, pero con una desbordante vitalidad interior. Su voz rotunda se imponía en las reuniones a las demás voces, y sistemáticamente respaldaba mis propuestas.

A medida que los esquemas del concilio avanzaban, aunque a un ritmo lentísimo, San Gregorio vivía la dualidad entre mosén Martí y yo. Mi buen párroco llegó a situarse en la puerta de la iglesia para inspeccionar si las mujeres llevaban medias o no. Había cedido en la cuestión del velo, pero, al parecer, las piernas sin medias le quitaban el sueño. ¡Y la comunión! Se negaba a depositar la hostia en la mano de los fieles; yo, en cambio, los invitaba a ello, pensando en que Jesús, en el cenáculo, partió el pan y lo entregó en «manos» de los discípulos. Yo me negaba rotundamente a exhibir en la iglesia casullas demasiado decorativas y mosén Martí profetizó que a no tardar nos quitaríamos la sotana. Pero la gran tormenta se desató con motivo de celebrar misa en lengua vernácula. Mosén Martí se resistía. «¡Abandonar el latín! ¡Eso es retroceder a la época de los bárbaros!» Yo la celebraba en castellano —el catalán hubiera creado problemas— e inmediatamente observé que la comunicación con los fieles era muy superior.

Otro de los grandes reveses que sufrió mosén Martí fue el permiso concedido por el Palacio Episcopal —también a raíz del concilio— para que los laicos subieran al altar a leer las Epístolas y determinados versículos del Antiguo Testamento. A mosén Martí le pareció un sacrilegio, pero ¿cómo oponerse a ello? En San Gregorio se presentaron muchos voluntarios, entre los que se contaban el doctor Camprubí y mi padre. Mi padre leía con gran sentimiento y, acostumbrado a dar clases en la Salle, vocalizaba a la perfección. En el caso de que no se presentara voluntario ningún varón, subía al presbiterio una monja o una mujer de Acción Católica. Los fieles, por lo general, admitían gozosos tales innovaciones. Se sentían más próximos al altar, representados más cálidamente. Sin embargo, mosén Martí no admitió de ningún modo algo que empezaba a ser corriente en otras parroquias: que los laicos dieran la comunión. Su teoría era que las manos debían haber sido «ungidas». Cedí en este punto para no provocar su «santa» cólera o un ataque apoplético.

Por cierto, que determinados pasajes del Antiguo Testamento desconcertaban a los fieles, la mayoría de los cuales los oían por primera vez. Ahora que el concilio los había acostumbrado a la palabra «amor», y que se daba por seguro que no declararía ningún anatema, se ponían en boca de Dios, de Yahvé, terribles amenazas y, por ejemplo, en el Levítico, podían leerse cosas como éstas: «La mujer que tiene un flujo, flujo de sangre en su carne, estará siete días en su impureza. Quien la tocare será impuro hasta la tarde.» «Pero si uno se acostare con ella, será sobre él su impureza, y será inmundo por siete días, y el lecho en que durmiere será inmundo.»

Lenguaje apocalíptico, que incluso a mí me provocaba desasosiego. Por el contrario, mosén Martí gozaba con él, hasta tal punto que en las homilías no acertaba a disimularlo. Yo —con el permiso de Héctor y de sus traducciones— prefería con mucho los Evangelios, atravesados de punta a cabo por un sentimiento inefable, salvífico: la ternura.

El concilio se clausuró, al término de cuatro etapas, con los correspondientes intervalos, el 8 de diciembre de 1965, tercer año del pontificado de Pablo VI. Éste no sólo continuó en la línea de Juan XXIII, sino que, en determinadas materias especialmente espinosas, fue más lejos que él. Por lo demás, se ganó a pulso el título de «Papa Viajero». Rompiendo la tradición pontificia de no abandonar los muros del Vaticano, visitó Tierra Santa —¡Jerusalén, Jerusalén!—, Bombay —contacto con los desheredados de este mundo—, Jordania, Ginebra y se presentó incluso en las Naciones Unidas, donde pronunció un discurso memorable.

El concilio, en resumen, había sido un vendaval, que interesó sobremanera a mis padres, a Victoria, a su amiga Rosa María, al doctor Pros, a Ignacio, el capellán de Somorrostro, e incluso a personas completamente alejadas de la religión. Lo raro era encontrar alguien que se mantuviera indiferente. Al decir del doctor Camprubí: «La Iglesia ya no era una abstracción, sino algo palpable y al alcance de la mano.» Según el doctor Pros: «La Iglesia mostró su experiencia, su *savoir faire*, testimoniando una vez más que era el foro diplomático más astuto de la tierra.» Personalmente, yo creía en el «antes» y el «después» y estaba decidido a llevar las conclusiones definitivas a buen término, pese a que, debido a su complejidad, tardarían un tiempo aún en aparecer.

Victoria echaba de menos que no se hubiera borrado de un plumazo la cuestión del celibato obligatorio, tema que, a su juicio, era fundamental. «El celibato obligatorio es algo contra natura, y mientras no llegue un papa que se enfrente con él, la nave de Pedro, como mosén Martí gusta llamarla, estará siempre a punto de naufragar.»

¡El tema eterno! La mayoría de discípulos de Jesús estaban casados; los fieles, en la Iglesia primitiva, también; en las Iglesias orientales los sacerdotes podían casarse y la prohibición sólo afectaba a los obispos; en la historia de la Iglesia podían encontrarse varios papas que habían «conocido hembras placenteras» y habían tenido hijos con ellas; etc. Yo estaba cansado de darle vueltas al asunto y de discutir sobre él, no sólo con mosén Martí, sino incluso con *Los mosqueteros* Héctor y *el Tontorrón*, contrarios al celibato opcional. «El sacerdote no ha de tener ataduras terrestres —decían—. Debe dedicarse por entero al Señor.» Yo no veía que el hecho de casarse impidiera dedicarse enteramente al Señor. Todo lo contrario. Fundar una familia, traer nuevos seres —nuevas almas— al mundo era un homenaje al Cuerpo Místico, una aportación digna de loa.

Mi padre dudaba al respecto; mi madre, no. Mi madre defendía mi tesis, que era la tesis de Victoria. «Por culpa del celibato yo no puedo ser abuela... —se quejaba mi madre—. Cuando en la academia Ausiàs March veo a tantos críos chorreando ganas de vivir, me pregunto por qué ninguno de ellos puede ser mi nieto.» Victoria se mordía las uñas pensando que el doctor Pros, no sujeto a voto, pudiendo elegir, había optado por no casarse, probablemente por egoísmo, para no ceder un ápice de su independencia.

Los acontecimientos se precipitaron. No sólo en algunas iglesias empezó a celebrarse misa los sábados por la tarde —lo que suponía una solución para los excursionistas y cazadores, que de este modo tenían libre todo el domingo—, sino que, sobre todo en Barcelona y Madrid, algunos sacerdotes aparecieron vestidos de *clergyman*, es decir, sin sotana, con traje seglar y por toda «señal» un alzacuellos y por única insignia una diminuta cruz en la solapa.

Por supuesto, temí que a mosén Martí le diera un síncope, y tuve que reconocer que acertó en su profecía. Contemplé las sotanas colgadas en mi armario y la que llevaba puesta. Y de pronto me di cuenta de que, en efecto, el «hábito» —la sotana— singularizaba a quien la llevaba, establecía una distinción. Comprendí con asombro que el alzacuellos y la crucecita en la solapa serían suficientes para «distanciarme» —horrible palabreja— del pueblo fiel. Me enteré de las tremendas disputas que tenían lugar en muchas parroquias. El golpe de timón continuaba afectando a los puntos neurálgicos de nuestro ministerio. El doctor Pros me alertó. Me dijo que Ignacio, el capellán de Somorrostro, había colgado el «hábito» negro que se nos había asignado durante centurias como si fuera un dogma y que el muchacho vestía de paisano, lo que le permitía relacionarse más fácilmente con los feligreses. ¡Era peligroso dar semejante paso! Para comprobarlo me fui a Somorrostro e irrumpí con ansia en la capilla del barrio. Encontré a Ignacio en la sacristía, remendándose unos calcetines. Era un chaval. Debía de rondar los veinticinco años. Su perfil aguileño y ascético recordaba un poco el de Pablo VI. Habíamos coincidido un par de veces en la catedral y ambos tuvimos la sensación de que haríamos buenas migas, como así fue. El saludo fue prometedor:

—¡Hola, camarada Anselmo! Aquí todos somos camaradas, ¿comprendes?

Me sentí a gusto, sobre todo porque reconocí sobre la mesa el viejo fogón de gas que yo había utilizado durante mi estancia en aquel submundo. Me invitó a café y brindamos por la «revolución» de la indumentaria. Claro, claro, él lo tenía fácil. No dependía de ningún párroco... y era andaluz. Incluso hablaba *caló*, el lenguaje de los gitanos. Conocía sobradamente al *Grifo* y *el Mosquito*, «los cuales darían la vida por ti». Ya era hora de acabar con tantos tabúes. Cuando llegara la Cuaresma él se opondría a trazar con ceniza una cruz en la frente, porque eso del hombre-barro no iba con su temperamento. Para él la religión era básicamente alegría, razón por la cual el retrato que tenía en la pared no era el del «taciturno» Pablo VI sino el del jovial Juan XXIII.

Entraron un par de churumbeles y nos pidieron si teníamos «algo para jugar». Ignacio se levantó, abrió el armario y encontró un par de globos de colores. «¡Ahí va! Gracias, padre...» Querían besarle la mano, pero Ignacio lo rechazó. «Con un apretón basta y sobra.» Luego entró una especie de Rocío —o de Trini— y, cimbreando la cintura, le entregó, limpios y planchados, unos calzoncillos, una camisa, una alba y un roquete. «¿Quieres un poco de café?», le ofreció Ignacio. La muchacha aceptó y, sin dejar de mirarme —la sotana la turbaba, al parecer—, se bebió de un sorbo la taza entera y se despidió cantando *Penita pena*.

—Ya lo ves... Esto es una familia.

—¿No te da miedo?

—¿Quién?

—No sé. El barrio.

—Más miedo me darían los burgueses de San Gregorio...

Simulé cuadrarme ante Ignacio y le felicité. De un tiempo a esta parte, desde que el concilio terminó, experimentaba, en San Gregorio, una creciente desazón. Tenía que hacer algo. Lo cierto era que el bombardeo de noticias no cesaba. Hoy me enteraba de que un misionero que llevaba veinte años en la India, el padre Cortés, había perdido la vida al querer rescatar a una niña atrapada en un incendio; mañana me enteraba de que en París un tal *abbé* Pierre había iniciado un movimiento de curas-obreros que trabajaban en minas y fábricas como los demás mortales y que a la salida ejercían de sacerdote como si tal cosa; y no faltaban noticias sobre curas que, especialmente en Hispanoamérica, vivían amancebados con la guapa del lugar.

Ignacio consideraba que todo ello era normal. ¿Qué podía hacer un misionero? En tanto que tal, dar la vida por el prójimo; en tanto que macho, ceder ante el ímpetu de la naturaleza y amancebarse. Y con respecto a los curas-obreros, había precedentes en la historia, el primero de los cuales —e Ignacio se rió de su propia *boutade*— podría ser el carpintero san José.

Envidié a Ignacio porque tenía nociones de medicina.

—En este lugar es indispensable. Gastritis, miopía, lipotimias, tuberculosis... Sé poner inyecciones. Y, como ves, dispongo de teléfono para avisar al doctor Llorens en caso de apuro.

—¿Quién es el doctor Llorens?

—¡Oh, un chaval como yo! Vive muy cerca de aquí y nos entendemos de maravilla... Me regala los medicamentos, yo ofrezco un par de misas por su alma y quedamos en paz.

Medio año después, una tarde de primavera, mientras los críos en el Turó Park se deslizaban por los toboganes y sus mamás hacían ganchillo y hablaban de bailar el twist y de los ojos de Elizabeth Taylor, colgué la sotana en mi cuarto, rodeado de belenes, el acuario presidiendo y *Chispita* acostado a mis pies.

Antes había tenido un altercado furibundo con mosén Martí, quien, ante mi decisión de llevar el *clergyman*, que le expuse con claridad, fue al obispado a denunciarme personalmente. Pero ni siquiera fue recibido por el doctor Modrego. En secretaría le dijeron que, dada la extensión del problema, no podían impedirlo por cuenta propia. «Se esperan órdenes de Roma.» Mosén Martí sabía de sobra que «esperar órdenes de Roma» era un eufemismo, que oficialmente tenía la batalla perdida.

En efecto, mi buen párroco, que continuaba alimentándose del *Kempis* y de santo Tomás, tuvo que tragarse la píldora. Su venganza fue comer por separado y no dirigirme apenas la palabra. «Confío en que modificará usted su actitud —le dije—, y se adaptará a los nuevos tiempos.» Inútil. Para mosén Martí los nuevos tiempos eran, lisa y llanamente, el infierno «por toda la eternidad».

Y he aquí que en el barrio mi decisión obtuvo general aplauso. Los feligreses de San Gregorio tuvieron materia idónea para chismorrear. Eugenia, que disimulaba pero que con toda evidencia estaba de mi parte, exclamó: «¡Qué escándalo, mosén Anselmo! ¡Qué escándalo!»; y se fue a la cocina a prepararme, para el desayuno, un par de huevos fritos y un tazón de leche.

Mis padres se quedaron patidifusos al verme. Veinte años de sotana, incluso los veranos en Mas Carbó. Mi padre no supo cómo reaccionar. Se me acercó, me acarició el alzacuellos, besó la crucecita que llevaba en la solapa e hipó escandalosamente. Mi madre me besó en la frente y me abrazó con ardor. Pero la gran sorpresa, la sorpresa increíble y de difícil relato, fue la reacción de Victoria...

—¡Pero, Anselmo...! ¡Qué guapo estás! —Dio un paso atrás—. Pero... ¡qué guapo! —Advirtiendo que me ruborizaba, añadió—: ¿Esto... es para siempre?

—Eso creo —contesté—. Menos para decir misa, claro...

Fiesta en la casa, en el piso de la Rambla. Victoria fue a su cuarto —a «mi» cuarto— y se trajo el acordeón. ¡Tocó *La Marsellesa*! Lástima que mi piano, el Pleyel, estuviera en la rectoría. Brindamos con champán, aunque mi padre apenas si osó levantar la copa.

Mosén Salvador Cebriá se puso en contra. «Es un paso muy serio el que acabas de dar.» Héctor y *el Tontorrón* se pusieron en contra. Héctor tenía en su poder un libro italiano titulado *La importancia del uniforme*. Le dije que no necesitaba leerlo, que todos los argumentos posibles mosén Martí me los había pasado ya por las narices. «Lo único que me fastidia —les dije a todos— es que sea tan enrevesada la palabra *clergyman*.»

Durante el verano —1968—, de acuerdo con mosén Martí, quien desde hacía tiempo había bajado la guardia, aunque el hombre vivía amargado por las continuas «traiciones» a la Iglesia que se estaban produciendo en el mundo, disfruté de quince días de vacaciones en Mas Carbó, en compañía de mis padres y de Victoria. El coche, el Seiscientos, nos fue de gran utilidad. Era un año turbulento, pródigo en noticias, como el asesinato de Martin Luther King, el «mayo» en París y la proclamación, por parte de Pablo VI, de la polémica encíclica *Humanae Vitae*, encíclica que a Victoria le dio verdaderas náuseas.

Fermín y Dolores estaban bien, fuertes, sin que apenas se les notara el paso de los años. Acaso Fermín acusara un poco más de barriga, pese a las caminatas que se daba por los contornos de su propiedad, y el cabello de Dolores hubiera encanecido y la mujer exhibiera un moño de no te menees. Todos fuimos bien recibidos, como siempre y antes que nada desfilamos en comitiva por las tumbas de *Vesubio* y del perro *Tritón*. Y todos, igualmente, tuvimos un recuerdo para el viejo Tomeu, el zahorí chiflado y borracho que, sin perder jamás la chistera, se había acostumbrado a su chabola, a las ratas y a los chinches.

Los dueños de Mas Carbó reaccionaron también con estupor al verme sin sotana. «¿Qué ha ocurrido?» La explicación los desconcertó —apenas si habían oído hablar del concilio, aunque sí de Juan XXIII—, y al final admitieron que sí, que tal vez sin sotana los curas reclutaran más adeptos. «A un panal de rica miel...», recitó Fermín, sujetándose la faja y riéndose a carcajadas; y en cuanto a Dolores, pasada la primera impresión, se me acercó, me pegó un manotazo en las nalgas y soltó también una sonora carcajada.

Visitamos Arenys de Munt y para darle gusto a mi madre llegamos a Arenys de Mar —donde, en el Café Español, Fermín continuaba jugándose sus buenos dineros—, que en verano triplicaba su población. El puerto, coquetón, daba gloria verlo. Repleto de yates y balandros, sin contar las barcazas de pesca, en una de las cuales —había olvidado el nombre— yo había pasado mar adentro una hermosa noche de luna llena.

Victoria, ya «filóloga» de profesión, estaba eufórica porque en el Liceo Francés las cosas le marchaban viento en popa y porque le aguardaban dos meses de vacaciones, durante los cuales podría respirar aire puro y leer cuanto le apeteciera. Se llevó consigo un montón de libros, casi todos franceses e italianos, con la sempiterna excepción de Unamuno. De repente se había interesado por las figuras de Napoleón y Robespierre y, sobre todo, por los grandes personajes del Renacimiento italiano. En septiembre pensaba visitar Italia —aunque no a Pablo VI...— y atiborrarse con las obras de aquella media docena de genios universales.

Yo sólo me había llevado el breviario y la última traducción de Héctor: el Levítico. Estaba decidido a «no pensar», a concederle también vacaciones a mi cerebro. Sin embargo, tal propósito se manifestó difícil, precisamente por culpa de Victoria. El primer síntoma lo noté al día siguiente de nuestra llegada. Yo había celebrado misa en Arenys de Munt. Luego, al mediodía, Victoria y yo nos bañamos en la alberca, remozada, con agua azulada y limpia y flores alrededor. Victoria se presentó en bikini; yo, en meyba. Dos cuerpos jóvenes frente a frente, mientras mis padres se habían tumbado en las hamacas del algarrobo a leer los periódicos.

Experimenté una sacudida de «¡agárrate, macho!», y, por las trazas, a Victoria le ocurrió algo parecido. La muchacha estaba en su punto exacto de madurez, suelta la cabellera, prietos los senos, con una piel suave y tersa que era una tentación. Hasta los dedos de los pies me parecieron coquetones, pícaros y su silueta, lo mismo al tirarse al agua que al emerger de ella, se clavó en mi retina como un dardo y me retrotrajo a aquella escena con Rocío que tantos trastornos me provocó.

Sin darme cuenta, de pie al borde de la alberca, hinché el pecho a lo Tarzán y me zambullí pegando gritos salvajes, que, a juzgar por los aplausos, hicieron las delicias de mi madre. Resumiendo, jugamos en el agua con un balón que apareció de no se sabía dónde. Yo le alboroté los cabellos y ella se disponía a hacer lo propio, cuando advirtió que en mi cabeza quedaban todavía restos de tonsura. «¡Acabáramos!», exclamó, inesperadamente. Y, riéndose, se puso a nadar y a nadar como una inalcanzable sirena.

Media hora después nos encontrábamos tumbados sobre el césped, a cierta distancia uno del otro. Normalizada nuestra respiración, gozábamos de la paz circundante, del sol que nos acariciaba. Hablábamos boca abajo, sin mirarnos siquiera, aunque de vez en cuando ella, con una brizna de hierba, intentaba cosquillearme el interior del oído, lo que me obligaba a pegar un salto y me devolvía a la realidad. Una realidad que me traía el recuerdo de aquellas palabras del joven Ignacio: el ímpetu —inevitable— de la naturaleza. ¿Qué hacer? Lo mejor sería dormir un rato, como un lagarto. Pero la voz de Victoria me impedía el sueño, ¡hablándome de Miguel Ángel y de Leonardo da Vinci, ambos homosexuales, al parecer! Victoria detestaba a los homosexuales, lo mismo hombres que mujeres, y también en eso estuvimos de acuerdo. Finalmente se refirió a la *Humanae Vitae* de marras y me dijo que, de seguir los consejos de la Iglesia católica, ella, a su edad, sería virgen todavía.

Aquellas palabras sonaron en mi interior como un clarín. No tuve más remedio que odiar al doctor Pros, con quien ella había hecho el amor «en multitud de ocasiones». Guardé para mis adentros un bestial ataque de celos que se apoderó de mí, y no encontré otro antídoto más que memorizar nuestro anterior diálogo... y hablarle de Napoleón y Robespierre.

La sesión terminó en el momento más inesperado, cuando Victoria, adoptando de repente una actitud neutra, dijo que estaba harta de sol y que iba a ducharse. «Hasta luego», se despidió, entrando en la casa, que disfrutaba ahora de un espléndido cuarto de baño. «Hasta luego», respondí, como un autómata. Y me quedé solo en la hierba, imaginando el chorro de agua cayendo sobre el cuerpo de Victoria y cómo ésta se lavaba el cabello con champú y a continuación se enjabonaba y perfumaba acaso cantando *Frère Jacques*... o *La Marsellesa*.

Todos los días se repitió la misma historia —misa tempranera en Arenys de Munt, mi padre haciendo las veces de monaguillo— y baño en la alberca, con Victoria exhibiendo bikinis diversos. Ignoro quién me ayudó: tal vez las preces de mosén Cebriá o del *Tontorrón*, pero el caso es que conseguí domeñar mis instintos y, salvo arrechuchos fugaces, contemplar a Victoria y dialogar con ella sin la irresistible tentación de la primera vez. Siempre la instalaba en un pasado remoto, cuando llegó de Perpiñán aniñada y con una gran timidez a cuestas debido a que su padre se había alistado en el maquis.

Victoria se dio cuenta de mis esfuerzos para ser fiel a

mis promesas de castidad y tuve la impresión de que por un lado me admiraba y por otro le repugnaban dichos esfuerzos, por ser fruto de una educación oscurantista que privaba al ser humano de una función —y un goce— natural. Su táctica fue curiosa y, acaso, extravagante. En la alberca no coqueteaba lo más mínimo, tocada con un feo gorro de plástico y enormes gafas de sol; en cambio, por las tardes, viéndome en *clergyman*, me daba golpecitos en la tonsura, cada día menos visible, y simulaba rezar, agachada la cabeza, ante la crucecita de mi solapa.

Salíamos de excursión, en mi Seiscientos o montando al caballo *Galopín*, y a veces llegábamos a los pies de los Tres Turons. Descubrimos un lugar idóneo para nuestros *tête à tête*: el interior de una gruta troglodítica, en la que se apreciaban rastros de hoguera, leña ennegrecida y cenizas.

—Algún vagabundo...

—¡Qué va! El viejo Tomeu.

—Yo me inclino por algún fantasma escapado de un castillo inglés.

Dialogábamos sobre las noticias del día —habían asesinado a Bob Kennedy—, y sobre el contenido del breviario, que a Victoria le llamó la atención. Por él se enteró de que santa Victoria murió mártir en Córdoba, en compañía de su hermano Acisclo, allá por el siglo IV. Y también se enteró del significado de cada uno de los ritos de la misa, del texto del Día de Difuntos y del «¡Hosanna!» de la Resurrección.

De repente permanecíamos mudos, sentados en la misma piedra, mirándonos el uno al otro con cierta turbación. Mi masoquismo me llevaba a mencionar de vez en cuando al doctor Pros. Victoria le odiaba, y reconocía que le odiaba sin motivo. Nunca jamás el doctor Pros le había prometido que aquel «idilio» o aquella «unión» era preámbulo de matrimonio. Desde el primer día el hombre dejó claro que era un soltero por vocación y que jamás tendría hijos. «Menuda responsabilidad...» Victoria, en cambio, deseaba tener hijos, so pena de admitir que su vida de mujer había sido una frustración.

Todo aquello duró hasta la víspera de mi marcha. Al caer la tarde fuimos, como siempre, a la gruta troglodítica. Yo iba en mangas de camisa y Victoria lucía una blusa azul celeste, vaporosa y casi transparente. Sin saber cómo ni por qué, un minuto después de hablar del significado de la Epifanía y de comentar hasta qué punto ambos lo pasábamos bien charlando sobre lo humano —y sobre lo divino...—, nuestros labios se encontraron en un beso profundo, de duración ilimitada. Al separarnos, Victoria sonrió con mucha amabilidad y tacto; por mi parte, mediante un esfuerzo sobrehumano conseguí no sollozar.

CAPÍTULO XVI

APENAS REANUDADO EL CURSO ACADÉMICO —mes de octubre—, mi padre murió. Murió de repente, en circunstancias trágicas. Era un domingo soleado, de un cielo intensamente azul. Él y mi madre subieron al Tibidabo, costumbre antañona, para contemplar la ciudad extendida a sus pies y para comprobar si con los catalejos allí instalados se divisaba la isla de Mallorca. El ambiente era festivo en la cumbre, cuyo parque de atracciones seducía a los críos, que no daban abasto ante aquel mundo disneylandiano.

A mi madre le apeteció subir a la Gran Noria y mi padre se apresuró a sacar los tiquets. Ambos se sentaron, cogidos del brazo como si fueran novios, y la Gran Noria se puso en marcha y empezó a elevarse, para luego caer en picado. Una vuelta, dos vueltas, tres... Allá arriba soplaba el viento, que despejaba los pensamientos. De súbito, mi madre advirtió que la cabeza de mi padre se le caía sobre el pecho y que sus brazos perdían fuerza. Se alarmó al instante, pues no era imaginable que se hubiese quedado dormido. Le sacudió como pudo y lanzó un grito, que se perdió entre el fragor de la máquina volante. Segundos después ésta se detuvo y la gente empezó a apearse. Entonces mi madre advirtió que mi padre estaba muerto. El público se arremolinó en torno. «¡Un médico! ¡Un médico!» No había ningún médico, pero tampoco hacía falta. Un fulminante ataque cardíaco acababa de segar la vida de aquel hombre sin tacha, que enseñaba humanidades en la Salle, coleccionaba cajas de cerillas y le gustaba que mi madre le cortara y limara las uñas de los dedos de los pies.

Los trámites fueron penosos, ácidos. La ambulancia tardó media hora en llegar y el cadáver fue trasladado al Hospital Clínico, donde el forense certificó la muerte y decretó que se practicara la correspondiente autopsia. Esta palabra me produjo auténtico horror, recordando aquella vez que el doctor Pros, delante de mí, abrió en canal el cuerpo de un muerto anónimo. Oficié la misa en la capilla del propio hospital, con asistencia masiva y en medio de un silencio conmovedor. Hablé con voz entrecortada, sin aludir a la «alegría» que debía embargarnos (mi padre nos había precedido en el reino de los cielos). De vez en cuando un sollozo: mi madre. Y unos ojos lacrimosos: Victoria. Mosén Salvador Cebriá, el doctor Camprubí, Héctor, *el Tontorrón*, etc., todo el mundo sumergido en el pozo del drama irreversible.

El coche fúnebre quedó materialmente sepultado bajo las coronas de flores, en cuyas cintas moradas podían leerse las inscripciones más dispares. La ascensión hacia Montjuich, hacia el cementerio del Este, fue lenta, dolorosa. Varios entierros nos habían precedido —¿cuántos muertos al día, Señor?— y al término de una búsqueda agotadora conseguimos localizar el panteón familiar, cuya lápida decía: «Familia Romeu-Figueras.» Mi padre estrenaría el panteón, sería su primer inquilino. Avenidas de nichos, espectáculo macabro. ¿No sería mejor la incineración? Los hindúes preferían la pira. Los pueblos mediterráneos se decantaban por el hacinamiento y por los gusanos.

El *responso*, bajo un sol aplastante —los albañiles, esperando— estuvo a punto de delatar mi anonadamiento. Pero conseguí mantener la presencia de ánimo y arrancar un padrenuestro colectivo. Terminada la ceremonia se produjo la inevitable dispersión. La gravilla resonaba a nuestro paso. Mi madre y Victoria se habían enlutado. Allá abajo, en la hondonada, el puerto, con toques de sirena que me recordaron los de las ambulancias y al término de los muelles y la escollera el mar vivo, agitado, como si le costara respirar.

Procuré agilizar la despedida y una hora después nos encontrábamos los familiares y los íntimos en el piso de la Rambla de Cataluña. Fermín y Dolores habían acudido desde Mas Carbó (nunca los vi mejor trajeados). El Consejo Parroquial en pleno. Varios profesores del seminario. Héctor me abrazó fuertemente y *el Tontorrón*, pese a estar acostumbrado, en el hospital de San Benito, a los muertos, se instaló, encogido, en un rincón y se negó firmemente a probar bocado. Mercedes y Trini habían preparado un piscolabis para la concurrencia. Los canapés, las galletas y los refrescos desaparecieron en un santiamén. El doctor Pros pidió una copita de jerez y Victoria se la sirvió.

De pronto, mosén Martí, que se había reunido con nosotros en el Hospital Clínico, pidió la palabra. Trazó una elogiosa semblanza de mi padre, con tal brío y sinceridad que me conmovió y no pude menos que abrazarle. «Hijo, hijo —me dijo, dándome un suave espaldarazo—. Tú mismo acostumbras a decir que los caminos del Señor son torcidos e imprevisibles...»

Inesperadamente, mi madre se mareó y se sentó en el diván. «Tal vez conviniera despejar un poco esto...», sugirió Victoria. Un cuarto de hora después quedábamos solo mi madre, Victoria, yo... y el doctor Camprubí.

Los días que siguieron al fallecimiento de mi padre, cuyos funerales celebramos, con toda solemnidad, en San Gregorio, constituyeron un reto personal. Comprendí que a partir de ese momento la palabra *muerte* tendría otro significado para mí. Todos tendíamos a la abstracción y cuando el Señor nos obligaba a concretar, el pinchazo nos alcanzaba las entrañas. Mi padre ya no daría nunca más clase en la Salle. Ni leería las Epístolas desde el presbiterio, ni se tumbaría en la hamaca de Mas Carbó. Ni volvería a enfermar de hepatitis, ni a ser un «quejica». Y yo guardaría para siempre, con mayor cuidado que antes, el pequeño crucifijo que me regaló dentro de una caja de cerillas.

Llegó el momento prosaico de abrir el testamento. Éramos más ricos de lo que yo suponía —tío Dionisio, en efecto, nos dejó un buen pellizco, además de varios inmuebles cerca de Atarazanas—, pero no hubo el menor problema. Al margen de lo estipulado en la escritura, mi madre decidió darme a mí, en dinero contante y sonante, la mitad de la herencia. Yo no entendía de cuentas corrientes ni de inversiones en bolsa. De modo que fui al Somorrostro a entregar aquel capital a Ignacio, indicándole que ayudara cuanto pudiese a las familias del *Grifo* y *el Mosquito*. Ignacio no pareció emocionarse demasiado. «Hay personas como tú —dijo, sin embargo— que le reconcilian a uno con la nauseabunda sociedad.»

La vida siguió rodando. En 1969 el hombre pisó por vez primera la luna, el Gobierno español decidió autorizar las clases mixtas en la escuela primaria y el general Franco nombró sucesor a título de rey: Juan Carlos, hijo de don Juan de Borbón.

Entretanto, yo me había confesado del beso que le di a Victoria en la gruta troglodítica, pero en mi confesión me di cuenta de que faltaba un ingrediente: el arrepentimiento. Lucha de cabeza y corazón. No estaba arrepentido en absoluto, aunque me esforzaría en no reincidir. Me confesé en la catedral, casi a oscuras y luego me acerqué al altar del Cristo de Lepanto para pedirle ayuda, fuerzas para dominar el Mal, aquella «perseverancia» de que me había hablado Pío XII. Cristo me escuchó hierático, la cabeza caída sobre el pecho —al igual que mi padre—, como si la cosa no fuera con él. Fui a besarle los pies y el clavo y lamenté no alcanzar a acariciarle la llaga del costado. Y me marché confuso, no sin antes encender un cirio rojo en torno al altar.

A la salida, turistas. Autocares en batería volcando turistas para que visitaran la catedral y el barrio gótico circundante. Los guardias municipales despejaban de mendigos la zona, para que ningún extranjero se llevara una mala impresión. Los anticuarios habían organizado allí una feria y yo busqué, entre jarrones, cuadros, relojes y abanicos, mi castidad perdida. El doctor Pros no quería tener hijos; Victoria, sí. ¿Y yo? Por primera vez me formulé tal pregunta, que hasta el momento me había parecido fuera de lugar, intempestiva y gratuita. Pero en esa ocasión, al ver a los chavalillos jugueteando por la escalinata de la catedral —y al recordar a Victoria—, tuve la sensación de que algo se quebraba en mi interior. ¡Un hijo, dos hijos, la pareja! Yo era un hombre y potencialmente nadie ni nada podían privarme de mi propia prolongación. Si mis padres no hubieran existido, tampoco hubiese existido yo. Si Adán y Eva no hubieran sido creados, no se habría iniciado la espiral de la especie. «Cien iguales para hoy, cien iguales para hoy.» Los ciegos se casaban entre sí y engendraban hijos. Entonces me acordé de Joaquín Valls, el ciego capellán del convento de clausura de Santa Clara. Estuvo en la rectoría para darme el pésame y me corroboró algo que yo había oído de labios de Héctor: que en Europa muchos sacerdotes —especialmente los sacerdotes-obreros o los que ejercían su ministerio en los barrios periféricos— empezaban a solicitar de Roma el permiso para secularizarse...

La palabra era fuerte, era contundente, estaba armando «la de Dios es Cristo». Los obispos estaban preocupados y Roma lo estaba también. Existían unas normas... Si el sacerdote reunía los requisitos necesarios, después de estudiar minuciosamente el caso se le concedía la *dispensa*, se le aceptaba la renuncia y en paz. ¿En paz? Era mucho decir eso. Al parecer, la mayoría de esos sacerdotes hubieran querido que su condición de clérigos no fuera incompatible con la del matrimonio. Se casaban, tenían hijos, pero echaban de menos el decir misa, la catequesis, el «*Ego te absolvo...*». ¡Renunciar a tales prerrogativas era difícil... y peligroso! Por ello muchos, antes de dar el paso decisivo, hacían marcha atrás y continuaban sujetos a la disciplina eclesial.

Empezó una nueva vida para mi madre y para Victoria, solas en el piso de la Rambla de Cataluña, ayudadas en las faenas domésticas por Mercedes y Trini. Su gran desahogo era el trabajo, en el que se sumergieron intentando olvidar —esfumar— la figura de mi padre. La verdad era que a Victoria le resultó relativamente fácil: nunca se había llevado bien con él —le llamaba *el Santurrón*—; pero mi madre era otro cantar. Aunque de temperamentos, ideas e incluso gustos no paralelos, se querían con toda el alma. «Eres mi compañía.» «Y siempre lo serás.» «Nos llevamos bien, ¿verdad?» «No asoma ninguna nube en el horizonte...» La única nube que apareció fue la muerte, casi grotesca, cielo arriba, en la Gran Noria.

La soledad de ambas mujeres me impulsó a ir a verlas muy a menudo, con pretexto o sin él. Mi madre, al verme, se transformaba: «¡Hijo!»; y me preparaba tazas de chocolate como las que se tomaba Héctor o las que me servían a mí cuando era un crío. En cuanto a Victoria, había normalizado sus sentimientos y su existencia, y me confesó llanamente que, a no ser por nosotros, la imagen de mi padre a no tardar se habría desvanecido en su espíritu. «Me olvidé muy pronto de mi propio padre, así que...» El primer día que se atrevió a tocar el acordeón mi madre se sobresaltó; pero al instante comprendió que al fin y al cabo Victoria no era de la familia y que, por tanto, nadie tenía derecho a ceñirle lo que el doctor Pros denominaba «el cinturón de la tristeza».

Y sin embargo yo estaba triste. Y el hecho de estarlo me entristecía más aún. ¿A cuántas personas —feligreses— había yo administrado la extremaunción, o, como se llamaba después del concilio, la unción de los enfermos, eufemismo que mosén Martí detestaba? Muchas, en definitiva. Hasta el punto que, al igual que la mayoría de médicos, me había atrincherado tras una coraza de frialdad. Al ver repetida siempre la ceremonia, y, sobre todo, al ver repetidas, idénticas, las fórmulas de dolor de los deudos caí en la tentación de la rutina. Sabía de antemano todo lo que iba a ocurrir. Incluso, en el caso de que el difunto fuera un anciano, en más de una ocasión había advertido entre los parientes más próximos algún que otro suspiro de alivio... No así en caso de la muerte de un niño. Entonces el féretro blanco, como de miniatura o de juguete, despertaba una pesadumbre colectiva que yo no acertaba a explicarme. Acaso fuera la presunción —mejor dicho, la certeza— de una inocencia que ni siquiera había sido puesta a prueba. «Los niños son inmaculados, aunque a veces maten o descuarticen a los bichitos o intenten arañarse entre sí.» Ante un féretro blanco mi elocuencia enmudecía y con el agua del hisopo exorcizaba y bendecía hasta el aire.

Victoria no quería jamás hablar de la muerte. Mi madre topaba ahí con un muro. La muchacha también se había atrincherado tras una coraza de frialdad. Hablarle del «más allá», de la inmortalidad del alma, era como hablarle del número de habitantes que podía haber en Madagascar o del porqué del suicidio de las ballenas. «No entiendo nada, no entiendo una palabra. Si Dios ama al hombre, ¿por qué esa etapa transitoria, ese examen de bachillerato que es la vida? *Et ne nos inducas in tentationem*. No nos induzcas a la tentación... ¿Te das cuenta, Anselmo? ¡Dios tentando al hombre, introduciendo en su naturaleza elementos de perdición!»

En vano yo me defendí, argumentando que «a cada cual le daba al mismo tiempo la gracia necesaria para salvarse». Victoria había llegado a la conclusión de que después de la muerte no existía sino la Nada, y en consecuencia hablarle de cualquier tipo de inmortalidad era una gratuita pérdida de tiempo. «Pregúntale al doctor Pros...» ¡Señor, siempre el doctor Pros! En cuanto a la resurrección de la carne y el posible reencuentro con los seres que en la tierra uno hubiera amado, le parecía sencillamente una broma de mal gusto...

—Así de sencillo, Anselmo, así de sencillo. No querrás que diga una cosa y crea otra, ¿verdad?

—¡Pues claro que no, Victoria! Ahora bien, sin la fe en un destino eterno la vida aquí abajo carece de sentido...

—¡No, ahí es donde os equivocáis! Es cuestión de partir de esta base, por supuesto, más que desagradable, y aprovechar al máximo las porciones de felicidad de que uno puede disfrutar. Se trata de gozar del presente, como tú gozas al decir misa o al tocar al piano a Falla o a Schumann. Y como yo gozo hablando contigo de lo humano... y de lo divino.

Naturalmente, la actitud de Victoria me dolía en el corazón. Yo hubiera deseado que participase de mi fe y de mi esperanza. Dicha actitud negativa sólo se sostenía en pie en el caso de que el ser humano disfrutase de salud y de una vida más o menos placentera. Pero ¿y en caso de adversidad? Entonces todo el tinglado dialéctico se venía abajo y con frecuencia la única salida lógica era el suicidio. Victoria negaba con la cabeza.

—Los más torturados sois vosotros, que siempre andáis preguntándoos si habéis caído o no en pecado mortal. Terrible preocupación la vuestra. ¿Y si la muerte os pilla volando en la Gran Noria del Tibidabo..., o después de besar a una mujer que se pone una blusa transparente y os hace tilín?

Victoria tenía la virtud de dar en el clavo. Era una «adversaria» peligrosa, como habían podido comprobar Héctor y *el Tontorrón*. A Héctor, Victoria le ganó siempre la partida. «¿Estás traduciendo el Levítico? Es un libro monstruoso, tan prohibicionista como *El Corán*. Todo es inmundo. Tú eres inmundo, yo soy inmunda, Anselmo es inmundo, lo es la Creación. *Que guarden todos mis mandamientos, no sea que por algo de esto incurran en pecado y mueran por haber profanado las cosas santas. No ofrezcáis a Yahvé un animal que tenga los testículos aplastados, hundidos, cortados o arrancados; no los ofrezcáis a Yahvé; eso no lo haréis nunca en vuestra tierra...* ¿Quieres que continúe?» Héctor se quedó estupefacto. Naturalmente, se defendió. Le dijo que precisamente Cristo, el Hijo de Dios, había venido al mundo para reformar las leyes. «Nada de eso —replicó Victoria—. Uno de vuestros sonsonetes es: *Para que se cumplan las Escrituras...*»

En un aparte, *el Tontorrón*, quien, al igual que Héctor, había adoptado también el *clergyman* —lo que en San Benito le facilitaba el trato con los enfermos—, murmuró:

—Era un santo varón.

Victoria le miró de hito en hito.

—¿Y cómo sabes que don Rosendo era un santo varón? —le preguntó.

El Tontorrón se quedo también desconcertado.

—Pues... porque era un cristiano a carta cabal.

—¿Sólo por eso? Pues el mundo está lleno de cristianos a carta cabal que no son precisamente santos varones... Es malo encerrarse en una concha y no salir de ahí.

Pasó por San Gregorio un jesuita misionero que llevaba veinte años en la India. Se llamaba Elías Mestre y era de Palma de Mallorca. Hombre robusto, con una barba que recordaba la del patriarca Atenágoras, debía de rondar los sesenta y daba la impresión de que hablar en castellano le costaba un cierto esfuerzo. En la India era el único misionero católico en cien kilómetros a la redonda; compartía su soledad con un misionero inglés, protestante, casado y con tres hijos.

Había venido a España a recaudar fondos para su misión, pues «no podía contar con el Vaticano, que tenía otras muchas obligaciones». Recorrería unas cincuenta parroquias ricas del país y confiaba en que el Señor le echaría una mano para que los feligreses se mostrasen generosos.

—El mejor día es el domingo y el mejor momento la misa del mediodía. ¿Opinan ustedes lo mismo?

Mosén Martí, que admiraba mucho a los misioneros «porque lo dan todo por Cristo», asintió con la cabeza.

—Si acierta usted con el sermón, puede llevarse de San Gregorio una buena tajada...

El misionero Elías, que estaba muy ufano de llamarse como el profeta flamígero, nos habló de su *estrategia*.

—Mi estrategia consiste en contar la verdad. En la región de Surat, al norte de Bombay, que es donde yo ejerzo, abundan los leprosos... Con el tiempo he conseguido levantar un modesto hospital de treinta camas, limpio y bien dotado. Me ayudan dos médicos indios. Mi objetivo, lo mismo que el de otros muchos misioneros, no es convertir a aquella gente a nuestra religión. La suya, el hinduismo, es digna de toda alabanza. Mi objetivo son los niños. Enseñarles a lavarse, a limpiarse los dientes, a leer y a escribir. Consigo algunas becas, sobre todo de Estados Unidos, para que estudien una carrera, a ser posible la de ingeniero, para que perforen la tierra en busca de agua. Pozos de agua. Sin agua no se puede vivir y en aquella región es lo que más falta nos hace.

Mosén Martí, para quien el protestantismo era el demonio, le preguntó qué tal se llevaba con el misionero inglés.

—Como hermanos —contestó el padre Elías—. Todos trabajamos en la misma dirección: Cristo. ¿Por qué esa creencia de que Cristo sólo puede reclutar discípulos entre los católicos? El Señor nos dio un ejemplo: san Pablo. San Pablo no era *católico*, y perdonen la expresión, y sin embargo el Señor le eligió a él para que se cayera del caballo.

Mi buen párroco insistió. Los protestantes eran herejes y no podía esperarse de ellos nada elogiable. Tuvieron un Anticristo llamado Lutero, «que a buen seguro está purgando sus culpas en el infierno, al lado de Satanás». Mosén Martí añadió que en nuestra época, y en el seno de la mismísima Iglesia, había surgido otro Anticristo, de apariencia afable y bondadosa: Juan XXIII, culpable de haber convocado el Concilio Vaticano II, de tan funestas consecuencias...

El padre Elías se llevó las manos a la cabeza.

—Pero ¿en ésas estamos? Pues piense usted, mi querido mosén Martí, que la muerte de Juan XXIII fue sentida por los fieles de todas las religiones de la tierra, incluidas las de la India. En Surat, por supuesto, todos los hindúes lloraron su agonía. Y le siguen llorando. Él abrió las puertas del ecumenismo, para que un día nos abracemos todos ante el altar del mismo Dios.

No hubo nada que hacer. Mosén Martí se cerró en banda y estuvieron discutiendo hasta pasada la medianoche. Eugenia se acostó dos horas antes y *Chispita*, el gato, fue saltando de uno a otro belén, para, al final, quedarse dormido encima del televisor. Todo el rato estuve observando al padre Elías y saqué la conclusión de que era un santo. Bloqueadas las concupiscencias, no deseaba nada para sí, a no ser que la barba le creciera todavía un poco más. Su palabra preferida, que empleaba de continuo, era «hermandad». Todos éramos hermanos ante el Señor. Un leproso de Surat no sólo era hermano de un leproso de Hong Kong, sino que era hermano del financiero más rico de Mallorca... o de Nueva York. La única diferencia radicaba en que el financiero tenía más obligaciones que el leproso; pero, para un sacerdote, todas las almas pesaban lo mismo.

—Algún día Occidente descubrirá las sublimes enseñanzas de las religiones orientales, y entonces el mundo alcanzará una zona de equilibrio en la que la palabra Anticristo será desterrada del mapa.

A mosén Martí se le hincharon las venas del cuello, tosió repetidamente —¡ay, esos pulmones!—, pero acertó a dominarse. Poco después, ante sendas copitas de licor de Montserrat, ambos contendientes acordaron tablas y se dieron la mano, lo que me produjo especial regocijo. Por un momento temí que mi buen párroco le plantease al padre Elías el problema de la progresiva *secularización* de sacerdotes, pero los hados me fueron propicios y el tema no fue abordado.

Resumiendo, la colecta del domingo en San Gregorio fue todo un éxito. Se acercaba la Navidad. El padre Elías hubiera querido concelebrar la misa con mosén Martí —ahora ya estaba permitido—, pero éste declinó la invitación. Por consiguiente, el misionero concelebró conmigo. Y predicó su homilía sin grandes citas ni alharacas, pero con la autoridad moral que imponía su sola presencia. Yo mismo me encargué de la colecta, llevando en la mano una cesta de mimbre, y los «ricos del barrio», empezando por Jorge Saumells y Rosa María, cumplieron a satisfacción.

—No está mal, no está mal... —admitió el padre Elías en la sacristía, señalando el fajo de billetes—. Ha sido una misa de hermandad. Mis tribus de Surat están de enhorabuena y a mi regreso rezarán para que san Gregorio conceda a vuestra parroquia la mayor prosperidad posible.

Inesperadamente, la sacristía se llenó. Todo el mundo quería saludar «al misionero de la India», a quien formulaban preguntas insólitas. Las mujeres le besaban la mano. El padre Elías, visiblemente aturdido, no sabía qué hacer. Jamás estuvo rodeado como aquel día de tantos abrigos de pieles.

—Organicen ustedes una expedición y vayan a verme a Surat... ¿Han visto alguna vez un leproso? Créanme, es más importante que el Taj Mahal.

Por la mente de mosén Martí cruzó una ráfaga de euforia, que quiso exteriorizar. Pero una vez desalojada la sacristía, el padre Elías se sinceró:

—No se haga usted ilusiones, mi querido párroco... Para ellos esto ha sido una diversión, un número folklórico, exótico. Ahora se irán a algún restaurante chino y brindarán por el acrecentamiento de sus bienes terrenales.

La *secularización* de muchos sacerdotes era un hecho. Pablo VI, en ese aspecto, había abierto la mano, pues no quería que los ministros del Señor «lo fueran a la fuerza». Antes de que el padre Elías se marchase a otra parroquia —le gustaba que le llamasen «mendigo de Dios»—, tuve un apartado con él y le puse al corriente.

—Sí, ya lo sé... Los misioneros sabemos de qué se trata. El principal problema es el celibato. En el noviciado o en el seminario uno no se da cuenta de la importancia que tal voto adquirirá en el futuro. En la India tenemos varios casos de misioneros que se han casado y que, pese a haber sido literalmente expulsados de la Iglesia, continúan celebrando misa y administrando los sacramentos.

Insistí sobre el particular. ¿Cometían, tales misioneros, pecado mortal? El padre Elías se acarició la barba.

—¿Quién soy yo para dictaminar una cosa así? —y se encogió de hombros—. Dios es más sabio y más misericordioso que nosotros y que la Santa Madre Iglesia.

Se fue el padre Elías, dejando tras sí una bocanada de aire fresco. Mosén Martí no lo veía tan claro. Estimaba que muchos misioneros magnificaban su trabajo de apostolado —los indígenas, por descontado, los adoraban, porque recibían de ellos el pan y la sal—, pero siempre corrían el peligro de alejarse de Roma y de inventarse una religión a su gusto.

—No sé si éste es o no el caso del padre Elías, pero siempre que se presenta uno con esas barbas, por un lado le admiro y por otro me coloco a la defensiva.

—Tal vez le conviniera a usted darse una vuelta por Surat... —le dije a mi párroco.

Éste, refunfuñando, se levantó y se fue a echar un vistazo a su «habitación necrofílica», que últimamente se había enriquecido con un mechón de cabello de una muchacha quinceañera muerta en accidente de tráfico.

La secularización... Al parecer, el mayor porcentaje de bajas, de «fugitivos», se daba en Italia y en Francia, extraídos principalmente de los llamados curas-obreros. Al contacto con el mundo del trabajo, y del trabajo duro —metalúrgicos, mineros, etc.—, topaban de frente con la injusticia social y se desenganchaban del trono de san Pedro, con la consiguiente pérdida de la fe. Éstos eran los casos más extremos, y podía vaticinarse que nunca jamás lograrían la paz interior. Otro grupo lo constituían quienes, a través del correspondiente obispado, hacían la petición en regla a la curia romana, exponiendo sus razones, y la curia se mostraba comprensiva y les concedía la debida autorización para rehacer su vida por otros derroteros. Este grupo solía estar formado por sacerdotes que de pronto habían sentido la llamada del sexo y se habían enamorado de una mujer, sin que su fe se viera alterada en absoluto. La Iglesia consentía incluso en bendecir su matrimonio. Tales casos, aun implicando un viraje total, eran menos dramáticos, y en Barcelona contábamos ya con un ejemplo: el del capellán de la Cárcel Modelo, Salvador Fábregas, que de golpe y porrazo obtuvo la *dispensa* —los trámites duraron cuatro meses— y se casó con una reclusa, viuda por más señas, con la que vivía en la calle de Alí Bey, en paz y en gracia de Dios.

Mi madre me preguntaba:

—¿Por qué te interesa tanto el tema, hijo? ¿Es que... te ocurre algo?

—Nada, madre... Simple curiosidad. Me gusta estar al día, eso es todo.

Mi madre hacía un mohín expresivo y se iba a regar las flores de la terraza o a planchar uno de mis trajes *clergyman*.

—De las sotanas se encargaba Mercedes, pero de los trajes *clergyman* quiero cuidarme yo.

¿Y Victoria...? Victoria vivía en el limbo. Creía percibir en mi actitud una pérdida progresiva de la fe, lo que atribuía al dogmatismo «oscurantista» de mosén Martí y a la opulencia de los ricos del barrio, bienquistos en todas partes, lo mismo en los círculos civiles que eclesiásticos. Esto último, por supuesto, clamaba al cielo. Se amasaban fortunas en un santiamén, legalmente unas, por nepotismo otras, con la implícita bendición de las jerarquías del Palacio Episcopal, muy sensibles a los donativos como los que había amarrado el padre Elías. «Vuestra Iglesia actual no tiene nada que ver con el mensaje evangélico que tú mismo me has enseñado. Van sucediéndose los papas y, salvo la insoportable prosa de las encíclicas, todo sigue igual.»

Victoria se equivocaba. Mi fe se mantenía intacta, pese a las flaquezas de los papas y a la burocracia de la curia romana. Como siempre, mi asidero era Cristo. Algunas noches salía solo, cruzaba a pie el Turó Park, entraba en San Gregorio por la puerta de la sacristía y una vez en el templo me arrodillaba ante el Santísimo y me ponía a meditar. Fijos los ojos en la custodia, trepaba hasta ella y acariciaba el oro que rodeaba la hostia santa. De este modo transcurrían los minutos, en un estado de concentración que me producía un cansancio inexplicable. Vuelto a la realidad, me acordaba de varios nombres del santoral —santa Teresa, san Ignacio de Loyola...— que habían alcanzado el éxtasis y la levitación. Yo me conformaba con acercarme al armonio, sentarme y ofrecer al Señor lo mejor de mi repertorio. «Mi único oyente sois vos, Cristo Jesús. Haced que mis manos sean ágiles y que mi corazón se vea limpio de toda impureza.» Era evidente que Cristo Jesús escuchaba mi súplica, puesto que me invadía una gran paz y el armonio, por un tiempo más o menos breve, se convertía en órgano. La música rebotaba en la bóveda y caía nota a nota, gota a gota, sobre mi alma. ¿Sería verdad que en el cielo sonaban cánticos de Aleluya al compás de las liras y las arpas de los querubines y serafines? «Señor, quiero continuar siendo sacerdote... Admitidme en vuestro seno. *Et ne nos inducas in tentationem.*»

El día de fin de año, festividad de san Silvestre, estuvo nevando desde la mañana. Millares de capuchas blancas se habían posado en la ciudad, especialmente en el Tibidabo y Montjuich. El frío era cortante. Mosén Martí temió por la suerte de la Nochevieja. «En la misa seremos tú y yo; a menos que Eugenia quiera acompañarnos...» No se equivocó. Cuatro beatas, además de mi madre, Victoria y el doctor Camprubí. Por lo visto la nieve había asustado a nuestros feligreses, los cuales prefirieron las salas de fiestas con casquetes de colores, matasuegras y serpentinas. «El mundo se está paganizando —lamentó, en la sacristía, mosén Martí—. A no ser por el concilio, esto se hubiera llenado hasta los topes.» A la salida encontramos a dos hombres y una mujer borrachos que zigzagueaban sobre la nieve. Su aspecto era lamentable. Los llevamos a la rectoría y Eugenia les dio de comer y les sirvió un tazón de leche caliente. Hasta pasado un buen rato no me di cuenta de que la mujer era Cristina, la prostituta que un buen día hizo saltar por los aires mi promesa de castidad y se fue amenazándome: «¡Me las pagarás!»

CAPÍTULO XVII

COMO UNA LLAMA VERDE, la primavera había estallado en la ciudad. Tarde de sábado. Una hora antes de la misa vespertina, a la que los feligreses ya estaban acostumbrados, ante mi confesonario formaban en fila hombres y mujeres de toda edad. De hecho, el repertorio de pecados era limitado. Tal vez faltase imaginación. Los críos se habían masturbado —¿cuántas veces?—, los hombres habían cometido adulterio —en mayor número que las mujeres—, las viejecitas habían murmurado y levantado falsos testimonios...

De repente, una voz conocida, familiar: «Te quiero, Anselmo. Nunca me casaré, si no es contigo...» Era Victoria. Fue como un mazazo en la nuca. Más que una voz, fue un susurro. Ni siquiera me dio tiempo a simular que le daba la bendición. Victoria se levantó y se marchó. Y su puesto lo ocupó una ricachona del barrio, culpable de haber despedido, por una friolera, a su doncella.

No pude continuar en «aquella jaula lujuriosa», como denominaba al confesonario el doctor Pros. Me levanté a mi vez, pretexté que estaba indispuesto y a grandes zancadas me dirigí a la rectoría, sintiendo fortísimo el tictac del corazón. Abrí la puerta, sin apenas prestar atención a Eugenia y a *Chispita*, que acudieron a saludarme, y me encerré en mi cuarto. Vi de refilón los belenes, el acuario y el piano; y me senté a horcajadas en el sillón, que poco a poco había ido tomando la forma de mi cuerpo.

«Te quiero, Anselmo. Nunca me casaré, si no es contigo...» ¡Qué desfachatez! Elegir precisamente el confesonario para soltarme una patochada de tal calibre. Victoria tenía estilo, tenía clase. Si aquello era verdad —y yo no imaginaba a la muchacha mintiendo—, ¿por qué no eligió un escenario distinto? Claro que a lo mejor no se hubiera atrevido a soltármelo cara a cara.

No, no, era absurdo suponer que la muchacha no había hablado seriamente. Hubiera sido una frivolidad, una insolencia, y Victoria era honesta a todo serlo y jamás daba un paso sin antes haber medido las posibles consecuencias. Recordé infinidad de situaciones vividas juntos y no hallé una sola que rebatiera mi conclusión. De modo que podía descartar lo de «patochada». Sin duda su declaración fue sincera. Más aún. Habida cuenta su orgullo, le habría costado lo suyo dar un paso semejante... Porque, al fin y al cabo, tales palabras suponían una suerte de humillación. Si alguien sabía hasta qué punto yo amaba el sacerdocio, ese alguien era precisamente Victoria. ¿Qué fisura habría visto en mi manera de obrar? ¡Ninguna! A no ser, claro, nuestros diálogos sobre la hierba en Mas Carbó y, sobre todo, el beso —profundo e ilimitado— que nos dimos en la gruta troglodítica.

Aquel beso debió de retumbar en su mente más que mi decisión de usar el *clergyman*, y, por supuesto, más de una vez había retumbado en la mía. Lo ocurrido con Rocío, y más tarde con Cristina, podía catalogarse como un fulgurante impulso de la naturaleza; el beso a Victoria, no. A fuer de sincero, ambos lo estuvimos elaborando, preparando, junto a la alberca y en nuestras excursiones a los pies de los Tres Turons. Ello significaba que me unía a Victoria algo más que la carne. Muerto mi padre, ¿a quién quería yo en este mundo? A mi madre, a Héctor, al *Tontorrón*, a mosén Salvador Cebriá, al doctor Camprubí —a mi manera, al doctor Pros—, ¡y a Victoria! Después de mi madre, a Victoria. Lo que ocurría era que durante años la consideré una especie de hermana que me había llegado del otro lado de los Pirineos. Y que, hasta que se demostró lo contrario, pertenecía al doctor Pros. Pero ahora ella era libre como los pájaros del aire y sentía la necesidad de amar.

¡Cuidado, cuidado con los silogismos! Sentado en el sillón de cuero, las sienes me latían a fuerza de procurar dar coherencia a mis pensamientos. Ahora bien, ¿por qué mi madre, al oírme hablar con tanta frecuencia del celibato obligatorio, me había preguntado: «¿Te ocurre algo, hijo...?» ¿Es que también ella había percibido alguna «fisura» en mi vocación? En este caso, el hecho sería alarmante. Porque en verdad que yo no había detectado una sombra de duda desde que me ungieron las manos en Montjuich. Podía haberme formulado mil preguntas con respecto a la Iglesia: pero yo no me había comprometido con la Iglesia, sino con Cristo. Mi mejor repertorio en el armonio no se lo dedicaba al papa —a ningún papa—, ni a mosén Martí; se lo dedicaba siempre a Cristo Jesús. Desde el seminario había sido mi norte, mi asidero, mi «gozo» y mi «alegría». Y a Él recurriría ahora rogándole que serenara mi ánimo, que me alejara de toda turbación. De la turbación que me había invadido a raíz del «te quiero» susurrado por Victoria en el confesonario.

Cristo se calló. Ahora que lo necesitaba de veras, Cristo se callaba. Por algo en Oriente había quien le llamaba *el Silencioso*. No acudió en mi ayuda; por lo menos no lo hizo de inmediato. Sentí el estómago vacío y me levanté dispuesto a pedir a Eugenia un tazón de leche caliente. Instintivamente me acerqué al acuario; uno de los peces yacía muerto en el fondo. ¿Por qué se morían tantos seres, por qué se morían tantas cosas? En cambio, los belenes continuaban ahí, inmutables, con una estrella en la frente. Con el Niño Jesús recostado en el pesebre, el pie ligeramente levantado...

Decidí no ir por casa sin tener la seguridad de que mi madre estaría presente. No quería encontrarme a solas con Victoria. Y cuando llegara el verano, no iría a Mas Carbó. Se acabó el bikini —¡qué cuerpo el suyo!—, se acabó la alberca.

Pero el impacto había sido de aúpa. Victoria me había abierto en canal como si quisiera practicarme la autopsia. En presencia de mosén Martí, quien no cesaba de aparejar la mujer con la serpiente, me sentía algo así como culpable. Cómplice tal vez. Si Victoria hubiera tenido la certeza de que su causa estaba perdida, rotundamente abocada al fracaso, no habría puesto en juego su amor propio. Se hubiera desahogado con su filología y con su acordeón.

De improviso, volví a tener celos del doctor Pros. El doctor Pros había poseído a Victoria «en múltiples ocasiones», pero, en el momento de hablar de matrimonio, le dio a ella con la puerta en las narices. ¿Podía una mujer saltar de un hombre a otro siendo cada vez sincera? Habían pasado tres años desde aquel viaje de Victoria a Suiza. Tres años era mucho tiempo. Lo suficiente, al menos, para cicatrizar una herida y disponerse a recibir otra, cuando mediaba, como en este caso, una inmensa soledad.

Porque Victoria estaba sola. Una mujer en su cenit, a la que no podían bastarle su carrera, el Liceo Francés y convivir con mi madre. Claro que a partir de ahora ella debía de «sentir» que su soledad ya no era total. Que la acompañaban mis pensamientos —quizá mis deseos—, y que, por tanto, quedaba un resquicio para la esperanza.

La introspección no me llevaba muy lejos. Desorden en mi interior. Parecía imposible que unas pocas palabras, una frase corta —te quiero...—, pudiera irrumpir con tanta violencia en la trayectoria de un hombre que se había entregado al Señor. Porque yo no podía disimular conmigo mismo. Algo se rompió aquella tarde en el confesonario. Perdí el apetito. Eugenia me preguntaba: «¿Cuándo volverá usted a pedirme un par de huevos fritos para desayunarse? ¿Y espagueti para almorzar? Está usted pálido... Trabaja demasiado. Debería ir a ver al doctor Camprubí.»

No, no era cierto que trabajase demasiado. Precisamente tenía que hacer un gran esfuerzo para que mosén Martí no advirtiera que mi entusiasmo había menguado. Un ritmo más lento presidía mis acciones y buscaba excusas para no salir de la rectoría. Mi excusa preferida, la más cómoda, era el piano. Me emborraché de música, como si ella pudiera ser el antídoto milagroso. Antes visitaba a los enfermos del barrio, les llevaba la comunión, los confesaba en sus propias casas, visitaba también a los «ricos» procurando dar un aldabonazo a sus conciencias y dondequiera que se presentase una necesidad allí estaba yo, firme como un legionario romano o como un discípulo de Jesús. Ahora me había ganado una extraña pereza e incluso al decir misa, en el momento de la consagración, la imagen de Victoria cruzaba por mi mente, por más que yo intentase ahuyentarla como si fuera una insolente abeja.

Y he aquí que Victoria insistió. Un mes después de lo ocurrido, también a la hora de la misa vespertina, se arrodilló furtivamente en mi confesonario y, desde el otro lado de la rejilla, susurró: «Te quiero más aún, Anselmo... Y no me resigno a perderte.» Y se fue.

Me golpeé en la frente como si quisiera hacerla sangrar. Aquello era una impertinencia, que se tradujo en un acceso de cólera. «¡Maldita sea!» Pero ¿quién era yo para maldecir a nadie? Yo estaba allí para bendecir. Por algo una niña de pocos abriles había ya ocupado el sitio de Victoria y se culpaba de haberle robado a una condiscípula una goma de borrar. Sin saber por qué, traté a la niña con dureza y le impuse una penitencia desproporcionada. Luego le tocó el turno a un caballero de voz campanuda que se acusó de interrumpir el coito con su mujer porque no quería tener más hijos.

A partir de ese momento espacié todavía más las visitas a mi madre, para no coincidir con Victoria. Pero hubiérase dicho que ésta presentía mi llegada y casi siempre estaba allí, bien compuesta, oliendo a perfume caro y trajeada sin duda en una *boutique* de postín. Me sorprendió que luciese tal variedad de pendientes de oro, que por lo visto encantaban a mi madre. «¿Eh, qué te parece? Cualquiera la recuerda tal y como la vimos la primera vez, cuando llegó a Mas Carbó de la mano de su padre...»

Era evidente que mi madre ignoraba por completo lo que estaba ocurriendo. Sin embargo, y puesto que las dos se llevaban de maravilla, era fácil presumir que hubiera aplaudido la estrategia de Victoria y que nada en este mundo pudiera hacerla tan feliz como que yo un buen día trocara mi *clergyman* por un traje de novio y un ramo de rosas.

Tomé una decisión y la llevé a la práctica. Le conté a mosén Salvador Cebriá la historia completa y le pedí que intercediera cerca del obispado para que me trasladasen a un pueblo lejano, el más aislado de la diócesis.

—Por favor, mosén Cebriá, tiene que ayudarme...

Mosén Salvador Cebriá reaccionó de forma sorprendente. Después de meditar un buen rato, se rascó con parsimonia la tonsura y al final estimó que el remedio sería peor que la enfermedad. Solo en un pueblo, aislado y ante el inevitable desfase intelectual con los feligreses, la imagen de la mujer que me quitaba el sueño se agigantaría en mi mente hasta colocarme en una postura indefensa y al borde de cometer cualquier disparate.

—Lo que tienes que hacer, mi querido Anselmo, es afrontar esta prueba que Dios te envía. Plantarle cara. ¿Has dicho que se llama Victoria? Pues es una victoria así de grande lo que Dios espera de ti. No rehúyas a esa mujer. No añadas la clandestinidad al grito de tus instintos. Plántale cara, dile que no y que se entere de una vez que la carne es flaca pero fuerte el espíritu... Y entonces recobrarás el brío que te llevó a fundar el coro Laudate con el que encandilas a todos los feligreses de San Gregorio.

Libré una batalla dura con mosén Cebriá. Desconfiaba de mí mismo y le rogué hasta la saciedad que, pese a todo, prefería alejarme e irme de párroco a un pueblo. Por supuesto, él no conocía a Victoria, y estuve a punto de creer que tampoco me conocía a mí...

Fui a ver a Ignacio al Somorrostro. Era como un cojo que buscara muletas para andar. Sabía que Ignacio, a raíz de haberle yo entregado la totalidad de la parte que me correspondió de la herencia que legó mi padre, había adecentado su «rectoría» y algunas chabolas del barrio, que disponía ya de alcantarillado. El joven sacerdote, casi imberbe, me recibió sudoroso, con pantalones tejanos y las manos sucias de argamasa. Trabajaba allí como un obrero más. Y yo sabía que el mayor porcentaje de secularizaciones provenía de los curas-obreros...

Lo que yo buscaba era que Ignacio me dijera: «Yo también me quiero secularizar. Me he enamorado de la hija del *Grifo*, de la hija del *Mosquito* o de cualquier otra muchacha de la comunidad...» Me constaba por experiencia que las familias virtualmente «ofrecían» sus pimpollos al sacerdote o al médico de turno. Y que el doctor Pros, en ese aspecto, había pasado allí como un vendaval.

No encontré en Ignacio al «cómplice» que me hacía falta.

—Mentiría si no te dijera que he estado a punto de romper el pacto de la alianza que hice con Dios, es decir, el celibato. Tentaciones aquí no faltan; lo sabes como yo. Pero cada vez he encontrado la ayuda necesaria en la celebración de la misa y en la lectura del breviario...

Comprendió *mi* queja, mi lamento, pero estaba en contra de la secularización.

—Me parece que es hacerle un corte de mangas a la Iglesia, que nos lo ha dado todo, que nos ha proporcionado un medio ideal para acercarnos a Cristo. ¿Quién está más cerca de Él que nosotros, los sacerdotes? Nadie... De hecho, somos sus administradores en la tierra, su prolongación.

Me di cuenta de que aquel diálogo incomodaba a Ignacio. Era una espléndida mañana de mayo. A través del ventanuco veíamos la silueta de un ciprés y un fragmento de cielo azul. Me había invitado a café y yo había tomado ya dos tazas; él, ni probarlo siquiera. Debía de ser un asceta, una auténtica alma de Dios. En la pared, escoltando al crucifijo, destacaban pegados los *posters* de los tres últimos papas: Pío XII, Juan XXIII y Pablo VI... Me dijo que su preferido era Pío XII, ni tan «conservador» —sorprendente adjetivo— como Juan XXIII, ni tan «progre» como Pablo VI.

—Sí, sí, conozco la *Humanae vitae*; pero Pablo VI está permitiendo que cada cual aplique el concilio a su manera...

Me despedí de Ignacio antes de lo previsto. En la puerta tenía mi Seiscientos.

—Te envidio. Ya querría yo disponer de un cacharro así.

Y he aquí que, en vez de tomar la ruta de regreso a Fernando Agulló, a «mi» rectoría, acaso estimulado por la presencia del ciprés, me dirigí al cementerio del Este, donde estaba enterrado mi padre. Ya que los vivos no resolvían mi problema, tal vez me fuera útil dialogar con los muertos. Me costó Dios y ayuda encontrar el panteón familiar —Romeu-Figueras—, pero finalmente di con él. Como siempre, proliferaban los entierros en aquel laberinto de calles, de panteones, de nichos, muchos de ellos con fotografías, con flores mustias, con jarrones de cristal rotos, con residuos de lágrimas y «promesas de fidelidad eterna».

Plantado frente al panteón en el que yacía mi padre, le dediqué una oración y luego, de tú a tú, de vivo a muerto, le solicité su ayuda. Por toda respuesta, el silencio. Un silencio cargado de sol, cargado de azul, con el cielo y el mar confundiéndose a lo lejos.

Sin saber por qué, recordé a mi padre llevando una visera verde, yanqui, a raíz del Congreso Eucarístico. Y también tumbado en la hamaca y leyendo el periódico en Mas Carbó. También recordé la cara que puso al verme montado en la Vespa y su decaimiento cuando la hepatitis, con la confesión de que, por culpa de Trini, él había pecado entre las sábanas.

Pero mi padre se unió también al gran silencio. Por lo visto los muertos tampoco querían comprometerse. Imaginé su reacción si en vida suya yo hubiera «desertado» de la Iglesia. Para él, yo figuraba en el santoral. Mi padre anduvo siempre por ahí afirmando, a su manera, que yo tenía ya un lugar entre los justos...

Me invadió una tristeza honda y rompí a sollozar. Tal vez era mejor que mi padre se hubiera ido antes de que mi lucha se desencadenase, amenazando con tirarlo todo por la borda.

Besé el frío mármol del panteón y, cabizbajo, emprendí el camino de vuelta al recodo en el que aparqué mi coche. La gravilla, como siempre, crujió a mi paso. Me crucé con el entierro de un niño —féretro blanco y pequeño—, y, como siempre, noté una sacudida, un estremecimiento. ¡Un niño! Dos niños, tres... La paternidad debía de ser algo glorioso. «Creced y multiplicaos.» Los acompañantes del féretro lloraban a moco tendido y el sacerdote, ya mayor, subía la cuesta con dificultad. ¡Que piaran los pájaros! ¡Aleluya! Un inocente, uno más, se había posado en las manos de Dios. Pensé que los niños deberían ser enterrados aparte, en un jardín florido, con regatos de agua serpenteando entre las tumbas diminutas.

Al alejarme del cementerio me pregunté una vez más cómo era posible que mosén Martí tuviera en la «rectoría» su cámara funeraria. En realidad, ¿qué era lo que enterraba allí? La última adquisición, un mechón de pelo de una muchacha quinceañera. O mosén Martí era un ser morboso, que gozaba con el contacto de la muerte ajena, o quería prepararse para el momento en que el traspaso le correspondiera a él. Lo evidente, fuera lo que fuese, era que jamás me pasó por las mientes consultar con mi párroco lo que me estaba ocurriendo. Hubiera exorcizado mi habitación y, a buen seguro, habría corrido a denunciarme al Palacio Episcopal.

Aprovechando que mosén Martí y Eugenia hacían un viaje a Agullana, su pueblo natal, convoqué en la rectoría a Héctor y al *Tontorrón*. Cómodamente sentados en el comedor, ante la solícita mirada de *Chispita*, *Los tres mosqueteros* abordamos el problema que les puse sobre la mesa. En un principio, la reacción de mis colegas me desconcertó. Soltaron una carcajada. «¡Menuda broma! ¿Y para eso nos llamaste?» Sin darme tiempo a abrir la boca de nuevo, *el Tontorrón*, que por cierto había engordado más todavía, evocó nuestros tiempos del seminario, cuando al acostarnos nos lanzábamos aviones de papel por encima de los tabiques y cuando abrimos en canal aquel ratoncillo... Héctor, por su parte, reivindicó su liderazgo en el ping-pong y recordó los chismorreos «socráticos» con que nos obsequiaba el barbero Raventós.

Pero la broma se acabó en cuanto tuve la oportunidad de reanudar mi confesión. Hablé con una autoridad y una calma de las que yo fui el primer sorprendido. No se trataba de una brisa pasajera sino de un ciclón, que duraba ya seis meses por lo menos. Victoria, a quien los dos conocían ya, al cabo de muchos años de considerarla como un miembro más de la familia, había irrumpido en mi claustro personal como un caballo desbocado. No la apartaba de mi pensamiento ni siquiera al celebrar misa. Había hablado de ello con mosén Salvador Cebriá. Había hablado de ello con Ignacio, el «majo» del Somorrostro. Había hablado de ello con mi padre en el cementerio del Este. Y todos me habían cerrado la puerta, como si el diablo me tuviera sujeto con cadenas de fuego. ¿Qué podía hacer? No me daba por vencido, ¡por supuesto que no! Llevaba doce años de sacerdocio, alentado por una alegría inexplicable, que posiblemente un seglar no podría experimentar jamás. Y había elaborado infinidad de planes para San Gregorio, pese al lastre que significaba mosén Martí.

—¿Cómo debo interpretar lo que me está sucediendo? Tú, Héctor, que te conoces la Biblia de memoria, ¿hay alguna profecía que pueda aplicárseme? Y tú, *Tontorrón*, ¿has sentido alguna vez que tu vocación flaqueaba, ante tanto dolor y tanto sufrimiento como debes presenciar a diario en el hospital?

Héctor y *el Tontorrón* enmudecieron. Comprendieron que la cosa iba en serio y me miraron con la compasión reflejada en sus ojos. Se tomaron sendas copas de licor de Montserrat y Héctor se levantó y dio un par de vueltas alrededor de la mesa. Al final volvió a sentarse y se puso de parte de mosén Salvador Cebriá.

—Marcharte a un pueblo sería un tremendo error. Al día siguiente Victoria se plantaría allí y no tendrías la menor opción.

Por su parte, *el Tontorrón* estimó que jugárselo todo a una carta sería una insensatez. Eran muchos años de vocación sincera, a corazón abierto, y seis meses eran poco tiempo para admitir que Satanás me tenía sujeto con cadenas.

—Una vez más, acuérdate de Pío XII: perseverancia. Huye de esa mujer. Y no comprendo que mosén Salvador Cebriá te haya aconsejado que la veas, que eches mano de una solución homeopática. ¡Sí, sí, claro, estás enamorado...! Yo también, en Berga, el primer año de teología creí que lo estaba de una muchacha que ahora ya tiene un par de hijos. ¡Lo tuyo es distinto, ya lo sé! Lo nuestro es siempre distinto de lo de los demás.... ¿Por qué no te encierras un mes en un convento, con Cristo y la Virgen como únicos testigos de tu súplica? Celebra misa allí, mortificándote si es preciso (acuérdate de los cilicios), y escucha en tus adentros la voz del Señor...

«Bienaventurados los pobres de espíritu.» Las palabras de *el Tontorrón* me parecieron las más sensatas de cuantas había oído en mi peregrinar. Un mes en un convento... Sabía que podía elegir. En cualquier parte me admitirían. Rezo, meditación, mortificación. Lucha contra la carne. ¿Era la carne lo que me unía a Victoria? Pensándolo bien, por lo menos hasta el momento era algo más que eso. La quería. La quería con toda el alma, como se quiere al primer amor. No sabía qué excusa le daría a mosén Martí; pero, si fuese necesario, pediría audiencia al obispo, que se mostró muy comprensivo en el caso de Salvador Fábregas, el capellán de la prisión. Y no debía dar por perdida mi tentativa. El convento —¿podría ser Montserrat?—, rodeado de monjes que habían renunciado al mundo y que además cantaban gregoriano, era capaz de señalarme el camino por el que continuar andando...

—Queridos amigos, reflexionaré sobre vuestros consejos. Os llamaré cuando haya tomado una decisión. Mañana, al celebrar la misa, tenedme presente...

Héctor y *el Tontorrón* se fueron y me quedé solo. Acaricié a *Chispita* y éste maulló. Conecté el televisor: un sacerdote estaba hablando de que Francia «era país de misión» y que la Alemania Federal no le iba a la zaga. «El mundo occidental se está paganizando y va a ser muy difícil contener semejante alud.»

Al día siguiente regresaron mosén Martí y Eugenia. Después de pasar la noche en vela mi decisión estaba tomada: haría caso al *Tontorrón* y me iría un mes a Montserrat, en calidad de huésped. Conocía el monasterio y sabía de sus costumbres. Una vez subí allí con el coro Laudate y el padre abad me felicitó.

Mosén Martí, a quien oculté las causas de mi determinación, se puso en guardia. «¡Ausentarte un mes! ¡Un mes yo solo en San Gregorio! Lo único positivo que veo en ello es que muchos feligreses volverían a mi confesonario...»

Tuvo que intervenir mosén Salvador Cebriá, quien no había dejado nunca de ser mi director espiritual, y elogió el consejo que me diera *el Tontorrón*. Obtuvo del obispado —el obispo era ahora monseñor Marcelo Martín— el permiso necesario y preparé la marcha para el día 1 de junio. La víspera fui a despedirme de mi madre, procurando que Victoria estuviera presente. Quería verla «por última vez». Tampoco quería huir como si fuera un descuidero o un cleptómano. Mi madre no le dio mayor importancia a la cosa, pues sabía que periódicamente los curas hacíamos «ejercicios espirituales» en un lugar retirado. Victoria me escuchó, fijos en mí los ojos como alfileres, temblorosos los labios. En esta ocasión, además de pendientes de oro, llevaba un collar de tres vueltas. Estaba hermosa. Y la emoción la embellecía más aún, pues toda su sensibilidad le brotaba a flor de piel.

—Nunca había oído hablar de que las reclusiones espirituales duraran un mes... Yo creí que con una semana bastaba.

Vacilé unos instantes y por fin le expliqué que no había límite para ello, que cada sacerdote se las arreglaba a su manera.

—Depende de la causa, ¿comprendes? Hay ocasiones excepcionales que requieren asimismo una duración excepcional.

Quedé satisfecho de mi respuesta, entre otras razones porque con ella Victoria pudo percatarse de que yo no tomaba el asunto como si fuera baladí. Intervino mi madre:

—¿De qué estás hablando? ¿Qué ocurre que sea excepcional?

Conseguí sonreír.

—Nada, madre... Secreto de confesión.

Entonces Victoria tuvo un mohín coqueto y me preguntó si, a lo largo de aquel mes, yo sería «visitable».

—Supongo que no te importará que por lo menos una vez tu madre y yo subamos a besarte la mano...

Me negué. Me negué rotundamente. Mi reclusión tenía que ser completa.

—No quiero la menor interferencia... Ni siquiera por teléfono. Si de mí dependiera haría que se callaran incluso los pájaros.

Mosén Martí tuvo que inclinarse y el día 1 de junio emprendí mi viaje a Montserrat. Celebré la misa de madrugada, en San Gregorio, y pilotando mi Seiscientos inicié aquella aventura que, con toda probabilidad, iba a decidir mi futuro. Llevaba conmigo lo indispensable para mi higiene personal. Los Evangelios y el breviario. Nada más. «Limpio de polvo y paja», me dije, canturreando. Sí, curiosa reacción. Apenas dejé atrás la gran ciudad —zona industrial— y me encontré en plena campiña, con pajares aquí y allá, prados verdes, amapolas y olor a alfalfa y a estiércol, me invadió una especie de alegría interior que, al pronto, no acerté a explicarme. El sol emprendía también su aventura cielo arriba. Obreros, torso desnudo, reparaban trozos de carretera con su correspondiente apisonadora al lado. Cacharros de leche en los cruces de los caminos vecinales. Sentía una especie de liberación. Como si quince, veinte kilómetros, hubieran cambiado el mundo.

Me detuve en un mesón para tomarme un tentempié y, de pronto, me sentí molesto. Varios camioneros discutían y engarzaban las blasfemias. Blasfemias contra Dios, contra Cristo, contra la Virgen. Por un momento me pregunté si España no sería también «país de misión».

De vuelta al coche, dejé de canturrear. El paisaje me apareció menos idílico y los campesinos, encorvados sobre la tierra, eran la viva estampa de la esclavitud, lo cual nunca había percibido en Mas Carbó. Tomé plena conciencia del porqué de mi viaje y aminoré la marcha. No fuera a estrellarme por falta de atención. El espejo retrovisor me devolvió la imagen de un hombre en su plenitud, envaradas las facciones, ojos extremadamente abiertos, como si algo me deslumbrara. Prietas las manos en el volante, era lo contrario de la relajación. En vez de canturrear, salmodié un padrenuestro y luego una salve.

Al llegar a Monistrol, a los pies de la santa Montaña, hice una segunda parada con objeto de almorzar. Fue entonces cuando me ganó una peregrina idea: dejar el coche a buen recaudo y subir a pie el último tramo hasta el monasterio. «¿No queríais mortificación? Pues ahí os ofrezco la primera.» Así lo hice. Me despedí del Seiscientos en un garaje, cuyo dueño me advirtió:

—La cuesta es más dura de lo que parece. Ya se dará usted cuenta.

Tales palabras no me arredraron. El saco en bandolera, subí a buen ritmo, estimulado por la incomparable orografía del lugar. A mitad de camino sudaba a chorro. Y se me antojaba un milagro que aquellas rocas colgantes no se desprendiesen, cayendo sobre mis espaldas y terminando de una vez con mis devaneos y vacilaciones.

Cuando el sol empezaba a declinar llegué a la explanada del monasterio. ¡Qué inmensidad! ¿Dónde había quedado mi Seiscientos? Miré hacia lo alto, hacía San Jerónimo. Los trenes cremallera se cruzaban a mitad de trayecto. Se decía que allá arriba vivían dos o tres ermitaños que habían roto, tal vez para siempre, todo contacto con el mundo. Media docena de autocares de peregrinos iniciaban el viaje de regreso. Rostros cansados, pero satisfechos. Bromeaban unos con otros enseñándose sus *souvenirs*.

El fraile lego que cuidaba de la hospedería me asignó la celda llamada «del obispo», es decir, la mejor, con cama ancha, mesa, silla, armario y vista al exterior. Dejé mi equipaje y entré en la basílica —me acordé del viaje que hicieron Fermín y Dolores— justo en el momento en que los monjes ocupaban sus asientos en el presbiterio para rezar —y cantar— las vísperas. Arrodillado en las filas de atrás, contemplé aquellos hombres de Dios, que a medida que iban entrando inclinaban reverencialmente la cabeza. Por mi parte, miré a la Moreneta, allá arriba, en el camarín. Imperturbable, más allá del mal, pero no del bien, presidiendo la augusta ceremonia y probablemente dispuesta a escuchar mis razones y sinrazones e indicarme de forma clara la conducta a seguir.

Las vísperas me emocionaron profundamente. Aquellos benedictinos —hábito marrón y capucha— se habían adueñado del gregoriano y comparar con ellos los cantos de mi Laudate hubiera sido un sacrilegio.

Los primeros días en el monasterio fueron de desconcierto total. Por lo visto no era fácil recobrar la paz cuando ésta se había quebrado en dos mitades. No deseaba caer en accesos de misticismo fácil, emocional, pero tampoco quería perder el tiempo en bagatelas. Los «huéspedes» fijos éramos pocos: cinco o seis. Los demás se relevaban como los viajeros de la Gran Noria, cuyo recuerdo, inesperadamente, empezó a obsesionarme, acaso porque sabía lo que Montserrat había significado siempre para mi padre: el invulnerable reducto de la Cataluña histórica.

El padre abad se mostró generoso conmigo. Le conté mis cuitas y lo que pretendía con mi aislamiento. Se negó a darme el menor consejo, excepto el de que dicho aislamiento no fuera total. «La incomunicación acarrea muchos peligros. Hay situaciones en que es necesario desahogarse... Busque entre los huéspedes. Tal vez haya alguno que pueda ayudarle.»

No eché en saco roto las palabras del abad, y a los pocos días vi llegar, también saco en bandolera, a un hombre vestido de *clerygman*, con una enorme boina en la cabeza y los zapatos desgastados. Tuve la corazonada de que aquél era el «huésped» que andaba buscando. Me recordó al padre Elías, al misionero que pasó por San Gregorio. Idéntica barba, idéntico aspecto de trotamundos, aunque más ágil y con mayor vitalidad. A la hora del desayuno —los huéspedes nos desayunábamos aparte y se nos permitía hablar—, entré en contacto con él. Se llamaba Valentín Gajate y era vasco, de Baracaldo. Tres años en Bolivia y seis en Tierra Santa, de donde acababa de llegar. «¡Qué joven es usted!», me dijo, cogiendo mis manos con las suyas y apretándolas con una fuerza y un calor que me dejaron indefenso. Él rondaría los cincuenta años y en Tierra Santa se había dedicado a recorrer las tierras de Jesús —Galilea, Samaria y Judea— y a preparar un exhaustivo estudio sobre el Apocalipsis. «Todos los sacerdotes deberían pasar por Tierra Santa, ¿no cree usted? ¡Y no digamos los obispos! Pero no... Prefieren sus parroquias, sus palacios, y, por descontado, Roma.»

Afinidades electivas. Me sentí cómodo con Valentín Gajate. Me pasaba muchas horas solo, bien en mi celda, bien paseando por los vericuetos de la montaña, bien a los pies de la Moreneta; pero me las ingeniaba para apropiarme del sacerdote vasco, el cual sólo era abordable por las mañanas, pues por la tarde se encerraba en la biblioteca en la que disponía de un número aproximado de trescientos mil volúmenes.

Mosén Ventura Gajate era un libro abierto. No había recámara en él. Campechano, locuaz, se reía por cualquier nimiedad y lo que más le gustaba era la mermelada de melocotón. Inmediatamente comprendió que si yo andaba taciturno sería por alguna causa. Yo me resistía a contársela, porque temía una nueva decepción.

Hasta que una mañana en que salimos de paseo por la ruta del Calvario, con un bocadillo de jamón y queso, me abrí en canal y le solté la gran parrafada sobre Victoria. Los dos estábamos sentados junto a la Sexta Estación —primera caída—, rodeados de rocas sin nombre y oliendo a tomillo de origen desconocido.

Valentín Gajate se quitó la boina y se rascó el cogote. Desdramatizó la situación. En el fondo era la eterna pugna entre el voto de castidad y el aullar de los instintos.

—Lo que tú querrías sería casarte con esa mujer, tener hijos con ella... y continuar siendo sacerdote, ¿no es eso?

—¡Claro que sí!

—Pues, hoy por hoy, la Iglesia no lo permite; aunque llegará un día en que lo permitirá.

Y continuó hablando. Sus tres años de estancia en Bolivia, prácticamente en la selva, le habían enseñado a contemporizar. Sí, era cierto que en toda la América Latina abundaban los misioneros que, hartos de soledad, se amancebaban, sin renunciar por ello a su condición de clérigos, y que los obispos hacían la vista gorda. Él tuvo suerte en este sentido. Los instintos le dejaron en paz. Le bastaba con bautizar a aquella gente y con enseñarles a leer y a escribir. De acuerdo, de acuerdo... El celibato tendría que ser opcional. En Tierra Santa esto se veía muy claro, pues la Iglesia oriental, los coptos, los maronitas, los armenios, etc., se casaban legalmente y con ello cancelaban el problema. Para no hablar de los *mullahs* árabes y persas, algunos de los cuales tenían hasta cuatro esposas. ¡Huy, dar un consejo! ¡Hum, menuda responsabilidad! Si mi enamoramiento era veraz, con hondas raíces incluso al margen de la diosa carne, yo no tenía más que una salida: seguir la exhortación de san Pablo: «Mejor es casarse que abrasarse.» ¿Cómo...? ¿Que yo desconocía la cita? ¿Pues dónde vivía, en el limbo? ¿Qué me habían enseñado en el seminario? Ahora ya lo sabía: mejor casarse que abrasarse. Cualquier cosa menos prolongar la ambigüedad...

Las palabras de Valentín Gajate me hicieron el efecto de un escopetazo. Tal vez excesivamente bruscas para convencerme de una manera absoluta. Él se dio cuenta, puso la mano en mi cabeza y me alborotó amistosamente los cabellos, demasiado largos, a juicio de mosén Martí. Permanecí mudo. No sabía qué replicar, qué comentario hacer. ¿Por qué no me encontraría yo en la selva boliviana? «No tenía más que una salida...» «Cualquier cosa menos la ambigüedad...» Esto era cierto de todas todas. Sólo Cristo sabía lo que estaba sufriendo desde que Victoria se acercó al confesonario y me dijo: «Te quiero... Nunca me casaré, si no es contigo.» La misma promesa que le había hecho yo a la Iglesia, «despótica y exclusivista», según definición del doctor Pros.

El clima reinante entre el sacerdote vasco y yo había cambiado por completo, por culpa de mi rigidez. Los bocadillos de jamón y queso salvaron el bache. Cada cual fue comiendo el suyo, masticándolo con lentitud y en el más completo silencio.

—¡Lástima —rezongó, a la postre, Valentín Gajate— no habernos traído un termo con café caliente!

Pasaron tres días sin novedad. El padre abad me invitó el domingo a concelebrar con los monjes, y podría decirse que, salvo en la primera misa, jamás me había emocionado tanto. La basílica estaba a tope. Peregrinos muy dispares, procedentes de los lugares más lejanos. La Escolanía cantó como nunca. Por unos minutos me sentí transportado a la gloria, donde mi padre me tendría preparado un trono semejante al de un faraón egipcio.

El 16 de junio llegó una carta a mi nombre. Escrita a máquina, sin remitente. En el acto supuse que era de Victoria. Mi primer impulso fue romperla en pedazos y tirarla a la papelera. ¡Quién sabe lo que contenía aquel sobre! Un artefacto explosivo, una bomba de relojería... Claro, claro, quedamos en que yo no sería «visitable» y en que no me pondría al teléfono; pero la astucia femenina había descubierto la posibilidad de la correspondencia.

La curiosidad me pudo. Rasgué el sobre de un mordisco y pude leer:

Querido Anselmo: Tú puedes olvidarme, pero yo no. Tú cuentas con el apoyo de la Virgen, yo no cuento con ningún apoyo. Lo que te ofrezco es mi ser. *Enteramente. De una manera total. Sé que te pido un sacrificio enorme, pero a lo mejor los hijos que Dios nos envíe te compensarán...*

Perdona mi letra temblorosa, pero es que ahora mismo estoy llorando.

VICTORIA

Con la carta en la mano me paseé por la celda, mordiéndome con rabia el labio inferior. También estuve tentado de tirarla a la papelera; finalmente la guardé en el bolsillo. Me acerqué maquinalmente a la ventana y contemplé la explanada del monasterio. Vi los trenes-cremallera que subían y bajaban de San Jerónimo y pensé en los ermitaños que estaban allí. Por un lado los envidié; por otro, los compadecí porque no conocían a Victoria. ¡Victoria! ¿Por qué había mencionado el nombre de Dios, poniendo bajo su protección a nuestros *posibles* hijos? ¡Ah, la astucia femenina otra vez!

Abandoné la celda con paso rápido y me dirigí a la basílica a arrodillarme a los pies de la Moreneta. Levanté hacia ella los ojos, pero en el acto noté que algo se había quebrado en mi interior. En un altar lateral celebraba misa Valentín Gajate. Vi los confesonarios y la capilla del Santísimo. Mi sobresalto fue enorme, ya que todo aquello se me antojó ajeno a mi condición. Con todo el dolor de mi alma tuve la evidencia de que acababa de resolver mi crucigrama...

Se me hizo un nudo en la garganta, sollocé, pensé en

Héctor, en *el Tontorrón*, en mosén Salvador Cebriá, en Ignacio, en mi buen párroco mosén Martí. Pensé en San Gregorio, en la grandiosa ceremonia del Estadio de Montjuich. ¡Y en el doctor Pros! ¡Cómo sonreiría el inteligente psiquiatra, que había poseído a Victoria antes que yo! ¿Y mi madre? Mi madre se llevaría sin duda la alegría de su vida. Inmediatamente pensaría en los nietos que a buen seguro «nos enviaría Dios». Y bendeciría el día en que Victoria se cruzó en mi camino. E invitaría al doctor Camprubí a brindar con champán.

Pleito resuelto. ¿A qué esperar más? Ya Victoria me había advertido que un mes era mucho tiempo para una reclusión espiritual... Salí de la basílica y regresé a mi celda silabeando por lo bajini: «Mejor casarse que abrasarse.»

CAPÍTULO XVIII

BAJÉ HASTA MONISTROL, recuperé mi Seiscientos y me dirigí con calculada lentitud a Barcelona. Otra vez la campiña, el olor a alfalfa y a estiércol. La apisonadora estaba todavía en la carretera, y los obreros, torso desnudo, tenían que soportar el negro hervor del alquitrán. Pensé que no podía aún cantar el tedéum. ¿Aceptaría la Iglesia mi petición de *dispensa*? Corría la voz de que el nuevo prelado, monseñor Marcelo Martín, era mucho más estricto que aquel monseñor Gregorio Modrego, que ungió mis manos en el Congreso Eucarístico.

Cuando mosén Martí me vio llegar a la rectoría mucho antes de lo previsto —*Chispita* estaba sentado encima del piano—, supuso en el acto que algo ocurría. Pero jamás pudo imaginar que se trataba de mi secularización. Al oírme, se le hincharon las venas del cuello y su nariz enrojeció más que de costumbre. Tuvo un acceso de tos. Por fin guardó el pañuelo en el bolsillo y me hizo saber que si el señor obispo, al que forzosamente debería yo pedir audiencia, recababa de él informes sobre mi persona, tendría que meditar mucho antes de responder.

—De un tiempo a esta parte, mosén Anselmo, yo notaba en usted algo raro... Pero jamás se me ocurrió que lo que se proponía era romper con la Iglesia.

—Yo no me propongo romper con la Iglesia, mosén Martí. Simplemente me he enamorado de esa mujer y quiero que la Iglesia bendiga, mejor dicho, santifique mi matrimonio.

Mi párroco mostró una vez más su cerrazón. Como siempre, adujo que la culpa de la epidemia que estaba diezmando las parroquias del mundo la tenía el concilio. Los sacerdotes de mi generación nos tomábamos a chunga la figura de Satanás y preferíamos el Seiscientos a venerar la custodia santa.

—Empezaron ustedes por prescindir de la tonsura, luego vistieron el *clergyman*, después se compraron un coche y, al final, el matrimonio... La línea recta es la más corta. ¡Qué le vamos a hacer!

Por su parte, mosén Salvador Cebriá tuvo un exabrupto.

—¡No digas majaderías! ¿Qué te ha ocurrido en Montserrat? ¿Encontraste allí alguna monja apetitosa? Anda, deja de hacer el idiota. Vuelve a tu parroquia, a San Gregorio, y considera liquidado este asunto.

Me levanté de la silla y me planté frente a mi director espiritual. Le exigí que retirara la palabra *idiota* tratándose de mi amor por una mujer como Victoria.

—Sufren ustedes un lavado de cerebro de padre y muy señor mío... Yo llamo a esto deshumanización. Por favor, seamos realistas. Usted sabe que mi lucha ha sido larga, dolorosa. Que no es un capricho sino una exigencia vital. —Conseguí dominarme y proseguí—: De todos modos, mi decisión está tomada. Hoy mismo escribo una carta al señor obispo pidiéndole audiencia... Lo que usted debe hacer es ayudarme; bastantes trabas me va a poner mosén Martí.

Héctor y *el Tontorrón* se quedaron sin palabra. Esta vez nos reunimos en el despacho que Héctor disponía en el seminario. *El Tontorrón* se golpeaba la frente pensando que tal vez erró al aconsejarme que me fuera a un convento a meditar.

—Cuando se está solo se ven muchos fantasmas.

—Nada de eso, *Tontorrón*... Los fantasmas se avecinan ahora, si vosotros no me echáis una mano.

Héctor estaba triste. Parecía un hombre derrotado. Más derrotado que yo.

—¿Qué mano podemos echarte, Anselmo? El Señor tiene mil maneras de enseñarnos el camino... Si en Montserrat has escuchado su voz, y su voz te ha repetido el nombre de Victoria, supongo que no hay más que hablar.

No hubo más que hablar. Por un momento sentí como

si aquellos dos amigos del alma, con los que había compartido buena parte de mi vida, se hubieran alejado de mi órbita. Poco después sucedió lo contrario. Los sentí tan próximos que los abracé con inusitado fervor, mientras las lágrimas resbalaban por mis mejillas.

—¡Héctor! Ruega por mí... Sé que me lo juego todo a una carta; pero la quiero, ¿te das cuenta? ¡Ah, nadie nos había enseñado lo que, desde el punto de vista humano, significa querer! En cuanto a ti, *Tontorrón*, reza también por ese mosén Anselmo que se os escapa de las manos. ¡Rézale a la Virgen, tú que tienes con ella una relación especial!

Mi entrevista con Victoria no puede describirse con palabras. La llamé por teléfono a la Rambla de Cataluña y su voz entrecortada me dio la medida de lo que iba a ser nuestro encuentro.

—Por favor, arréglatelas para que mi madre esté ausente... He de verte a solas, a solas con Dios.

Así se hizo. A media tarde pulsé el timbre de la puerta de nuestro piso y Victoria acudió a abrirme. ¡Extraordinaria visión! Estaba resplandeciente, aunque se le notaba en los ojos que también había llorado. Con el índice en los labios le indiqué que nada de abrazos ni de besos.

—Seamos cuerdos, Victoria. Nos queda toda una vida por delante...

Entramos y nos fuimos a «su» habitación —a «mi» habitación— y observé con gozoso sobresalto que en la cabecera de la cama había colgado un crucifijo. Tomamos asiento sin prisa y ella, para cortar el silencio, me hizo la pregunta más ingenua que cabía esperar:

—¿Recibiste mi carta?

Titubeé un instante.

—¡Pues claro que sí! —contesté. Marqué una pausa y añadí—: ¿Por qué crees que estoy aquí?

Victoria, azorada, iba a decir algo más, pero se mordió la lengua. Por fin me preguntó:

—¿Quieres una taza de café?

—¡Oh, por supuesto! —Ella se levantó y yo ironicé—: Con más azúcar que de costumbre, si no te importa...

Victoria esbozó una sonrisa y se dirigió a la cocina. Llevaba zapatos de tacón alto y el tactac de sus pasos por un momento me desconcertó. Imaginé todos sus movimientos: encender el fogón, preparar las tazas, las cucharillas, etc. Probablemente le temblaba el pulso, pero en cuanto estuvo de regreso con la correspondiente bandeja de plata, la bandeja preferida de mi madre, pude comprobar que el café era excelente.

Hablamos por espacio de una hora, tal vez más. Sólo en una ocasión nos interrumpió Mercedes, la portera, que subió por la basura. El resto del tiempo lo pasamos solos, y, ante nuestro estupor, el diálogo se pareció al de un notario que discutiera con su cliente las condiciones del contrato.

En primer lugar faltaba conseguir la famosa *dispensa*, aunque esto me preocupaba poco porque la curia romana —¡un brindis por Pablo VI!— finalmente había abierto la mano. ¿Que cuánto podían durar los trámites? El obispo pediría informes a unas cuantas personas —por supuesto, repasarían mi *currículum* en el seminario—, y luego a algunos feligreses de San Gregorio y, obviamente, a mosén Martí, «quien con la mejor voluntad del mundo haría lo posible para entorpecer mi gestión». Esto podía tardar un mes. A continuación, el *dossier* a Roma y Roma, según precedentes, tardaría unos cuatro meses, día más, día menos...

—Total, dentro de medio año podremos recibir el *placet*, tal vez la víspera de los Reyes Magos y abrazarnos sin rubor en la mismísima plaza de Cataluña.

El semblante de Victoria, mientras duró mi explicación, pasó por todos los estadios imaginables. Júbilo, miedo, preocupación, júbilo otra vez. Dos cosas la preocupaban, al parecer: la previsible actitud de mosén Martí y la posibilidad de que, una vez casados, yo me arrepintiera de haber dado aquel paso y me ganara la nostalgia de lo que hasta ese momento había constituido mi vida.

—No lo creo, Victoria. ¡Por favor, no te hagas mala sangre! Bien sabes que no se trata de un arrechucho como el que me llevó a contemplarte y a besarte en Mas Carbó... ¡Por favor, te repito! Ten confianza. Y pongo como testigos a Dios y a la montaña de Montserrat...

A continuación le repetí que el hecho de secularizarme y fundar una familia no significaba que yo abdicara de mis convicciones, de mi fe en Cristo y en que éste vino al mundo a redimirnos. Por tanto, Victoria debía darme su palabra de que los hijos que Dios nos enviara serían bautizados y educados en el seno de la Iglesia católica.

Victoria asintió con mucha seriedad. Guardamos silencio. Y luego, como si repentinamente se acordara de un posible obstáculo, me preguntó:

—Dime, Anselmo... ¿Y si, pese a tu congénito optimismo, resulta que en Roma te deniegan la petición?

Aquello fue superior a mis fuerzas. Me levanté, me acerqué a Victoria y le acaricié el mentón.

—En ese caso, tiraría por la calle de en medio...

No hubo necesidad de tirar por la calle de en medio. Ante la felicidad de mi madre, se iniciaron los trámites. Monseñor Marcelo Martín, luego de recibirme en audiencia, me pidió que cursara mi solicitud por escrito. Así lo hice. Simultáneamente salieron del obispado las correspondientes peticiones de informes. Mi currículum en el seminario fue calificado de brillante. En cambio, jamás supe lo que contestó mosén Salvador Cebriá. Por su parte, Héctor y *el Tontorrón* me mostraron sus respectivas respuestas, en las que manifestaron —por obligación de conciencia— que me consideraban un sacerdote ejemplar y que mi decisión los había sorprendido al máximo. Por el contrario, mosén Martí hizo constar que en los últimos tiempos había notado en mí un gran cambio, un descenso de mi piedad, como si me interesaran más las cosas de este mundo que las del Señor.

Seis meses exactos tardó en llegar la *dispensa*, que me fue concedida sin la menor condición. La curia romana llenó de felicidad mi corazón y el de Victoria. La boda se celebró de forma recoleta, a las siete de la mañana, en la parroquia de Santa Inés —calle de San Elías—, en cuyos sótanos durante la guerra civil funcionó una checa. El celebrante fue *el Tontorrón*. Mi padrino fue el doctor Camprubí y Rosa María la madrina de Victoria. Testigos, el doctor Pros, Fermín y Raventós, el barbero del seminario. El viaje de novios nos llevó hasta Roma y nuestros dos hijos, Eduardo y Laura, no tardaron en llegar.